MADAME SOCRATE

Un personnage sans couronne, roman, Plon, 1955.
Les Princes, roman, Plon, 1957.
Le Chien de Francfort, roman, Plon, 1961.
L'Alimentation-suicide, Fayard, 1973.
La Fin de la vie privée, Calmann-Lévy, 1978.
Bouillon de culture, Robert Laffont, 1986.
(En collaboration avec Bruno Lussato)
Les Grandes Découvertes de la science, Bordas, 1987.
Les Grandes Inventions de l'humanité jusqu'en 1850, Bordas, 1988.
Requiem pour Superman, Robert Laffont, 1988.
L'Homme qui devint Dieu :
1. Le Récit, Robert Laffont, 1988.
2. Les Sources, Robert Laffont, 1989.
3. L'Incendiaire, Robert Laffont, 1991.
4. Jésus de Srinagar, Robert Laffont, 1995.
Les Grandes Inventions du monde moderne, Bordas, 1989.
La Messe de saint Picasso, Robert Laffont, 1989.
Matthias et le diable, roman, Robert Laffont, 1990.
Le Chant des poissons-lunes, roman, Robert Laffont, 1992.
Histoire générale du diable, Robert Laffont, 1993.
Ma vie amoureuse et criminelle avec Martin Heidegger, roman,
    Robert Laffont, 1994.
29 jours avant la fin du monde, roman, Robert Laffont, 1995.
*Coup de gueule contre les gens qui se disent de droite et quelques
    autres qui se croient de gauche*, Ramsay, 1995.
Tycho l'Admirable, roman, Julliard, 1996.
La Fortune d'Alexandrie, roman, Lattès, 1996.
Histoire générale de Dieu, Robert Laffont, 1997.
Moïse I. Le Prince sans couronne, Lattès, 1998.
Moïse II. Le Prophète fondateur, Lattès, 1998.
David, roi, Lattès, 1999.
Balzac, une conscience insurgée, Édition°1, 1999.
Histoire générale de l'antisémitisme, Lattès, 1999.

Gerald Messadié

MADAME SOCRATE

roman

JC Lattès

I.

LA SPLENDEUR DU COUCHANT

1

Le crime de la rue du Héron

Toutes les femmes sont belles. Du moins à un moment ou l'autre de leur vie, et plus ou moins longtemps. L'attachement que la beauté leur témoigne dépend de celui qu'elles lui portent.

Certaines lui font un accueil qui invite à séjourner dans un corps décidément charmant au-delà, parfois bien au-delà, du cours du Grand Sablier. D'autres, au contraire, la traitent comme une coureuse de rues et, pour l'avoir tenue en suspicion ou méprisée, elles se retrouvent vite la mine tapée, le menton doublé, le téton flapi, le nombril aveuglé par le pli du dessus et les reins pareils aux sacs de blé du dessous dans la réserve d'un marchand de grain.

On a cru et l'on croit encore que le fard était le secret de la durée de la beauté chez une femme. C'est malveillance, mal-aimées ! Demandez à être aimées, gracieusement, poliment, et vous le serez ! Parce que vous aurez appris à être belles !

Xanthippe, elle, ne s'était jamais souciée de paraître gracieuse. Elle savait bien comment elle était faite, même si l'unique miroir de la maisonnée, celui de sa mère, était grand comme une main : elle ressemblait à un homme. Pas un garçon, un homme : épaules carrées, cou fort, croupe aussi large que les épaules. Des cuisses comme des piliers. Le visage, à le considérer avec indulgence, était énergique : front bas, nez fort, menton carré. Ses cheveux blonds, qui lui valaient son nom[1], accusaient encore la rudesse de ses traits. Physiquement, elle devait presque tout à son père, un ancien hilote[2] affranchi et devenu chevrier.

Elle aspirait pourtant aux bras d'un homme, un vrai ; ils eussent contenu ce chaos des quatre éléments qui tourbillonne dans les jeunes filles solitaires : le feu de l'imagination, le vent du délire, l'eau des humeurs, la terre de la chair. Un homme qui eût été la grande urne dans laquelle elle aurait enfermé à jamais la violence de l'incréé. Elle n'avait jusque-là connu que ceux de jeunes filles de sa condition. Brefs et décevants émois et, pour elle, simulacres du désir : bien qu'elle attirât les femmes, elle n'était pas lesbienne.

Pauvre et sans attraits, elle avait donc failli rester bréhaigne quand, à l'âge avancé de vingt-quatre ans, en l'an 438 avant la naissance supposée d'un juif nommé Josué et plus tard renommé Jésus, à la mode grecque, elle avait enfin été demandée en mariage.

Elle se souviendrait jusqu'à la fin de ce jour, le dernier de la première décade du mois de Thargélion[3].

Le prétendant était un type charnu au visage de Silène, le nez en pied de marmite et aux narines dilatées, une grosse bouche et les yeux à fleur de peau. Le chevrier avait disparu dix-sept ans plus tôt, dans la guerre contre Corinthe. Ce fut sa veuve, la mère de Xanthippe, Hélas, qui reçut l'inconnu. Elle avait cligné des yeux, saisie par le sourire un peu canaille du prétendant. Son air bonasse changeait des garçons du quartier, des fils de fromagers ou des clercs aux écritures de l'archontat, qui se coiffaient bizarrement et prenaient le mau-

---

1. Xanthippe signifie « Jument jaune ».
2. Paysan.
3. À peu près juin. Pour cette date-ci, imaginaire, et celles qui suivent et sont historiques, il faut préciser que les réformes successives du calendrier grec, avec le passage du calendrier lunaire à un calendrier « semi-lunaire », rendent impossible d'établir une correspondance exacte avec notre calendrier.

vais genre pour faire croire qu'ils étaient riches — bref, des rien du tout frais débarqués de quelque campagne maritime.

« Comment tu t'appelles ?

— Socrate.

— Quel âge as-tu ?

— Trente et un ans. »

À peu près l'âge auquel ils se mariaient tous. Ils couraient le gueux ou la gueuse, ou les deux, de quinze à trente ans, puis venait l'heure de faire des enfants, pour donner des soldats à la Cité, des descendants à ses ancêtres.

« Que font tes parents ? demanda encore Hélas.

— Mon père, Sophronisque, était tailleur de pierre. Ma mère, Phénarète, est sage-femme.

— Qui t'a parlé de Xanthippe ?

— Eulos »

Le vinassier de la troisième rue à droite, en descendant de la rue du Temple d'Athéna, un grand barbu qui savait quand demander son dû et aussi quand il fallait ne pas le demander, ce qui est une preuve de sagesse. Eulos connaissait beaucoup de monde. Hélas avait ensuite demandé :

« Qu'est-ce que tu fais ? »

Il avait ri, et rien qu'à le voir rire, Hélas s'était demandée si elle n'allait pas elle-même lui demander sa main. Il riait comme un sale gamin, un de ces petits voleurs auxquels on tord le poignet quand on les prend à chaparder une volaille et auxquels on finit par donner une cuisse du poulet avec une torgnole.

« Tu es d'Athènes, au moins ? Je ne veux pas de métèques chez moi.

— Je suis d'Athènes. Et j'ai ma maison.

— Tu ne m'as toujours pas dit ce que tu faisais.

— Je suis philosophe.

— Philosophe ? Qu'est-ce que c'est que ça ? »

Il avait ri de nouveau, et expliqué que la philosophie était une science ou un art — on ne savait pas — qui comportait deux branches. L'une, le sophisme, consistait à convaincre les autres. L'autre, la sagesse, à savoir de quoi l'on voulait se convaincre soi-même. Lui, il enseignait la sagesse.

« C'est bien compliqué », avait jugé Hélas.

Et, considérant la tunique défraîchie du prétendant, elle avait ajouté :

« Tu ne dois pas avoir beaucoup d'élèves... »

Cette fois, ils avaient ri ensemble.

« Un gobelet ?

— Volontiers, avait-il répondu. »

Ils avaient trinqué, puis elle s'était absentée pour chercher un pain et des olives dans un bol de saumure.

« Nous ne sommes pas riches, avait-elle annoncé, d'un ton de défi. Si c'est avec la dot que tu comptes t'établir, tu vas être déçu.

— Je sais, il n'y a qu'à voir, avait-il répondu avec un demi-sourire. Mais je n'ai pas besoin de m'établir. Sa dot demeurera sa propriété. »

Il hocha la tête, et reprit :

« Le temps passe. On se lève le matin, des amis viennent vous consulter. Ils vous offrent le déjeuner. On rencontre d'autres gens qui veulent aussi un conseil. L'après-midi, il faut enseigner le raisonnement à des jeunes gens qui se destinent aux affaires de la Cité. On vous invite à dîner. Les jours passent. Puis les semaines, les mois, les années... »

L'explication rassura Hélas, qui se rappela avoir, en effet, vaguement entendu parler d'un homme réputé qui donnait des conseils sur la place, non loin des marchands de fruits et légumes du Stoa. Elle se demanda toutefois si avec tous ces jeunes gens autour de lui... Bref.

« Tu l'as vue, Xanthippe ? demanda-t-elle d'un ton plein de sous-entendus.

— Je l'ai vue. Aujourd'hui, elle est laide, peut-être sera-t-elle belle demain. Qui peut le dire ? Crois-tu que je sois venu épouser Aphrodite ? Je suis venu demander une épouse.

— Pourquoi elle ?

— Justement parce qu'elle est laide. Comme ça, personne ne se fera d'idées. Moi aussi, je suis laid. Elle est pauvre, moi aussi. Nous sommes assortis.

— Tu es sage, en effet, admit Hélas, regardant le prétendant dans les yeux. Cela signifie que tu ne l'aimeras pas comme une femme, mais comme une épouse. »

Elle avait appelé Xanthippe et celle-ci était venue, l'air d'un chien contrarié, vaguement insolente. Rien qu'à voir l'étranger, elle avait compris : sa mère l'avait vendue.

« Qu'est-ce qu'il y a ? bougonna-t-elle.

— Il y a que cet homme demande ta main. Je te marie. Il s'appelle Socrate. »

Plus tard, Xanthippe dut se l'avouer, elle avait d'emblée approuvé la décision de sa mère, même si elle avait alors fait sa mijaurée. Ce visage farceur l'avait séduite sur-le-champ, et surtout ce regard bleu, un peu globuleux, qu'il promenait sur le monde avec amusement. Cet homme devait rire et, peste ! les quelques hommes qu'elle avait observés pendant ces années d'attente n'avaient pas l'air d'être de joyeux compagnons dans l'intimité, à supposer qu'intimité il y eût. Lui, il avait souri et elle avait découvert cette lippe gourmande qui trouait la barbe blonde, une grappe de framboises dans un buisson.

« Et les frais du mariage ? avait demandé Hélas.

— Qu'est-ce que cela peut coûter ? avait répondu Socrate, qui n'en avait qu'une très vague idée.

— Trois statères au moins, en comptant juste.

— Trois statères !

— Écoute, il faut qu'elle ait une robe neuve !

— Trois statères ! »

Mais il disait « trois statères » comme il eût dit « trois cailloux », et il n'avait à l'évidence aucune idée de l'argent.

« On ne se marie qu'une fois, Socrate.

— Bon, j'y pourvoirai. Ou plutôt, mes amis et mes élèves le feront.

— Tu as dit que tu avais une maison ?

— Oui, rue du Héron, dans le quartier de Limnée.

— C'est un beau quartier ! s'était exclamée Hélas. C'est sur la colline des Muses, c'est ça ?

— En effet.

— Tu en as hérité ?

— Non, on me l'a donnée. »

Hélas se dit que, finalement, ce n'était pas un parti si misérable que celui qui avait des amis suffisamment riches pour lui offrir une maison dans un quartier comme celui-là. Elle se promit de s'informer sur cette maison. Mais déjà les yeux de Xanthippe avaient brillé à l'idée d'aller vivre dans le quartier de Limnée, et elle avait demandé si la maison était grande.

« Assez grande, oui. Il y a trois pièces pour le gynécée.

— Trois pièces ! Mais c'est un palais ! »

Xanthippe et sa mère étaient allées la voir. Deux plèthres de long[1], sur la rue qu'on appelait du Héron, huit fenêtres, un étage avec un balcon en bois, ce qui signifiait que le maître de céans payait des impôts sur ce luxe, et au moins cinq arpents[2] de surface au sol.

C'était sous la Démagogie illustre de Périclès. Cinq ans plus tard, Xanthippe, avait donné à Socrate deux beaux enfants, des garçons. Qu'avait-elle reçu en échange ? Le spectacle du monde. Car le madré n'avait pas tout dit quand il était venu demander sa main. Il était l'un des conseillers du premier stratège d'Athènes, Périclès, le chef du parti démocrate et le maître de fait de la Cité. D'où la stupeur de Xanthippe au repas qui avait clôturé les trois actes du mariage, rue du Héron, le cinquième jour de la deuxième décade d'Hécatombéion[3]. Plus de deux cents personnes, des femmes comme elle n'en voyait qu'une tous les mois, de loin, en robes de pourpre, parées de bijoux d'or et de pierreries dont elle ignorait jusqu'à l'existence, la chevelure savamment apprêtée, des hommes élégants, qui sentaient le pouvoir autant que les essences et les huiles dont ils étaient parfumés. Et des cadeaux fastueux : Périclès lui-même avait offert un bol d'argent ouvragé assez grand pour y mettre une tête de veau, avec le plateau, également ouvragé. D'autres avaient apporté des

---

1. Un plèthre mesurait cent pieds, soit quelque 30 m.
2. Un arpent grec mesurait 70 m².
3. À peu près juillet. Le nom grec de ce mois s'explique par les centaines de sacrifices d'animaux offerts chaque année à la déesse Athéna lors des fêtes des Panathénées.

jarres de vin, des quartiers de porc, de la volaille... On avait bu quatorze amphores de vin !

C'est son père qui aurait dû offrir un sacrifice pour débuter les cérémonies. Mais le chevrier avait disparu depuis belle lurette, mort ou exilé sur une île. Ce fut donc un frère d'Hélas qui y pourvut. Il sacrifia un pigeon sur l'autel de la divinité domestique, devant la mère et la sœur cadette de Xanthippe ; cela signifiait qu'elle était détachée de sa famille. Les cheveux savamment lustrés, couronnée de myrtes, fardée comme elle ne l'avait jamais été, n'osant pas toucher sa robe blanche, elle était presque jolie. Inquiète, elle gardait les yeux sur la porte : viendrait-il, ne viendrait-il pas ? Il vint et le visage de Xanthippe s'épanouit. Elle tendit la main à Socrate et franchit le seuil de la maison qui n'était plus la sienne.

Six hommes, dont deux hérauts, les attendaient dans la rue, l'un portant le flambeau nuptial. Ils chantèrent des hymnes religieux et, encadrant les futurs époux, prirent le chemin de la rue du Héron. Là, Socrate souleva Xanthippe dans ses bras d'un geste preste et vigoureux, et il franchit la porte, en prenant soin qu'elle ne touchât pas le seuil. Une foule les attendait. Un célébrant la conduisit devant l'autel où brûlait un petit feu et l'aspergea d'eau lustrale. Puis il lui demanda de toucher le foyer. Elle posa la main sur la pierre chaude et le célébrant versa sur le feu du vin et du lait. Après quoi, il tendit à Socrate un petit pain rond. Le nouveau marié le brisa en deux et en donna une moitié à Xanthippe en la regardant dans les yeux. Ils mangèrent chacun sa moitié en silence et les vivats jaillirent. On les couvrit de fleurs, de compliments et de souhaits. Le banquet pouvait commencer.

Une longue solitude avait laissé à Xanthippe d'amples loisirs pour la réflexion, et, si elle était impatiente, comme tant de gens qui ont vécu seuls, elle était également dotée de bon sens. Bref, elle ne s'était pas racontée de balivernes sur les choses du sexe.

Elle aborda donc la nuit des noces avec plus de curiosité que d'élan. Toutefois, quand elle fut nue sur le lit et que Socrate eut laissé tomber ses braies, elle fut épouvantée par la dimension du membre qui lui était destiné. Elle n'avait jamais vu d'homme vraiment nu, et tout ce qu'elle savait de cette partie de l'anatomie masculine, elle l'avait appris de l'observation des statues. Or, les Athéniens entretenaient à l'égard du sexe masculin une convention singulière : un beau sexe était un petit sexe. Les sculpteurs dotaient donc les dieux mâles et adultes de pénis qui, dans la réalité, eussent tout au plus correspondu à ceux de gamins impubères [1].

D'où la frayeur de Xanthippe. Elle se demanda si son mari n'était pas vraiment un satyre, comme le laissait d'ailleurs craindre son visage de silène.

« Oh ! non », s'écria-t-elle en le voyant mettre un genou sur le lit.

Le jeune marié dut déployer toute sa rhétorique pour persuader son épouse qu'il n'était pas un monstre et que les statues de marbre ne devaient pas être confondues avec les hommes de chair.

Elle éprouva, il est vrai, des émois qui la récompensèrent de sa patience et des douleurs de la défloration, mais, au fil des nuits, Xanthippe finit par se dire qu'elle trouvait plus d'agrément à l'affection qu'au sexe, et elle n'éprouva pas de difficultés extrêmes à faire partager son point de vue à Socrate.

Passées les premières étreintes et une fois considérées les réalités de son existence, Xanthippe put se demander ce qu'elle avait reçu en échange de sa personne. Force était d'avouer qu'à part le statut de femme mariée, certes appréciable, et une teinture d'affection, elle en était revenue à la compagnie des femmes : la servante, l'esclave et les voisines. L'ordinaire de la journée n'était pas très différent de celui de jadis : laver les légumes, gratter le poisson, filtrer l'eau à boire dans des cruches de terre poreuse, frotter le linge... Seule nouveauté : aérer la literie et battre la paillasse de lits froids, car, en dépit de l'heure tardive à laquelle il rentrait le plus souvent, Socrate décampait de bonne heure. Ou bien, comme l'an passé, il l'informait un matin qu'il partait à la guerre.

« À la guerre ?

---

1. Cette convention est un point largement établi par les historiens et explique certains détails de l'art grec déroutants pour nos contemporains...

— Nous allons faire le siège de Potidée. »

Il aurait pu tout aussi bien lui dire qu'il allait dans la Lune se battre avec les Érinyes.

« Potidée ?

— C'est en Chalcidique. »

Elle ne savait pas davantage où se trouvait la Chalcidique.

« Pourquoi allez-vous faire la guerre ?

— Parce que Potidée s'est rebellée contre nous. »

Elle se vit déjà veuve. Un vent aigre soufflait du ciel gris, c'était en hiver, au début du mois d'Anthestérion[1].

Elle demanda :

« Et quand reviendras-tu ?

— Quand Potidée se sera rendue. »

Il lui tendit un petit sac plein de pièces.

« C'est beaucoup d'argent, dit-elle. Tu comptes être absent longtemps ?

— Je ne sais pas. Cela devrait suffire. »

Suffire à quoi ? À son veuvage ? Elle pleura, il l'étreignit, elle sanglota encore plus, il s'arracha à elle et alla à sa chambre. Elle l'en vit ressortir, les jambes serrées dans des cnémides et portant une lance et un bouclier, ainsi qu'un ballot qui contenait sans doute des vêtements de rechange. Il se retourna pour lui adresser un salut de la main et un sourire. Elle courut après lui à la porte, puis dans la rue où l'attendait une dizaine d'hommes pareillement équipés. La petite troupe disparut bientôt à l'angle de la rue.

Elle pleura trois jours, entourée de femmes. Et attendit.

Deux mois plus tard, un matin, elle faisait cuire la soupe quand elle entendit du bruit dans le patio. Elle alla voir et reconnut à peine l'homme qui se tenait là, tant il était hirsute et hâve. Il posait un ballot par terre quand il l'aperçut et elle retrouva le sourire des premiers jours. Elle s'élança et ils s'étreignirent sans un mot. Elle sanglota tandis qu'il lui donnait de petites tapes dans le dos.

« Vous avez eu Potidée ? hoqueta-t-elle, pour dire quelque chose.

---

1. À peu près février.

— Non, ils tiennent encore. Mais ils finiront bien par céder.

— Tu me raconteras ?

— Je te raconterai.

— Viens voir, dit-elle. »

Et elle le conduisit au gynécée, où l'esclave balançait un berceau d'osier accroché par des cordelettes à deux potences de bois.

Il se pencha dessus et cria : « Xanthippe ! Un garçon ! »

Puis il prit dans ses bras cette ébauche de lui-même.

« C'est ta mère, Phénarète, qui l'a mis au monde, dit-elle. Ç'aura été sa dernière délivrance. »

Il se tourna vers sa femme, intrigué par la forme et le ton de la phrase.

« Phénarète... est morte », dit-elle.

Socrate resta un long moment silencieux. Des larmes coulaient de ses yeux, car il arrivait que cet homme pleurât. Il regarda l'enfant. Un donné pour un rendu. Il hocha la tête.

« Je t'attendais pour lui donner un nom, dit Xanthippe.

— Appelons-le Sophronisque », décida-t-il.

Puis il le reposa dans le berceau avec une délicatesse de nourrice, et la prit elle-même dans ses bras.

Il y a des moments de bonheur dans la vie. C'est-à-dire qu'il y avait des moments où Xanthippe avait conscience d'être une femme mariée avec un enfant et un mari réputé pour son grand savoir. Un mari de cœur.

Deux ans plus tard, ils eurent un autre enfant. Encore un garçon, Ion ! Mais Socrate était alors dévoré par les affaires d'Athènes et elle le voyait encore moins qu'avant. Il avait montré sa bravoure au front et l'on se disputait le héros autant que le philosophe.

Il repartit deux fois pour la guerre, une fois pour Délion, l'autre pour Amphipolis, et, comme toujours, Xanthippe s'imagina veuve des semaines durant. Mais il fallait bien défendre Athènes contre ceux qui voulaient la détruire. Ce fut alors qu'elle commença à se représenter le monde comme peuplé de bandes de mâles aux prises avec d'autres bandes de mâles. Et elle, elle mettait des mâles au monde.

Son homme à elle, elle le voyait toujours moins. Finie l'époque où ils partaient tous les deux pour la journée vers la baie de Phalère, au-delà du port, avec un panier de melons, du pain, du fromage blanc et un cruchon de vin coupé. Ils s'installaient sur la grève, se dévêtaient et se jetaient à l'eau. Elle regardait son silène de mari se transformer en triton et faire des brasses dans l'eau et le rejoignait pour l'éclabousser. Et parfois, ils faisaient l'amour, beaux tous les deux puisque personne ne les voyait. Socrate, en réalité, n'aimait pas sortir des murs d'Athènes. Sa montagne et sa mer à lui, c'était la ville, cette ville qui l'absorbait de plus en plus. À la fin, les Athéniens n'avaient qu'une seule véritable épouse et c'était Athènes.

Certains jours, pourtant, elle s'interrogeait : avait-elle épousé une personne ou un personnage ? L'humeur toujours égale de Socrate et le fait qu'elle le vît si peu le rendaient presque abstrait : un masque, un nom, une notoriété et des enfants, cela ne fait pas un homme. Et les passions ?

« Je ne t'ai jamais vu en colère, ni en larmes, lui dit-elle un jour. Je n'ai jamais entendu de ta bouche un reproche ni un sarcasme. N'as-tu donc pas de passions ?

— Cela m'empêcherait de penser. Mais je ne t'interdis pas les émotions », répondit-il en souriant.

Cet éternel sourire gourmand, moqueur !

« Et l'ambition ?

— De quoi ?

— Je ne sais pas... D'être riche, par exemple ?

— Crois-tu que je dormirais mieux sur un lit incrusté de nacre et d'argent ?

— Et moi ?

— Tu voudrais ensuite une table de bronze, puis des chaises assorties...

— Le pouvoir, alors ? Tu as la confiance de Périclès et de beaucoup d'autres...

— Le pouvoir, répondit-il gravement, c'est être l'esclave

des gens que l'on commande, et parfois même leur victime. Mon ambition est de conserver ma liberté. »

Elle réfléchit un moment. Même pas quarante ans et déjà si plein de sagesse, de distance...

« Et puis, tu es trop bon, je le sais, reprit-elle.

— Bon ? répéta-t-il surpris.

— Oui, il faut savoir être cruel quand on est aux affaires.

Il haussa les épaules.

— La bonté est dangereuse, Xanthippe, car trop de gens l'interprètent comme un sentiment de supériorité. Quant à la cruauté, chacun sait que c'est un aveu de faiblesse. »

Elle fut désarmée. Respectueuse, incrédule, perplexe. Elle ne l'interrogea plus. Désormais, lorsqu'elle devait l'entretenir de problèmes familiaux ou domestiques, Xanthippe allait crier son nom devant sa chambre, car elle ne se serait pas permise d'y entrer sans le prévenir. Parfois, il l'invitait à le rejoindre, ou bien il sortait dans le patio.

Xanthippe savait bien pourquoi Socrate ne l'invitait pas à entrer dans ses quartiers ; c'est qu'il n'y était pas seul. Il y recevait souvent des gens venus le consulter sur des affaires de la Cité dont ils préféraient ne pas débattre en public ; ils le payaient pour cela et ses offices de conseiller grossissaient le maigre stipende qu'il recevait en sa qualité de conseiller du premier stratège, Périclès. Mais parfois aussi ses visiteurs s'attardaient dans la nuit, et il n'était pas difficile de deviner que leurs entretiens avaient pris un tour intime. Ces moments là rassuraient Xanthippe : elle savait que Socrate ne la quitterait pas pour une autre femme. Fidèle à la tradition athénienne qui voulait que la compagnie des femmes amollît les hommes, il préférait ces derniers. Sans passion, d'ailleurs, puisqu'il s'en défendait. Elle l'avait compris de bonne heure : le plaisir et le sentiment se chassent l'un l'autre, et les hommes, croyait-elle, n'étaient pas plus fidèles à leurs compagnons de lit qu'aux putains des bordels.

La convention voulait qu'un homme n'eût d'amants que jusqu'à ce que la barbe leur vînt. Deux hommes libres, prétendait-on, ne pouvaient être amants, puisqu'il fallait que l'un des deux fût passif. Balivernes ! Les hommes libres s'amusaient entre eux, et il n'y avait qu'à fréquenter les parages du Gymnase pour le vérifier.

Xanthippe s'en félicitait presque, mais elle se demandait ce que des hommes pouvaient bien faire ensemble dans un lit puisqu'ils étaient pareils. Dans sa candeur, elle s'en ouvrit à sa mère, qui lui fit une réponse si simple et crue que Xanthippe en resta à la fois pantoise et scandalisée.

« Mais..., bredouilla-t-elle, cela n'est pas agréable !

— Crois-tu ? répondit sa mère, avec un sourire. L'envers d'un homme et l'endroit d'une femme, cela se vaut. Ils sont aussi sensibles derrière que nous devant. Et puis, ça ne fait pas d'enfants. Comme ça, ils évitent de trop diviser les héritages.

— En tout cas, moi, jamais ! » s'exclama Xanthippe.

L'aspect physique de la chose étant, pour ainsi dire, éclairci, Xanthippe s'interrogea une fois de plus. Quels étaient donc les amants de son mari ? Elle prit l'habitude d'épier et en surprit un du regard, alors qu'il quittait la maison, de bon matin : un grand gaillard blond, dix-sept ou dix-huit ans, escorté d'un chien de luxe. La vision fut brève, mais nette. Le chien était un lévrier aux longs poils blonds, qui tortillait de l'arrière-train d'un air avantageux. Xanthippe ne connaissait pas grand'chose du luxe, mais enfin, elle en savait assez pour deviner que l'animal n'était pas un chien de berger. Elle s'informa auprès des voisines, une couturière et une coiffeuse qui frayaient chez des gens riches, et la dernière lui répondit qu'un pareil quadrupède pouvait coûter jusqu'à cinq statères. Cinq statères ! Xanthippe en eut le souffle coupé. Parmi d'autres détails que la voisine dévida figurait celui-ci : un riche et célèbre jeune homme possédait, en effet, un chien tel que celui-là ; il défrayait la chronique et se nommait Alcibiade. C'était un Alcméonide et donc une sorte de cousin du premier stratège, le grand Périclès. Xanthippe se demanda si le bellâtre qu'elle avait vu quitter la maison un matin ne serait pas cet Alcibiade-là. Comme Socrate était conseiller de Périclès, ce qui constituait sa principale source de revenus, ses soupçons tournèrent à la conviction.

Ainsi nuança-t-elle sa tolérance à l'égard des visiteurs nocturnes de la rue du Héron.

Au fil des jours et des mois, elle se prit d'aversion pour cet Alcibiade qu'elle avait juste entrevu et cela d'autant plus qu'elle entendit une nuit ou deux les aboiements du fameux chien dans les quartiers de son mari. Elle avait fini par se moquer des garçons de Socrate et puis par souhaiter qu'il se trouvât un brave gars affectueux et fidèle. Mais, pour une fille de chevrier, un godelureau qui jetait l'argent par les fenêtres au point de payer un chien, un chien vous dis-je, cinq statères, un tel évaporé donc ne pouvait pas être une personne aimable.

Elle se confia à sa mère. C'était un matin où celle-ci faisait de la lingerie : elle ravaudait une vieille tunique.

« De toute façon, lui dit Hélas, l'œil plissé comme celui d'une tortue, on ne sait jamais rien des hommes et encore moins des maris. Des mots, des membres et des épées, voilà les hommes. »

Elle logea l'aiguille dans le tissu, pour ne pas la perdre et leva sur Xanthippe un œil vitreux :

« À propos de cet Alcibiade, ma fille, tu devrais parfois prêter l'oreille aux rumeurs. Ce garçon, qu'on dit beau comme le jour, était à la guerre avec ton mari. »

L'expression de Xanthippe se figea. Voilà donc le secret. Elle mit un moment à digérer l'information et puis, fort différente de son époux en matière de philosophie, elle décida que le bonheur est dans l'ignorance. Son père le chevrier disait parfois : « Ce que tu ne peux changer, ignores-le. » Mais on croit toujours que la philosophie n'a rien à voir avec les chevriers.

Elle fut alarmée, un beau matin, par les cris des garçons. Elle courut voir. Comme tous les jours, les enfants allaient jouer à la balle dans la ruelle. Tout d'un coup, ils revinrent et l'aîné dit :

« Maman, il y a un homme mort dans la rue. »

Comment un enfant de quatre ans sait-il ce qu'est un homme mort ?

Elle lâcha en plan le linge qu'elle était en train de laver et alla y voir. Elle trouva, en effet, un cadavre ; il était comme assis sur son manteau, contre le mur de la maison, le regard fixe. Elle l'examina à distance car rien n'est plus impur qu'un mort, si ce n'est une femme à certains jours du mois ; un homme de quelque trente ans. Il avait été beau. Les cheveux d'un blond profond, soyeux, soigneusement bouclés, semblaient encore garder des traces de vie dans le vent du matin. À la souplesse avec laquelle son bras retomba quand elle le souleva, il paraissait frais. Il n'était pas mort depuis longtemps. Ses yeux grands ouverts étaient à peine ternis. Elle osa les fermer, le cœur battant d'espoir et de crainte contradictoires ; et si c'était Alcibiade ? Sa tunique était souillée par du sang noirci, dont la source se trouvait au point d'entrée d'un poignard dans le thorax, du côté gauche. Elle dévisagea le mort plus attentivement. Non, elle ne le connaissait pas. Pas vraiment. Elle avait seulement l'impression de l'avoir déjà vu. Mais on peut se tromper.

Il aurait pu mourir à la guerre. Il était mort dans la rue. Quelle différence ?

Socrate était déjà parti auprès de Périclès. Elle envoya l'esclave le mander et alerta les voisins. Ils vinrent répéter à l'envi les mêmes mots :

« Comme il est beau ! Mais qui est-ce ? » D'humeur particulièrement sombre, Xanthippe ressentit cette découverte comme un mauvais présage. Déjà un oiseau mort n'était pas de bon augure, mais un homme mort, alors...

Deux heures plus tard, les phalangistes vinrent emporter le cadavre sur une brouette. On l'exposa sur une esplanade du Stoa de Zeus, près de la porte du Dipylon, comme il est de coutume pour les morts inconnus, afin que les siens pussent l'identifier. Et de fait, une heure plus tard, son père et la proche famille reconnurent Philippide, fils aîné de Xéniade, l'un des membres du Conseil des Cinq Cents[1] et de la même

---

1. Les principales administrations de l'Athènes démocratique dont il sera question dans ces pages sont : le Conseil des Cinq Cents, également connu sous les noms de Tholos ou Prytanée, et où siègent les représentants des territoires ou *dèmes* de l'Empire — c'est l'autorité législative suprême ; le Conseil des Dix, composé de dix stratèges réélus chaque année, et qui siège au Stratégéion — il régit la politique intérieure et extérieure, militaire comprise, de l'Empire, et contrôle les magistrats : le Conseil de la Magistrature, qui siège au Bouleuthérion et dont le rôle peut être comparé à celui de l'exécutif dans les démocraties contemporaines. L'Aréopage est un tribunal privé de pouvoir dans l'Athènes démocratique et qui ne juge plus que les crimes de sang et d'impiété.

circonscription, ou dème, de Cholargos que Périclès lui-même.

Xanthippe revenait de faire son marché. On la reconnut, on la désigna comme celle qui avait découvert la victime, on l'entoura et la consola. Il y avait bien là trente femmes éplorées. Les gens se font en toutes circonstances une tête de circonstance, et celle-là irritait particulièrement Xanthippe. Un gamin frêle et blond qui l'observait depuis un moment vint lui prendre la main et lui demander : « Pourquoi ? »

« C'est Philippe, le fils de Philippide, lui dit une commère. Sa mère est morte en couches. Le voilà entièrement orphelin. Il n'a plus que sa tante et sa grand-mère. »

Xanthippe regarda les yeux bleus de l'enfant, rougis par les larmes, de vraies larmes. Elle y lut la douleur devant l'injustice, et en fut bouleversée.

« Je ne sais pas, Philippe », dit-elle avec douceur.

Et aussitôt, elle changea d'opinion : ne pas savoir, c'est une autre façon d'être victime. Peut-être était-ce à cette injustice-là que s'attaquait son mari ? Mais il s'attaquait à tant de choses, Socrate !

À la même heure, au premier étage d'une villa dans l'opulent quartier du Mouseion, des dormeurs s'éveillaient. L'un d'eux, un grand jeune homme à la chevelure d'or et au menton lourd, jeta un regard égaré sur le plafond décoré d'arabesques, puis sur le lit. Deux corps y gisaient, une jeune fille et un jeune homme, qui dormaient toujours. Il examina la première et haussa les sourcils. Les fards avaient coulé pendant la nuit, et c'était à peine s'il la reconnaissait. Le garçon ronflait.

Le jeune homme aux cheveux d'or se pencha, tira un pot de chambre de sous le lit et se leva pour pisser en tenant le récipient devant lui. Son regard tomba sur sa dague, à terre. Il saisit l'arme et la posa sur un guéridon proche. Puis il alla à la fenêtre et tira la lourde tenture qui la masquait pour jeter un coup d'œil à l'extérieur. Un soleil généreux inondait le jardin.

Il revint vers le lit, le contourna et détailla du regard le sol du côté du dormeur. Un rhyton renversé, des pièces d'or et d'argent échappées d'une bourse. Et une dague. Il saisit celle-ci, la dégaina et l'examina de près. Il parut relever un détail près de la garde et le gratta de l'ongle. Puis il huma la lame. L'air pensif, il remit l'arme dans sa gaine, enfila sa tunique et, pieds nus, quitta la pièce. Un grand chien couché devant la porte se leva pour lui tendre un museau humide et agiter une queue longue comme une plume d'autruche. L'homme le flatta de la main. Deux esclaves qui veillaient sur le palier le saluèrent. Il hocha la tête et commanda un bain et un verre de lait d'amande frais.

2.

Une conversation sur la justice
au petit matin

Le lendemain, tôt levée, Xanthippe, depuis le gynécée, garda l'œil sur les appartements de Socrate.

Les mouches bourdonnaient frénétiquement dans le patio quand la porte grinça. Xanthippe lavait à la fois le plus jeune des gamins et sa tunique dans le même baquet. Elle avait devant elle le spectacle de l'un des philosophes les plus célèbres de la cité la plus puissante de Grèce, presque nu sauf pour les braies serrées sous le nombril qui clignait au milieu d'un abdomen rebondi et couvert de poils blonds.

« Bonjour ! » cria-t-il.

Le marmot remua dans le baquet, visiblement alarmé par la voix de son géniteur. Xanthippe se borna à hocher du chef.

« Je voudrais te parler », dit-elle.

Il avança d'un pas dans sa direction.

« Reste-t-il du raisin ? demanda-t-il.

— Dans la cuisine. »

Il traversa le patio, flatta au passage la tête ruisselante et le menton de son fils, et alla chercher une grappe dans la corbeille. Quand il revint, Xanthippe séchait le bambin.

« Le mort... », commença-t-elle.

Il s'assit sur une chaise bancale, sous la tonnelle qui prolongeait le toit du gynécée, fourra un grain de raisin dans sa bouche et le croqua, l'air de ne rien comprendre.

« Le mort, reprit-elle agressivement, c'était un de tes amis ?

— Je le connaissais. Pourquoi ?

— Parce qu'on dirait qu'il venait se réfugier chez nous. »

Il croqua un deuxième grain, attendant la démonstration qui suivrait.

« C'est la seule explication du fait qu'il ait été assassiné dans la ruelle derrière la maison, reprit-elle.

— C'est ton hypothèse », répondit-il seulement, en feignant de s'abîmer dans la contemplation de la grappe de raisins.

L'expression de Xanthippe l'informa sur-le-champ qu'il ne s'en sortirait pas comme ça. Elle s'apprêtait à un affrontement et Socrate appréhendait les cris de son épouse plus que la foudre et le tonnerre. Son fils aîné venait d'apparaître et s'élança vers son père. Socrate l'embrassa et lui demanda s'il avait bien dormi. Le cadet, tout nu, traînait par terre un petit cheval de bois monté sur roues, en poussant des « Hue ! » sonores. La mère envoya les deux enfants dans leur chambre. Socrate recommença à grappiller son raisin.

« Socrate, dit-elle d'un ton ferme, on dit que Philippide avait dîné quelques heures plus tôt avec Alcibiade, et Alcibiade est de tes amis. Et voilà que Philippide est assassiné juste derrière notre maison. Mon idée me paraît être bien plus qu'une hypothèse. »

Diablesse de femme ! C'était un de ces jours où elle maîtrisait la logique aussi bien que lui, et la mention d'Alcibiade dans la bouche de son épouse alarma Socrate. Un nom aussi illustre, celui du pupille de Périclès et d'un jeune homme qui lui tenait à cœur, ne se prononçait pas à la légère.

« Est-ce que tu assistais à ce dîner ? reprit-elle.

— Oui.

— Tu as donc aussi une idée sur ce qui s'est passé après. »

Il se frotta un œil, puis l'autre, pour gagner du temps.

« Je suis certain d'une chose, dit-il enfin, c'est que le banquet avait lieu chez Alkyros et qu'Alcibiade n'a pas quitté la maison de son hôte avant le petit matin. Nous avons parlé jusque tard dans la nuit, avec quelques convives. Philippide était parti depuis longtemps.

— Il s'était disputé avec Alcibiade ? » demanda Xanthippe.

Cette femme était vraiment redoutable !

« Oui. Comment le sais-tu ?

— Je raisonne, fit Xanthippe en vidant l'eau du baquet dans le caniveau qui longeait le patio et s'écoulait jusqu'à la rue. Un homme ne quitte pas un banquet avant l'heure sans raison. Quel était l'objet de la querelle et qui impliquait-elle ?

— Je m'émerveille de ton flair, chère Xanthippe, dit Socrate en s'efforçant de garder un ton détaché. Je m'émerveille encore plus de l'intérêt que tu portes à une affaire qui ne concerne pas notre ménage.

— Elle me concerne, moi », répliqua-t-elle avec fermeté.

Il leva un sourcil.

« Vraiment ?

— Vraiment. Le chagrin du fils de Philippide m'a émue. J'étais là quand on a emporté le cadavre. Le garçon est venu vers moi, puisqu'on lui avait dit que c'était moi qui avais découvert le corps de son père. Il m'a demandé simplement : « Pourquoi ? » Je sais que vous parlez beaucoup de justice et de morale dans vos discours, vous, les hommes de Périclès. Mais je sais aussi que cette ville est pleine d'injustices. Il me serait odieux que ce petit garçon grandisse avec le sentiment que l'injustice est un des fondements d'Athènes : il y perdrait sa dignité, Socrate. Je veux savoir pourquoi Philippide a été assassiné et par qui. »

Socrate considéra son épouse d'un air pensif. Il avait été frappé par ses propos, presque ému lui aussi, et jugea tout à la fois inconvenant de recourir à des faux-fuyants et imprudent de trop parler.

« Ce que tu dis t'honore, Xanthippe, mais quand tu apprendrais le nom de l'assassin, que ferais-tu ? »

Elle le dévisagea, indignée.

« Je le dénoncerais au Conseil ! »

Socrate se redressa sur sa chaise, l'air soucieux.

« Je ne connais pas le nom de cet assassin, Xanthippe. Mais je ne voudrais pas que tu te mêles d'une affaire qui, comme tu le dis si bien, ébranle les fondements mêmes d'Athènes. Tu risquerais d'affronter des ennemis puissants et, comme tu es mon épouse, tu me contraindrais à les affronter moi aussi. Je ne te cache pas que cela serait particulièrement déplaisant pour moi.

— Qu'est-ce que ça veut dire, ça ? demanda-t-elle vivement.

— Écoute. Il y a deux grands partis qui s'affrontent à Athènes. L'un est celui de la démocratie, qui entend exercer le pouvoir au nom du peuple, l'autre est celui de l'oligarchie, qui estime que le pouvoir doit être tenu par quelques personnages qui en ont l'expérience. Philippide était, comme son père, Xéniade, partisan de l'oligarchie. Il a vivement reproché à Alcibiade, qui est membre de fait de l'oligarchie, de jouer le jeu de la démocratie. Il était l'ami d'Alcibiade, il l'a pourtant insulté en le traitant d'hypocrite. Les amis d'Alcibiade se sont insurgés et ont répliqué à Philippide en termes outranciers. Tout le monde était pris de vin. Il y a eu du chahut, certains convives se sont levés pour aller invectiver Philippide de près. Il s'est levé et il est parti. Je n'en sais pas davantage. Il se peut qu'un des amis d'Alcibiade soit parti à la suite de Philippide, que l'algarade se soit envenimée... Je ne sais absolument pas pourquoi Philippide est venu ici, puisque j'étais encore chez Alkyros quand il en est parti. Voilà. »

Xanthippe avait écouté son mari attentivement.

« Tu ne sais pas qui aurait pu poursuivre Philippide ? reprit-elle.

— Non, et je ne veux pas le savoir. Car si je le savais, je serais contraint de le dénoncer, et cela provoquerait une crise au Conseil des Cinq Cents et au Conseil des Stratèges. Nous sommes en guerre. Les Lacédémoniens ont engagé une offensive en Attique. Le moment est mal choisi pour déclencher un scandale qui rejaillirait sur le pupille de Périclès. Ce serait dangereux pour le parti de la démocratie et pour Athènes.

« — La guerre, la guerre ! Vous êtes toujours en guerre, vous, les hommes ! Donc, si je te comprends bien, il faut couvrir un meurtre au nom de la démocratie, dit Xanthippe, en faisant peser son regard sur son mari.

— Si les femmes étaient admises à participer au pouvoir, je m'efforcerais de te faire élire au Conseil des Cinq Cents, Xanthippe, répondit Socrate. Je le dis sérieusement.

— Dis ce que tu veux, mais je n'accepterai pas qu'une injustice et, pis encore, un meurtre soient commis au nom de la justice. »

Du coin de l'œil, Socrate observait l'esclave qui attisait le feu dans la cuisine. Un parfum piquant d'ail frit s'insinua dans l'air. Socrate se leva pour mettre fin à un entretien qui avait été moins bruyant, mais plus inquiétant qu'il ne l'avait craint. La situation était inattendue et il en goûtait l'ironie : la compassion de son épouse pour un orphelin mettait à l'épreuve la probité morale du philosophe. Il se félicitait toutefois de sa prudence ; il n'avait pas confié à Xanthippe que la victime avait été un amant d'Alcibiade et que la querelle avait été déclenchée par les rapports intimes des deux jeunes hommes autant que par des raisons politiques. Les femmes ne comprennent rien à ces choses-là.

3.

Avis aux voyageurs

Une légende veut qu'un Titan ait été jadis précipité du haut du ciel. Il était immense. En s'écrasant, son corps fut transformé en pierre, fracassé et démembré, mais on en reconnaît encore les contours : sa jambe droite est aujourd'hui constituée par l'Attique et les îles qui s'égrènent de Kéa à Milos, qui est le bout de son pied, et sa jambe gauche, par celles qui vont d'Eubée à Naxos. Le Péloponnèse représente les restes de son bouclier. La courbe de son bras gauche se devine dans les Sporades. Quant à sa tête, on dit qu'elle gît dans les monts de Thessalie.

Il y a sans doute un sens secret dans le fait que les pieds du géant sont opposés à l'Asie. L'immense empire perse se déploie, en effet, dangereusement près de la Grèce, derrière un glacis de peuples assujettis : Phrygiens, Lydiens, Cariens. Avec leurs robes colorées, leurs cottes de mailles et leurs armes de bronze, les Perses se prennent pour les rois du monde. Ils croient que l'univers est solide ; ils ont oublié sa part liquide et ils ont également méconnu la suprématie des Athéniens ; ils ne la reconnaîtront, à leur grande honte, qu'en 480 avant notre ère, lorsque Thémistocle détruira leur lourde flotte à Salamine, sous les yeux de leur roi, le grand Xerxès.

Le plus précieux vestige de la gigantesque anatomie du géant est sa cuisse, presque aussi magnifique que celle de Zeus, dont naquit justement la déesse Athéna ; c'est l'Attique. Là est Athènes. Au nord, se trouvent la Béotie, qui est peuplée de gens rudes, puis la Thessalie et l'Étolie. Plus haut encore, c'est l'Épire, la Macédoine et la Chalcidique. En face de l'Asie, c'est-à-dire des Perses, s'étend la Thrace. Le bouclier du géant comprend trois pays : la petite Achaïe au nord, Argos au fond du golfe d'Argolide, et le Péloponnèse, où se dresse Sparte, la dangereuse rivale d'Athènes, qui finira par causer sa perte.

Les nombreux golfes qui parsèment les côtes de ces pays signifient deux choses. D'abord que la mer est aussi familière aux Grecs que la terre l'est aux autres peuples et, la seconde, que la terre leur offre des refuges sans nombre contre les colères de la mer. Forgé par une terre avare et une mer coléreuse, le caractère des Grecs est à la fois âpre et intrépide, tranchant comme le soc et ondoyant comme le navire qui ruse avec les flots. Cet art souple et harmonieux, cette éloquence et cette sagesse ne sont pas les fruits de la facilité ; ils ont été acquis de haute lutte.

D'où leur frugalité : sauf quelques poignées d'hommes dans les villes, qui ont les moyens d'entretenir un cheval ou un bateau, ils vivent de peu : du poisson grillé, mariné ou séché, du fromage, des olives, des fruits et un gobelet de vin.

Depuis le début du Ve siècle, tous ces pays sont constamment en guerre. Le siècle avait un an quand ils ont attaqué les Perses pour libérer les Ioniens de leur emprise. Trente ans plus tard, ils ont défait les Perses. C'était la fin des guerres médiques. Alors, ils ont commencé à s'entre-déchirer, parce qu'ils se faisaient peur les uns aux autres. Athènes, en particulier, faisait peur à Sparte, parce qu'elle était trop riche, trop puissante et qu'elle menaçait de réduire le Péloponnèse en sujétion. Et la puissance militaire de Sparte faisait, à son tour, peur à Athènes. Ce fut le début de la guerre du Péloponnèse.

Cette terre rocailleuse, si gorgée de lumière qu'elle semble l'exsuder, est abreuvée de sang. Là dorment les restes de dizaines de milliers d'hommes, qui ne savaient pas qu'ils étaient tous des Grecs et, encore plus, des humains. Pleurons ces âmes valeureuses et naïves, ces corps beaux et vigoureux, tous sacrifiés à ce monstre hypocrite au masque serein et bienveillant qu'on appelle la Cité, la *Polis* — non sans avoir été d'abord défigurés de l'intérieur par la haine. Car ces guerres ont engendré des atrocités qu'on croit inventées par les époques ultérieures.

Pourquoi ces guerres ? Pour l'éternelle raison des guerres : la rivalité, laquelle est causée par l'ivresse naturelle à l'être humain. L'alcool le plus toxique pour ce dernier, c'est lui-même, c'est l'exaltation que lui procure l'idée qu'il va vivre encore longtemps, qu'il est fort, beau, jeune et intelligent. Les Grecs ont payé cette ivresse du prix le plus cruel : la perte de la liberté. D'abord réduits en servitude par le Macédonien Alexandre, ils sont ensuite tombés sous la coupe de Rome. Et dès lors, c'en était fini : Rome est devenue pareille à ces fous arrogants qui croient pouvoir domestiquer le printemps.

Au ve siècle, Athènes est au faîte de sa puissance. De toutes les villes de la Grèce, elle est la plus grande, la plus peuplée, la plus riche. Et peut-être la plus intelligente. À la même époque, dans ce qu'on a appelé plus tard le siècle de Périclès — il a duré moins de quarante ans ! —, l'histoire philosophique, littéraire et artistique du monde est déjà écrite : Socrate, Platon, Aristote, Diogène, Eschyle, Euripide, Sophocle, Aristophane, Phidias... Toutes les illusions de l'âme humaine ont été décrites et l'image de la beauté a été définie une fois pour toutes ! Sur la moindre poterie, on trouvera les modèles des acteurs et des actrices qui font rêver les foules des temps qu'on dit modernes, et où le premier mécréant venu est un sorcier qui d'un geste du doigt convoque des images mouvantes sur l'écran, les mêmes que les ombres qui s'agitaient au fond de la caverne de Platon.

Bientôt, l'ivresse du pouvoir va précipiter Athènes dans la confusion ! Mais pour l'heure, la cité est confortablement installée dans ses murs et entre cinq monts, le Céramique au nord-ouest, le Mélité à l'ouest, le Kollytos, coiffé par ce lieu sacré qu'est l'Acropole, le Lycabette et l'Hymette à l'est.

L'Acropole, c'est là que bat le cœur de la pensée occidentale, là que la condition humaine a été définie pour les siècles des siècles : les dieux sont fragiles et imprévisibles, mais ce sont nos enfants autant que nos parents ; nous ne pouvons les répudier.

Au bout d'un bras que renforcent deux murs de protection, les célèbres Longs Murs, une main immense prend possession de la mer : c'est Le Pirée. L'illustre architecte Hippodamos de Milet vient d'en tracer les plans. Le grand port au pied de l'agora du Pirée, là où sommeillent les navires qui font le commerce avec l'Asie et les îles de l'Orient, source de la fortune d'Athènes, c'est le Cantharos. De l'autre côté, ce sont les ports de Zéa, de Muchie et surtout celui de Phalère, d'où partent les rapides trirèmes, messagères de la puissance militaire de l'Empire athénien.

Mais il ne faut pas s'y tromper : Athènes n'est pas en or ; c'est le soleil couchant qui prête cette couleur chaude aux marbres du Parthénon et des Propylées tout neufs, et qui fait étinceler la statue géante de la déesse protectrice, Athéna.

Protégée par des dieux tels qu'Athéna et Neptune, l'intelligence et la puissance maritime, c'est-à-dire la capacité de représenter le monde de manière supérieure et l'art de naviguer sur les flots du temps, la Cité aurait dû être éternelle. Mais les Grecs étaient des hommes.

4.

« Tête d'oignon »

« Ce qui me chagrine, déclara un quadragénaire assis sur le rebord de la fontaine publique toute neuve à son compagnon du même âge à peu près qui, de temps à autre, plongeait la main dans l'eau et humectait son crâne dégarni, c'est que nous sommes la ville la plus riche de Grèce, mais qu'avec tous les pauvres que nous comptons nous pourrions repeupler Sparte. »

L'autre hocha du chef :

« Quand nous l'aurons conquise. Pour le moment, c'est Sparte qui est en train d'envahir l'Attique.

— Nous vaincrons. En attendant, nous sommes conquis par les pauvres.

— C'est justement parce que nous sommes riches que les pauvres viennent. Le miel attire les mouches.

— Alors, nous serons battus par Sparte.

— C'est à voir. Nous sommes les maîtres des mers.

— Nous comptons autant de métèques que de citoyens d'origine, s'obstina le premier.

— Oui, mais ce ne sont pas des Athéniens de droit.

— Et alors ? À quoi me sert, à moi, d'être athénien de droit si je dois frayer avec des métèques ? »

L'autre haussa les épaules.

« Quelle différence, après tout ? Ils parlent la même langue que nous.

— Et voilà ! s'écria le premier. Voilà le résultat de la richesse ! Elle entraîne la décadence morale ! Tu n'as même plus le sens de ta Cité, Demis !

— Taki, dit l'autre, tu t'énerves pour rien. Les choses sont comme elles sont. Nous sommes amis depuis plus de vingt ans et nous n'allons pas nous brouiller maintenant. Viens, je t'offre un verre de bière chez Aristide. »

Il y a, à l'ouest de l'Acropole, sur la colline d'Arès qui a donné son nom au tribunal de l'Aréopage, un vaste espace vers lequel les habitants convergent naturellement : c'est l'Agora. Incendies, épidémies ou tremblements de terre n'ont pu le déplacer. Depuis trois siècles, on y vient aux nouvelles et l'on y écoute les commentaires, les rumeurs et les ragots, ces épices du discours dont les Athéniens sont friands. Tel barbon s'est fait rosser par ses fils parce qu'il dilapide sa fortune pour un tendron, tel homme politique a cocufié son pire ennemi.

On s'y fait une opinion ou on en fait une aux autres. Depuis un quart de siècle, l'Agora a gagné en importance en raison des bâtiments solennels qu'on y a érigés : le temple du dieu forgeron Héphaïstos, le temple d'Apollon Patrôos, mais aussi les archives publiques, appelées Metrôon, la nouvelle salle du Conseil des Cinq Cents, le Stratégéion ou Maison des Stratèges, lesquels constituent en quelque sorte le gouvernement, le Tribunal populaire, qui est long comme un jour sans pain, le Tholos, où brûle nuit et jour la flamme sacrée de la Cité, le Monument aux Héros, sans parler des locaux pour les magistrats et de pas mal d'autres bâtiments administratifs.

Cette folie de bâtir a d'ailleurs suscité de nombreux commentaires aigres, et elle entraînera des conséquences douloureuses pour plus d'un.

À brève distance se dresse un très long bâtiment, presque aussi long que le Tribunal populaire, mais beaucoup moins inquiétant ; il est constitué d'une simple galerie à colonnes et d'un toit pentu. La galerie donne sur des chambres qui servent pour la plupart au commerce. C'est le Stoa du Sud (il y en a trois autres, à l'ouest et au nord) et c'est là qu'on trouvera, outre Aristide, dit aussi Aristis, Charalambis le tailleur, Thalassoumenos le marchand de parchemin, qui fait aussi fonction de libraire (outre quelques recueils d'apophtegmes ou de géométrie, il vend surtout de la poésie : une copie d'occasion de *L'Odyssée* coûte un tétradrachme et jusqu'à trois tétradrachmes une copie neuve !). Il y a aussi Alexios l'orfèvre, qui façonnera sur commande de la vaisselle d'argent ou d'or avec le portrait du client au centre ; Evgueni le potier, qui vend certaines pièces décorées plus cher que si elles étaient en argent ; Mélésias l'écrivain public, pour les soupirants sans esprit, qui compte dix drachmes pour une lettre de vingt lignes et vingt pour un épigramme : il sait ficeler pour la donzelle ou l'éphèbe un épigramme galant qui vous vaut aussitôt une réputation de fin lettré, qu'il faut toutefois assurer par la suite. Il y a Tsimis, le sandalier le plus célèbre et le plus riche du monde grec, depuis qu'il a confectionné pour certain personnage des sandales ornées d'argent et de pierres bleues ; le marchand d'huile Solon, qui vend aussi du vinaigre, du sel et des herbes ; Myronidès, l'avocat, un homme fort occupé dans cette cité de commerçants et de politiciens, donc de querelleurs, et qui dispose de quatre chambres dans la partie la plus aérée du Stoa, celle qui donne sur l'avenue.

On trouve là également Aixoni le coiffeur, qui ne coiffe dans sa boutique que les gens de condition modeste, car les autres le convoquent chez eux, telles certaines hétaïres qui changent de coiffure à chaque souper ; Aixoni fabrique des perruques savantes pour les vieux beaux. On y rencontre le célèbre Demis, marchand de salaisons, fromages, olives, sardines séchées, qui vend aussi des fruits secs ; Orthoxos, le pharmacien, dont la boutique empeste le naphte qu'il fait venir à grand prix de Palestine et dont il fabrique une pâte révulsive avec de l'huile et de la girofle pour traiter les rhumatismes ; plus discrètement, il vend aussi des éponges contraceptives. Il y a Clazios, le loueur de pleureuses pour les enterrements, dont le local jouxte évidemment celui de l'apothicaire ; en dépit de son air minable, c'est un homme de bien, car il amasse un joli pécule en ces temps de guerres. Anasis est marchand de miel de l'Hymette ou du Lycabette ; Aristide, marchand de vin (il vous recommandera celui qui sied à votre tempérament et aux circonstances : Samos au corps charnu pour les tête-à-tête galants, Chios léger pour les repas joyeux), vend le vin au gobelet, pas cher, mais aussi de la bière et de l'hydromel. Ajoutons deux boulangers, trois marchands de charcuterie et deux marchands de fruits.

Enfin, il y a Nicolaos et Zopyris, qui se trouvent exactement aux deux extrémités des galeries et qui se vouent une exécration sans faille, parce qu'ils exercent tous deux le même métier : ils fabriquent des flûtes et des lyres, dont la jeunesse est grande consommatrice. On n'imagine guère, en effet, un écolier sans l'un ou l'autre de ces instruments, puisque la musique est une des trois disciplines de base de l'éducation. Nicolaos assure que les instruments de son rival sont tout juste bons pour des chèvres, et Zopyris que ceux de l'autre sont faits pour des boucs.

C'est aussi au Stoa qu'on trouve des spécialistes de petits métiers, comme l'épileur à la cire, le masseur, le tresseur de guirlandes, le loueur de danseurs et acrobates et même le jeteur de sorts. Vers la fin de l'après-midi, putains et gitons y traînent la sandale dans l'espoir du dîner et de la pièce. Sur l'esplanade, des échoppes, qui se dressent le matin et ne ferment qu'à la nuit tombée, vendent de la petite friture et des salades. Ces échoppes sont très prisées. En effet, les Grecs, frugaux, se targuent d'être différents de ces Mèdes qui font des repas crapuleux trois fois par jour. Un Athénien qui se respecte a le ventre plat, la poitrine large, le mollet ferme et la langue bien pendue. Toutefois, il en est beaucoup de ventrus et dont les seins pendent à l'égal de ceux des nourrices, comme on en voit dans les pièces comiques ; ce sont des gens qui tiennent les athlètes pour une plaie d'Athènes et des monuments de vanité.

Été comme hiver, tout ce qui compte en ville se rencontre au Stoa. Moins les notables (ceux-là courent les administrations ou complotent dans leurs maisons) que le peuple et surtout les gens d'esprit qui, en une semaine, vous font ou vous défont une réputation, même sous la tyrannie. Les pères de ceux qui fréquentent aujourd'hui le Stoa vous le diront : Hipparque[1] craignait les rumeurs du Stoa plus que l'homme en sueur ne craint les abeilles énervées. Et c'est sous la démocratie de Périclès, il y a quatre ans de cela, que le sophiste Anaxagore s'est fait chasser d'Athènes, sur l'ordre du Tribunal du Peuple, parce que les propos qu'il tenait à l'Agora sur la République et les lois commençaient à chauffer les oreilles des dirigeants.

Nos deux compagnons débouchèrent sur le Stoa, à quelques pas de la boutique d'Aristide. Un petit groupe, assis sur un banc circulaire et croquant des galettes et des figues tout en sirotant de la bière, les héla de loin. Ils se joignirent à eux.

« Alors, les compères ? demanda, goguenard, un maigre garçon de trente ans, un certain Cléanthis qui travaillait comme greffier au Conseil de la Magistrature. Vous seriez-vous mis en ménage sur le tard ? On ne vous voit plus l'un sans l'autre. »

Les autres rirent ou sourirent, mais les deux hommes ne s'offusquèrent pas.

« Eh, Cléanthis, dit Taki, tu serais content d'être aussi droit que nous à notre âge ! Parce que, avec les courbettes que tu fais toute la journée à tes supérieurs, tu auras bientôt le cul plus haut que la tête ! »

Les deux compagnons s'assirent. Le gamin qui faisait office de serveur chez Aristide emporta la commande de deux grands gobelets de bière et d'une assiette de galettes au miel.

« À propos, que fait ton tribunal dans cette affaire de l'assassinat du fils de Xéniade ? demanda Taki.

— Le tribunal où je travaille ne juge que des affaires civiles. Pour les crimes de sang, c'est l'Aréopage, vous le savez bien. De plus, un tribunal ne juge que les conflits entre parties adverses, il ne fait pas d'enquêtes.

---

1. Tyran d'Athènes, assassiné en 514 avant notre ère par les amants révolutionnaires Harmodios et Aristogiton.

— Xéniade dit qu'il connaît le coupable.

— Xéniade peut dire ce qu'il veut, il ne sait rien. Avec ses discours enragés, il risque de se voir intenter un procès en diffamation. Et de le perdre.

— Il paraît que Philippide a dîné avec Alcibiade, quelques heures avant d'être assassiné, intervint un nommé Sosthène.

— Écoute, je n'y étais pas et, même si c'était le cas, je ne me permettrais pas d'avoir une opinion. Xéniade déteste Alcibiade depuis des années et il le traite de voyou et de pilier de bordel. C'est une affaire politique, et je n'entends pas prendre parti.

— Tout cela était couru, dit Taki en posant sa bière sur son genou. Avec la folie des grandeurs qui s'est emparée de nos dirigeants depuis quelques années, cette ville est devenue le théâtre des passions et des vanités les plus folles ! Elle est même bâtie comme un théâtre ! On construit, on construit partout ! Il n'y a plus un pied carré de libre sur l'Acropole : le théâtre de Dionysos, le Parthénon, les Propylées, l'esplanade, la statue d'Athéna !

— Tu ne vas pas critiquer le Parthénon ! protesta Sosthène. C'est quand même plus beau à voir qu'un mont chauve !

— Tout ça, c'est un monument à la gloire de la Tête d'Oignon ! Rien d'autre ! s'écria Taki. Cinq mille talents pour un temple ! De l'argent piqué dans le trésor des alliés ! Quand on pense qu'il s'est fait représenter sur le bouclier d'Athéna ! De son vivant ! Et je voudrais savoir à qui ont profité ces cinq mille talents, et aussi quelle est l'origine de la fortune de Tête d'Oignon...

— Qu'est-ce que c'est que ces balivernes ! s'impatienta Cléanthis. Périclès n'a fait que reconstruire le Parthénon et les temples qui avaient été incendiés par les Perses ! C'était la moindre des choses. Et si tu insinues qu'il s'est enrichi au passage, tu te trompes. Périclès est riche. Il est de la famille des Alcméonides, qui amasse du bien depuis près de deux siècles et l'entretient par des mariages entre cousins. De plus, il a fait fructifier ce bien grâce à sa femme, Thouria, qui était en premières noces la femme d'Hipponikos, un homme aussi riche que tous les Alcméonides. Ça n'a rien à voir avec le Parthénon, c'était il y a vingt-cinq ans.

— Tu es toujours du côté du manche, bougonna Taki.

— Et toi, toujours contre ceux qui ont du pouvoir et de l'argent », répliqua Cléanthis.

C'en était trop pour Taki.

« Tu veux me dire pour quelle raison et de quel droit Tête d'Oignon a été puiser dans notre trésor de guerre, celui qui a été constitué avec les tributs versés par nos alliés, pour notre défense militaire ? s'enflamma-t-il. Et pourquoi il a été appauvrir notre trésor pour construire des temples et des statues dont nous n'avions aucun besoin pressant ? Et s'il n'y avait que le Parthénon, mais tous ces bâtiments autour de nous, tout ça a été construit avec l'argent réservé pour notre défense ! Pour les soldes de nos armées, pour forger des armes, pour faire des fortifications, pour nos galères. Cela nous fera une belle jambe, tous ces temples de marbre, quand nous serons occupés par les Lacédémoniens ou d'autres. À moins qu'un tremblement de terre ne vienne tout démolir avant ! À l'heure où je te parle, les Lacédémoniens sont en train d'envahir l'Attique. Tu crois que le Parthénon ou le Temple d'Athéna nous serviront de remparts ? »

Cléanthis avait entendu cent fois ces reproches et n'avait pas de réponse à leur opposer.

« Périclès nous a donné la démocratie, et vous le traitez comme s'il était un tyran, se contenta-t-il de dire.

— Taki n'a pas tout à fait tort, fit Sosthène, faussement conciliant. Maintenant que nous sommes en guerre, cet argent risque de nous manquer.

— Nous ne sommes pas en guerre ! protesta Cléanthis. Ce n'est pas parce qu'une cité du bout du monde prétend se révolter contre nous que nous sommes en guerre !

— Potidée n'est pas une cité du bout du monde, Cléanthis. Et nous savons bien que Sparte va nous attaquer un jour ou l'autre. La résistance de Potidée n'est qu'un signe avant-coureur de la guerre.

— Jolie démocratie en tout cas ! bougonna Taki. Tout le

pouvoir est entre les mains d'un homme et quand quelqu'un comme moi ouvre la bouche pour s'en étonner, on le traite de factieux ! Et je ne parle pas de la vie privée du personnage ! Il vit avec une tenancière de bordel, une métèque par-dessus le marché, à laquelle il a eu l'impudence de faire un enfant !

— Inutile de reparler de ça, protesta un autre. Aspasie s'est déjà défendue dans un procès et on va nous accuser de sédition. On a vu ce qu'il en a coûté à Anaxagore de trop parler !

— Ce qu'on reprochait à Anaxagore, ce n'était pas de trop parler, mais de dire que les dieux sont des inventions des hommes.

— Il faut quand même reconnaître, dit Sosthène, que Tête d'Oignon a beaucoup entamé notre trésor de guerre et que c'était bien vaniteux de se faire représenter de son vivant sur le bouclier d'Athéna.

— On ne sait même pas si c'est vrai, objecta Cléanthis. Le bouclier est trop haut pour qu'on puisse vérifier.

— Avec de bons yeux, on le peut, riposta Taki. Et on l'a bien vu quand les échafaudages étaient encore dressés et que tout le monde pouvait y monter.

— En tout cas, ça n'a pas porté bonheur à Phidias, le sculpteur, observa un autre. Il s'était représenté aussi sur le bouclier ; on l'a forcé à s'exiler. Tiens, mais voilà justement Tête d'Oignon qui passe ! »

Tous tournèrent la tête en direction d'un petit cortège qui se dirigeait d'un pas rapide vers le Stratégéion, l'administration des dix stratèges d'Athènes élus chaque année. Tête d'Oignon était au premier rang de ce peloton. On appelait ainsi Périclès parce que sa tête était plate sur le dessus et bulbeuse vers l'arrière. Il avait longtemps essayé de dissimuler cette difformité en faisant gonfler sa chevelure, mais à présent qu'il était chauve, la ressemblance avec la forme de l'oignon s'était plutôt accusée. D'ailleurs, l'âge et les chagrins avaient mis fin à ses coquetteries.

Le visage, en revanche, était beau même à soixante-trois ans ; l'ovale un peu lourd mais régulier, le nez à la fois éner-

gique et fin, les lèvres pleines et finement ciselées, qui s'ornaient vite d'un sourire moqueur, et de grands yeux bruns
songeurs. Au reste, il était bien fait, épaules larges, jambes
vigoureuses, chevilles fines. Mais les médisants de l'Agora et
les poètes satiriques continuaient à ne voir, eux, que la tête
d'oignon.

Une trentaine d'hommes l'escortaient, courtisans, qué-
mandeurs, entremetteurs et flatteurs, bref la clientèle habituelle du pouvoir. Car le premier stratège d'Athènes n'était
pas seulement l'homme politique le plus respecté, mais aussi
un citoyen riche : il possédait de vastes domaines agricoles et
des terrains en ville. Une grande partie des surfaces cultivées
autour de la ville lui appartenait, et ses terrains d'Athènes et
du Pirée, parfois des quartiers entiers, lui assuraient l'un des
plus gros revenus de l'Attique.

Pour l'heure, Périclès fendait le petit attroupement qui
se formait toujours sur son passage, et où l'on comptait
quelques espions de ses ennemis, qui le scrutaient de la tête
aux pieds, guettant la pâleur qui indiquerait une faiblesse du
cœur ou trahirait les excès de la nuit précédente. Mais le
visage était coloré, le pas vif et la prestance altière. Le masque
impassible à son habitude, il balayait du regard le bâtiment
du Stratégéion, à un jet de pierre du Stoa. L'édifice était tout
neuf. Depuis que la ville avait été brûlée par les Perses, une
quarantaine d'années auparavant, on n'arrêtait pas de rebâtir,
de la Porte de Marathon jusqu'à la pointe du Pirée, sur les
plans d'Hippodamos de Milet. Les rues sentaient le mortier et
empestaient la poussière de marbre ; le vacarme des chariots
chargés de blocs de pierre et de marbre, des échafaudages
qu'on montait et des ouvriers qui criaient était par moments
assourdissant, même sur l'Agora. Mais ceux qui suivaient
Périclès n'en avaient cure. Ils attendaient chacun de placer
un mot pour une requête et tout le fracas des forges célestes
d'Héphaïstos ne les eût pas découragés.

Périclès se rendait à l'audience qui se tenait le premier
jour de chaque décade pour statuer sur les affaires courantes ;
plainte d'un tel à qui la ville n'avait pas entièrement payé le
terrain qu'il lui avait vendu, inconvenante demande de

divorce d'une femme à laquelle son époux, un héros de guerre, ne rendait pas les hommages conjugaux, dénonciation de discours séditieux tenus lors d'une beuverie... Périclès écoutait les uns, les autres, hochait parfois la tête, levait un sourcil, haussait les épaules. Les requêtes privées étaient désormais transmises sans exception au Conseil des Cinq Cents. Toutes les pensées du premier stratège tournaient autour des débats qui s'ouvriraient dans un instant : il lui faudrait débattre de la tactique à adopter face à l'offensive des Lacédémoniens en Attique. La situation était tendue. Athènes faisait déjà face à la rébellion obstinée de Potidée, une ville de Chalcidique, alliée mais en fait vassale, et qui s'était révoltée contre sa suzeraine. Le siège durait depuis le printemps dernier, voilà sept mois, et il ne semblait pas que les Athéniens fussent près d'emporter la place. Potidée était ravitaillée par le nord et ses hautes murailles soutenaient sans trop de mal les assauts des troupes athéniennes. Plus important, la Ligue de Sparte avait lancé une offensive contre Athènes. Les Lacédémoniens avaient commencé à envahir l'Attique, dont les paysans et les habitants des petites villes affluaient vers Athènes.

Périclès le savait : ce n'était que le début d'un conflit avec la puissante Sparte, qu'inquiétait l'influence grandissante d'Athènes.

Un avocat l'apostropha alors qu'ils atteignaient le péristyle du Stratégéion.

« Stratège, je suis là pour mon client Calomiris de Bréa. C'est un homme de bien, matériel et moral. Il souffre de son statut. Il est métèque... »

Périclès leva la main d'un air agacé.

« Bréa est une de nos colonies, Périclès, insista l'autre. Ne crois-tu pas qu'un homme de nos colonies qui s'est installé à Athènes, et de surcroît un homme riche, a droit à plus de considération qu'un métèque sans le sou venu de Milet ou de Phocée ?

— Présente ta pétition au Conseil des Cinq Cents. Nous avons d'autres chats à fouetter.

— Stratège, Calomiris s'engage à participer aux frais d'un vaisseau... »

Périclès s'arrêta, se tourna vers l'avocat :

« Il est si riche que ça ? » demanda-t-il.

Son regard se posa sur un gros homme chauve qui, à trois pas de là, écoutait fiévreusement l'échange ; ce devait être le métèque en question.

« Je te l'ai dit, reprit l'avocat, c'est un homme de bien. Un avis favorable de ta part...

— S'il veut être naturalisé, qu'il présente sa requête aux Cinq Cents. J'ai dit. »

Un autre approcha, alors que Périclès mettait le pied sur le palier. Celui-là, Périclès le connaissait bien : ce grand bonhomme maigre, fin et noirâtre était Mycilos, le chef de ses espions, celui qu'on appelait le Rat des Roseaux parce que les roseaux entendaient tout, répétaient tout, et que lui les écoutait. Il l'interrogea du regard.

« Un mot en particulier, stratège, murmura l'informateur. »

Périclès l'entraîna à brève distance.

« Xéniade est fou de rage autant que de douleur, commença Mycilos d'une voix sourde. Il demande ce que tu comptes faire pour éclaircir le meurtre de son fils. Ses amis et lui prétendent que l'assassin aurait dû être arrêté le jour même et que, s'il ne l'a pas été, c'est parce qu'il dispose de hautes protections au Conseil des Stratèges. Ils préparent une cabale. »

Membre du Conseil des Cinq Cents, riche et puissant, Xéniade était, en effet, de taille à monter une cabale, d'autant plus qu'il appartenait au parti des oligarques.

« Et qui le protègerait, selon eux ? »

Mycilos hésita à répondre. Puis il finit par lâcher le nom du pupille de Périclès.

« Alcibiade ? » répéta le stratège.

Mycilos hocha la tête.

« Et qu'est-ce que tu en penses, toi ? demanda Périclès.

— Je crois que ce n'est pas impossible.

— Philippide faisait-il partie de l'hétairie d'Alcibiade ? »

Les hétairies étaient ces bandes de jeunes Athéniens qui avaient chacune son propre code, son langage, ses plaisanteries, ses fêtes...

« Non, mais Alcibiade ne se serait pas opposé à ce qu'il en fasse partie. »

Le regard de Mycilos était lourd de sous-entendus.

« Tu sais quelque chose ? demanda Périclès.

— Philippide a participé à un banquet où Alcibiade était présent. Mais il en est parti bien avant Alcibiade, qui est resté tard et qui a été raccompagné chez lui, pris de boisson, par des amis. »

Le secrétaire du Conseil apparut à la porte de la salle des délibérations et lança à Périclès un regard pour l'informer que les stratèges s'apprêtaient à siéger.

« Nous en reparlerons plus tard », dit hâtivement Périclès en pénétrant dans la salle.

En redescendant l'escalier, Mycilos croisa Socrate.

« Tu as l'air soucieux, Mycilos, observa le philosophe.

— Je suis seulement chagriné, Socrate. Je vais ce soir aux funérailles de Philippide. Iras-tu également ? »

Socrate sourit et répondit :

« Ce soir, je dois me tenir à la disposition du stratège Périclès. Et je ne suis pas des intimes de Xéniade. »

Mycilos hocha la tête et s'éloigna. Socrate le suivit du regard.

Périclès avait déjà pris place au centre du gradin en demi-cercle où siégeaient les stratèges. D'habitude, ceux-ci échangeaient des salutations, se complimentaient sur leurs bonnes mines respectives, le mariage d'un fils ou une acquisition avantageuse, mais ce matin, pas de ces aménités ; ils s'entretenaient d'un air morose avec des secrétaires, jetaient des coups d'œil sourcilleux sur des mémoires, des notes, des documents. Les conseillers et secrétaires se tenaient à l'arrière. Socrate était assis à cinq pas derrière Périclès.

Le doyen des stratèges, Timarque, un colosse sexagénaire à la barbe grise soigneusement bouclée, déclara la séance ouverte.

« Nos travaux du matin sont d'ordinaire consacrés aux affaires de la cité, dit-il. Ceux de l'après-midi, aux affaires individuelles qui ne ressortissent pas à la juridiction des tribunaux. Ce matin, il devait être question de la plantation d'arbres sur l'Agora et de l'espace qu'on peut leur allouer ; puis des quartiers nouveaux qu'il faut créer, parce que la population d'Athènes augmente ; enfin du renforcement des fortifications du nord, contre les entreprises agressives de la cité de Mégare. Je propose que nous remettions à plus tard le sujet des arbres et des quartiers nouveaux. Notre sujet du jour est bien plus urgent. C'est la stratégie à adopter face à l'offensive lacédémonienne en Attique. »

Les regards se tournèrent vers Périclès.

On n'évoquerait donc pas l'assassinat du fils de Xéniade. De toute façon, ce n'est pas une affaire pour les stratèges !

En tout cas, il faudrait qu'il se fasse représenter aux funérailles par ses fils légitimes, Xanthippe et Paralos.

5.

Un dîner chez Aspasie

« C'est là qu'elle habite », dit un passant en s'arrêtant, sur la colline des Muses, devant une villa rose qui se détachait comme un bijou indécent sur la toison sombre des chênes.

Une villa ? Plutôt un palais. Le ton de l'homme, un athlète, comme l'indiquaient ses cheveux coupés court, était mi-rêveur, mi-ironique.

« Pour avoir une maison pareille, elle doit avoir un bien beau cul ! » observa son compagnon, un athlète lui aussi.

Ils éclatèrent de rire. On percevait sans peine de l'envie dans leur ironie. Ils avaient à peine plus de vingt ans, l'âge où l'on ne se satisfait plus du tout-venant en matière de sexe, et pas encore celui où l'on se soucie de la sauce plus que du lapin. Bref, ils auraient été bien contents d'être invités dans cette maison, si la chose avait été possible, mais on n'y était pas admis sans recommandation. Ce n'était pas un de ces bordels pour matelots du Pirée où l'on tirait son coup pour une tétrobole avant d'aller aux bains ; c'était la demeure d'une grande hétaïre, où l'on organisait des soupers fins. Or, les deux passants avaient entendu dire qu'un souper pour six coûtait ici un statère d'or. Ils vivaient, eux, tout le mois pour bien moins, quoiqu'ils fussent, comme beaucoup d'athlètes, courtisés et comblés de cadeaux.

« Mais elle ne reçoit plus, dit un des jeunes gens. Voilà des années qu'elle vit avec Périclès. Tu penses bien qu'elle ne va pas organiser des lampées égrillardes avec le premier stratège à demeure !

— Je croyais qu'il était marié...

— Il l'était, mais lui et sa femme se sont répudiés d'un commun accord. Il a eu deux fils de la première, il en a eu un troisième de cette femme.

— C'est Xanthippe [1], son aîné, non ?

— Oui. Tu le connais ?

— Un agité. Il jette l'argent par les fenêtres et se prend pour le fils de Périclès... »

Ils rirent...

La maison à deux étages, sur la colline des Nymphes, était un chef-d'œuvre de grâce patricienne : un simple corps de bâtiment garni d'un perron à deux colonnes auquel on accédait par sept marches. C'étaient les proportions qui le distinguaient : justes et gracieuses, sans rien des fastes qu'affectionnaient les nouveaux riches.

« Deux femmes ont pris sa succession, dit l'un des jeunes hommes. Je crois que je peux convaincre quelqu'un que je connais de nous inviter.

— Qui ?

— Un ami d'Alcibiade.

— Attends, je n'ai pas besoin d'Alcibiade pour chasser le garçon !

— Il ne s'agit pas de garçons ; Alcibiade court aussi les femmes. »

Une femme, justement, apparut à l'une des fenêtres et décocha un regard sans bienveillance aux deux passants, qui s'éloignèrent.

Une heure plus tard, il ne restait du jour que des lambeaux dorés dans l'air violet quand Périclès arriva, escorté seulement de deux gardes. Son pas était las. Les gardes le quittèrent à la porte du jardin où des lauriers-roses s'incli-

---

1. De même qu'en français « Dominique », par exemple, le nom est le même, avec une légère variante, pour les hommes et les femmes.

naient dans le vent, et il franchit seul la brève distance qui le séparait du perron.

Elle l'attendait sur le seuil. Il contempla le visage familier, l'ovale à peine brouillé par les années, les grands yeux bruns et doux, la bouche petite et souriante, qu'elle carminait à peine depuis les dix-huit ans qu'ils étaient ensemble... Il lui posa la main sur l'épaule.

« Rude journée, je vois, lui dit-elle.

— Une journée.

— Le bain et le domestique t'attendent. »

Le seul domestique mâle de la maison était le préposé au bain du stratège. Un quinquagénaire râblé, à la poigne puissante et souple, qui expulsait des muscles les poisons de la fatigue, de l'âge et du souci. Périclès descendit les trois marches qui menaient à la piscine de marbre, remplie d'eau parfumée. Le domestique descendit avec son maître. Le pouce large glissa le long des deltoïdes mouillés et assouplit la nuque. Les deux mains pétrissaient les cuisses, arquaient les pieds et étiraient les orteils pour assouplir les tendons. Périclès poussa un soupir de soulagement et se laissa alors masser brièvement à l'huile de cyprès. Il enfila une robe sèche et des sandales légères, puis traversa le patio envahi par le jasmin pour rejoindre sa compagne sur la terrasse. Au centre de celle-ci se dressait la table du cadran solaire, où l'ombre s'était évanouie ; une grande treille fixée dans la façade de la maison était couverte de glycines et c'était dans le parfum sucré des fleurs mauves que la maîtresse de céans était assise ; elle jouait de la lyre. Un jeune homme adossé à la balustrade l'écoutait avec gravité ; il était beau comme Périclès. Il se tourna vers le stratège ; il avait les mêmes yeux que la joueuse de lyre. Il s'élança à la rencontre de l'arrivant, le visage souriant. Ils s'embrassèrent.

« Qu'as-tu fait aujourd'hui ? demanda Périclès.

— Comme d'habitude. Les premières heures chez le grammatiste[1]. Je lui ai demandé de m'enseigner le raisonnement. Il m'a répondu que cela dépassait sa science.

---

1. L'éducation athénienne au Vᵉ siècle commence pour l'enfant vers l'âge de huit ans. Elle comprend en général trois parties : les lettres (lecture, écriture, éléments du

— J'en parlerai à Socrate, dit Périclès. Et au gymnase ?

— De la course, répondit le jeune homme. Mon maître dit que je suis le meilleur de tous !

— Bien, bien », fit Périclès.

Et, se tournant vers la jeune femme :

« Aspasie, fais-nous donc servir un peu de vin pour célébrer les exploits de Périclès. »

Car le jeune homme s'appelait Périclès. Comme son père.

Quant à Aspasie... Demandez à Hermippe, le poète comique, de vous en parler : « C'est une putain venue de Milet il y a vingt ans. Comme tous les gens d'Asie Mineure, elle est maligne et sait gagner par la ruse ce qu'elle n'obtiendrait pas par la force. Elle s'est installée à Athènes parce qu'elle était ambitieuse et qu'il n'y avait pas chez elle assez d'argent à son goût. À Athènes, elle a ouvert une maison de passe où elle organisait des soupers fins. Et pour assurer sa renommée, elle a évidemment invité les hommes qui parleraient d'elle : des poètes, des auteurs dramatiques, des sophistes, bref des bavards. Sans compter les riches et les puissants. Pour notre malheur, elle savait lire et elle avait de la mémoire. Elle a donc appris des poèmes par cœur, galants de préférence, et elle les récitait à ses hôtes, pendant que ses petites danseuses montraient leurs fesses. Les naïfs l'ont donc prise pour une femme cultivée. Mais vous allez voir combien elle est maligne : elle a rapidement fini par attirer chez elle le premier stratège, Périclès. Elle aurait bien voulu l'épouser, mais il était déjà marié et, de surcroît, il était lié par les lois qu'il avait fait voter lui-même il y a dix-huit ans et qui interdisent à un Athénien d'épouser une métèque. Elle s'est donc fait faire un enfant. Elle a beaucoup d'influence sur Périclès, et j'affirme que c'est sur les conseils d'Aspasie que celui-ci s'est lancé dans la guerre du Péloponnèse. Elle le tient par les sens et, comme les siens sont exigeants, elle lui procure

---

calcul), enseignées chez le grammatiste ; la musique, censée avoir une grande influence formatrice sur l'esprit et le caractère et qui est enseignée par le cithariste, et la gymnastique.

des femmes quand il a, comme tant d'hommes, besoin de changement. C'est la nouvelle Omphale de notre Hercule ! »

Hermippe, finalement, n'était pas si drôle que cela. Il vouait à Aspasie une telle aversion qu'il lui avait, voici deux ans, intenté un procès pour immoralité publique devant le Tribunal du Peuple. C'est Périclès lui-même qui avait pris la défense d'Aspasie et qui, en larmes, avait requis la clémence des juges ! L'Agora en avait bourdonné pendant des semaines ! Hermippe avait perdu son procès devant le tribunal, mais il l'avait gagné devant le peuple : pour les Athéniens, il ne seyait pas que le héros de la Cité donnât l'exemple de l'infidélité conjugale, et moins encore qu'il se mît en ménage avec une tenancière de bordel, même de luxe. Il circulait en ville des placets qu'on attribuait à Hermippe et qui n'étaient pas plus tendres pour Périclès que pour sa maîtresse.

Là-dessus, le philosophe Protagoras haussa les épaules : « Vous ne vous poseriez pas la question si Périclès était un inconnu, dit-il. Il se trouve que vous en avez fait un héros et vous voudriez que les héros ne soient pas des hommes comme les autres. Mais s'ils n'étaient pas des hommes, comment seraient-ils donc des héros ? Votre hargne à l'égard d'Aspasie pue la médiocrité. Elle est l'ornement d'Athènes et sa renommée a franchi les frontières. »

Périclès avait justement convié Protagoras à dîner ce soir-là. Le stratège voulait que son fils l'écoutât ; il souhaitait même que Protagoras le prît comme élève.

Des voix résonnèrent dans le vestibule. Tous les invités étaient là, ponctuels ; deux avocats, Léocrite et Pardalos, conseillers du stratège, la quarantaine, le ventre avantageux et le teint frais ; un riche armateur à l'air goguenard, Arétès ; l'architecte Mnésiclès, un maigriot à tête de furet, qui avait tracé le plan admirable des Propylées, et accessoirement celui de la villa d'Aspasie, et son jeune assistant Aristée, à la beauté douce et peignée ; Hippodaios, un poète quinquagénaire, chauve et rubicond, qui avait célébré Aspasie, et enfin Protagoras, haute taille, barbe grise savamment bouclée, à l'instar des cheveux, l'œil à fleur de peau, tantôt rêveur et tantôt narquois.

Socrate aussi était présent, en sa qualité de conseiller du stratège, mais aussi parce qu'il souhaitait secrètement recueillir la sagesse de Protagoras, de dix-sept ans son aîné. Ils fleuraient tous des essences parfumées, rose, giroflée, narcisse, qui témoignaient qu'ils sortaient des bains. Les servantes débarrassèrent les hôtes de leurs manteaux et de leurs sandales, puis apportèrent à chacun un rhyton de vin frais.

Le repas fut servi dans la salle à manger, dont les fenêtres ouvraient sur la mer. Les invités, dont la plupart étaient conviés dans ces lieux pour la première fois, jetaient des regards alentour. On pouvait deviner qu'ils s'attendaient à un luxe tapageur. Mais avec son instinct, toujours sûr, et sachant que Protagoras n'apprécierait pas un luxe excessif, Aspasie avait opté ce soir pour la sobriété. La salle, blanche et ocre, était dépouillée, sans guirlandes. Des draperies blanches couvraient les fresques que certains eussent jugées licencieuses. Le seul luxe était le brûle-parfum, où se consumaient des rameaux de myrte. Les invités s'installèrent sur des lits disposés en fer à cheval, deux par deux, Périclès avec son fils, entre la table de Protagoras et de Léocrite et celle d'Arétês et de Pardalos. Aspasie assista bien sûr au repas, mais assise devant une petite table à part.

Les servantes, vêtues modestement, étaient toutes jeunes et accortes. Les deux avocats étaient venus avec leurs esclaves, qui s'empressèrent de prêter main forte aux filles, histoire de profiter éventuellement d'une occasion. Les invités s'extasièrent : les tables, couvertes de nappes brodées, étaient garnies d'une salade de laitue aux baies sauvages, pour rafraîchir et amuser le palais, de filets d'anguille macérés dans des laitances de maquereau à la crème d'ail et d'huile, d'une petite friture, de filets de bar grillés aux herbes odorantes et d'un ragoût de volaille aux bettes. Des fleurs rouges et bleues parsemaient l'espace entre les plats, qui étaient en argent, car des plats en terre vernissée auraient passé pour de la modestie feinte : c'était la vaisselle qu'Aspasie appelait du « petit service ». Une fois de plus, Périclès loua le goût de la maîtresse de maison. Elle hocha la tête comme une jeune femme pudique, l'une de ses attitudes préférées.

« Que dit notre philosophe ? demanda Arétès, s'adressant à Protagoras.

— Interprétons la question autrement : que souhaite entendre l'estimable armateur ? rétorqua Protagoras.

— Toute observation qui tombe de la bouche de Protagoras est une nourriture à engranger pour les jours où l'on n'a pas l'honneur de le voir, reprit Arétès sans se laisser démonter.

— De tels compliments vont te coûter cher, Arétès, répondit Protagoras. Tu sais, en effet, que je ne vis que de ce que je dis, et puisque tu es riche et avide de mes paroles, nous aurons un petit entretien après dîner. »

Le jeune Périclès se mit à rire et tout le monde l'imita.

« Eh bien, reprit Protagoras, je suppose que je devrais être content, n'est-ce pas ? Je suis convié à une soirée chez une femme réputée pour sa beauté et son esprit, je me trouve au côté de l'homme le plus puissant d'Athènes, et d'un homme riche, toi-même, mon cher Arétès. Et aussi de représentants des talents les plus estimables de notre société : Mnésiclès, qui sait donner de la vie à ce qui n'est après tout que pierre inanimée, Léocrite et Pardalos, qui savent combiner les mots de telle sorte qu'ils parviennent à troubler l'esprit de nos juges, et Hippodaios, un poète qui parvient, lui, à troubler l'esprit des femmes. Je n'aurai garde d'oublier Socrate, dont chacun me dit qu'il applique avec une grande finesse l'art du raisonnement aux affaires publiques. Voilà beaucoup d'honneur pour un homme tel que moi, qui ne cultive que le talent obscur de la raison. La chère est exquise, les vins délicats, les servantes gracieuses. Par-dessus le marché, on m'a épargné la présence d'athlètes, gent ennuyeuse comme la fumée. L'air embaume et le temps est clément pour les vieillards tels que moi.

— Et alors ? demanda Périclès, amusé.

— Et alors, Périclès, il se trouve que j'ai le malheur de penser. Or, un homme qui pense est perpétuellement enclin au mécontentement, et cela du seul fait qu'il pense. Il se représente idéalement la réalité sous un certain jour, et hélas, ce qu'il voit n'y correspond pas. Pourquoi ? Parce que son idéal est constamment bâti avec des images du passé. Donc, il est toujours déçu. Si tu m'autorises à te donner un conseil, Périclès, tu devrais faire bannir d'Athènes tous les gens qui pensent et tenir Socrate sous étroite surveillance. Ils forment un peuple chagrin, éternellement mécontent et bien évidemment malveillant. »

Périclès et Socrate éclatèrent de rire. Le jeune Périclès, lui, souriait, intrigué. Aspasie, une bouchée captive dans sa joue, était secouée par un rire silencieux. Les autres se gaussaient avec ces bruits qui évoquaient tantôt un grincement de poulie et tantôt un âne qui retient ses braiements. Seul Protagoras, d'ailleurs conscient de ses effets, gardait l'air sérieux.

« Je serais bien mal avisé, mon cher Protagoras, répondit en souriant Périclès, d'exiler l'homme auquel j'ai demandé de dicter la constitution de la ville de Thourioi. Il se peut que ta pensée soit rebelle aux contraintes, mais c'est justement sa liberté qui fait sa valeur. »

Pour être un peu solennel, le compliment n'était pas moins sincère. Chacun savait que le stratège avait demandé au philosophe d'être son conseiller, moyennant rémunération, et que ce dernier avait récusé cette offre pourtant flatteuse.

« J'espère alors que tu me protégeras mieux que tu n'as pu protéger Anaxagoras, observa Protagoras. »

Un silence gêné suivit cette remarque. Le jeune Périclès demanda imprudemment qui était Anaxagoras.

« Jeune homme, répondit le philosophe, Anaxagoras était mon égal. C'était un Ionien d'une grande vertu qui nous a appris, à nous Athéniens, à observer les choses avant de prétendre les définir. Il a ainsi établi la vraie cause des éclipses, qui ne sont pas des phénomènes surnaturels, comme tout le monde le croyait, mais naturels et causés par le passage de la lune devant le soleil, ou l'inverse. Il a déclaré, entre autres vérités, que le soleil n'est pas un dieu, mais une boule de feu, sans doute pas beaucoup plus grande que le Péloponnèse. Les bons esprits de notre ville, qui sont généralement des fâcheux et des malveillants, ont crié à l'impiété et lui ont intenté un procès pour le bannir. Il a enseigné l'éloquence à ton père, et tu peux juger de son talent, puisque notre premier stratège, ayant pris sa défense, a réussi à lui éviter la peine de l'ostracisme.

— Mais alors, pourquoi est-il parti ? insista le jeune homme.

— Parce que, contrairement à leur réputation, les Athéniens, jeune Périclès, n'aiment ni les philosophes ni les esprits libres ! s'écria Protagoras. Et comme c'était un ami de ton père, les ennemis du stratège l'ont contraint à quitter la ville. Il s'est installé à Lampsaque de Milet, où les habitants font meilleur accueil aux gens libres.

— Te voilà bien sombre, Protagoras, lança l'armateur.

— Tu jugeras là, Arétès, de mon honnêteté, répondit le philosophe. Je t'aurai prévenu qu'en guise de salade je te servirai des herbes amères.

— En tout cas tu as gagné ce soir mon hospitalité éternelle. Tu es le bienvenu chez moi quand tu voudras ! Et si tu veux me faire manger des herbes amères, je les mangerai, parce que je sais que tu le feras par amitié pour moi !

— Tu es le bienvenu chez moi aussi ! s'écrièrent tous les autres à la fois. »

Protagoras se tourna vers Aspasie feignant un air navré :

« Aspasie ! Est-ce là ton hospitalité ? Tu m'invites à dîner. Tu m'offres des mets exquis. J'ouvre la bouche pour parler. Et qu'entends-je ? Des gens qui se proposent de me réduire en esclavage ! Le seul bien que je possède, ma liberté de parole, il faudrait que j'y renonce ! Pourquoi ris-tu, Aspasie ? Tu sais bien, toi, que dès que ces gens m'auront offert le souper et la pièce, ils voudront me dicter mes propos ! Ah ! quel sort est donc le mien ! Seul Sophocle saurait me rendre justice... »

Aspasie parvint à maîtriser son rire.

« Pourquoi dis-tu cela, Protagoras ? Ils t'invitent justement pour ta liberté de parole, comme moi, et ainsi que te le disait Périclès, ils seraient bien mal avisés de t'en priver. »

Protagoras se pencha vers elle sa barbe dardant vers l'Ionienne.

« Imagine que je leur dise un soir ce que je pense vraiment ! Que leur chère est trop riche. Que leurs propos sont banals. Qu'ils raisonnent de travers et agissent de même et que leur esprit se traîne comme un vieillard grabataire. Imagines-tu les regards qu'ils me lanceront ? Crois-tu vraiment que, le lendemain, je serai le bienvenu ? Si je veux manger, il faudra donc que je tempère mes propos, et même que je leur donne une forme plaisante, ou du moins qui leur plaise à eux ! C'en serait fini de ma liberté ! »

Tout d'un coup, la gravité régna sur les convives. Périclès demanda :

« Veux-tu dire, Protagoras, que les philosophes sont les ennemis de la Cité ?

— Ce n'est pas ce que j'ai dit, stratège. C'est la Cité qui est leur ennemie.

— Comment l'expliques-tu ?

— Par le fait qu'elle est régie par des coutumes assez élémentaires pour convenir à tous, et qu'on nomme piété, et parce que l'exercice de l'esprit les remet en cause. C'est ainsi, stratège, que le premier devin venu est plus puissant que toi !

— Que veux-tu dire ? s'écria Mnésiclès, l'air incrédule.

— Aurais-tu donc oublié, Mnésiclès, reprit Protagoras en haussant les sourcils, qu'un simple devin nommé Diopeithès, un de ces esprits inférieurs qui ont rendu cent mille fois moins de services à Athènes que Périclès, mais qui est devin, c'est-à-dire charlatan et malveillant, avait fait voter par les deux Conseils un décret en vertu duquel on poursuivrait pour crime contre la Cité ceux qui ne croient pas aux dieux et qui enseignent des doctrines à propos des choses du ciel ? Et que c'est au nom de ce décret qu'on a poursuivi Anaxagoras ? Et que la ville elle-même a chassé Anaxagoras ! Là, le philosophe s'emporta : mais chacun sait que, par ce décret, c'était Périclès lui-même que visait Diopeithès !

— Que souhaiterais-tu donc ? demanda avec douceur Aspasie.

— Qu'on interdise la fonction de devin comme ennemie de la Cité, répondit le philosophe.

— S'il fallait abolir les dieux, observa Périclès avec

mélancolie, il n'aurait servi à rien d'avoir construit tous ces temples...

— On peut imaginer des temples sans devins, suggéra Arétès.

— En tout cas, il faudra bien choisir un jour entre les devins et les philosophes, dit Protagoras. Stratège, c'est à toi de décider lesquels sont le plus utiles à la Cité.

— Et pourtant, et en dépit de la présence de devins, Athènes est riche de philosophes, me semble-t-il, objecta Périclès. Et tu n'y es pas si malheureux, en vérité.

— C'est que j'ai la prudence de ne pas m'occuper des affaires de la Cité. Je m'intéresse à l'Être.

— Mais n'y a-t-il donc pas moyen de mettre les philosophes au service de la Cité ? insista Périclès.

— C'est difficile, stratège, parce que, lorsqu'on pense, on est seul. On est libre, alors que, quand on est plongé dans le peuple, on ne peut s'exprimer librement. Le peuple tolère mal qu'on pense différemment de lui. La voix de tout philosophe lui semble aussi discordante que le croassement d'un corbeau dans un concert de mésanges. Je te le répète, je ne suis toléré à Athènes que parce que je tiens ma langue.

— Que veux-tu dire ? »

Protagoras considéra Périclès un instant, et son regard était lourd, insistant.

« Stratège, n'es-tu pas critiqué parce que tu as remplacé le Parthénon que les Perses avaient détruit par un chef-d'œuvre d'architecture, et, plus encore, un chef-d'œuvre orné par le plus grand sculpteur dont Athènes pouvait briguer les services, Phidias, l'homme qui change la pierre en chair et l'anime des sentiments les plus nobles ? N'est-il pas vrai qu'on t'accuse d'avoir détourné le trésor de nos alliés pour couronner l'Acropole d'un ensemble de monuments splendides ?

— C'est vrai, admit Périclès, contrarié par ce rappel. Et alors ?

— Si je répondais à tes ennemis comme j'aurais envie de le faire, si je leur disais que ce sont des êtres bas auxquels la beauté répugne et qu'ils déshonorent ce peuple, ce *démos* qu'ils se targuent de représenter, crois-tu que mon sort serait plus enviable que celui d'Anaxagoras ? »

Périclès soupira.

« Non, sans doute, finit-il par admettre.

— Toute personne, reprit Protagoras, qui conteste les préjugés ou les coutumes d'une collectivité est passible de l'accusation d'impiété. Anaxagoras avait ainsi demandé ce que nous entendions par le mot "dieux". Question innocente, si l'on y réfléchit bien. Est-il, en effet, convenable, pour un homme raisonnable, d'adorer ce qu'il ne connaît pas ? Mais on lui en a tenu rigueur. J'en déduis qu'il suffit de poser publiquement une question à laquelle personne n'a de réponse toute prête pour être taxé d'impiété. »

Périclès respira profondément.

« C'est la démocratie, Protagoras. Anaxagoras a été jugé par le peuple. Il était un ami. Je l'ai défendu aussi bien que j'ai pu.

— Donc, le peuple est hostile à la liberté de parole, rétorqua Protagoras. Il ne reconnaît même pas l'autorité qu'il a élue. Et ce que nous appelons "démocratie" est la tyrannie du grand nombre sur la minorité pensante. »

Socrate ne disait rien. Il écoutait.

« Voilà des propos bien séditieux, dit tout à coup l'un des avocats, Léocrite, sur un ton plaisant.

— Tu vois, fit Protagoras, souriant pour la première fois. Pour avoir simplement esquissé quelques problèmes de la vie à Athènes, j'en ai dit assez pour me faire bannir.

— Tu ne réussiras pas à obtenir ton bannissement, philosophe ! dit Périclès en riant. Pas pour des propos tenus dans l'intimité, en tout cas.

— Je te remercie, stratège. Je vois que l'hospitalité d'Aspasie est à la hauteur de sa réputation. »

Il se tourna vers l'avocat :

« Mais si tu avais l'intention, Léocrite, de me vendre tes services au cas où le stratège décidait de me faire bannir, non, merci ! Je peux me défendre tout seul. Le cas échéant, tu pourras faire bénéficier le stratège Périclès de ta compétence.

« — Pourquoi aurais-je besoin des services de Léocrite ? demanda Périclès d'un ton qu'il voulait insouciant.

— Ne le sais-tu pas stratège ? rétorqua l'avocat. Tu es l'otage de la démocratie. Et tu n'es même pas tyran ! »

Aspasie éclata de rire, mais son rire était un peu forcé. Le jeune Périclès s'agita sur sa couche. À l'évidence, il ignorait tout des problèmes qu'on soulevait là, et l'on voyait bien qu'il brûlait d'envie de poser des questions mais que la courtoisie le lui interdisait.

« À chaque moment, stratège, tu es comptable de ce qui se passe dans les territoires de la Cité, même si tu n'en es pas responsable.

— Que veux-tu dire ? s'écria Périclès avec une vivacité qu'il regretta sur-le-champ.

— Périclès, répondit Protagoras après une brève réflexion, il y a sept ans, Phidias était après toi l'homme le plus célèbre d'Athènes. Il a réalisé ces chefs-d'œuvre qui dominent la ville, il a commandé l'exécution des travaux, et surtout, tu le sais, il a surveillé de près la réalisation de la statue d'Athéna Parthenos. Il était ton ami, il partageait ton rêve de doter Athènes de monuments sublimes qui puissent illustrer sa puissance, sa richesse et ses talents. Vous étiez plus intimes que deux frères. Mais de mauvaises langues l'ont accusé d'avoir gardé pour lui une partie de l'or destiné à la réalisation de cette statue. Or, les parties d'or étaient démontables. Elles ont donc été démontées sur son ordre, pour être pesées, et il a pu démontrer qu'il n'avait rien dérobé de cet or. Il a donc été innocenté. N'est-ce pas vrai ?

— C'est vrai.

— La rumeur populaire a alors inventé une nouvelle accusation : il t'aurait représenté, et se serait lui-même représenté par la même occasion, sur le bouclier de la déesse. C'était là un crime d'impiété. Mais nous savons bien que l'allégation est invérifiable. On peut te reconnaître ou ne pas te reconnaître dans maints autres personnages du bouclier. Néanmoins, Phidias, le grand Phidias, a dû s'exiler parce que des ragoteurs l'accablaient de leur envie et de leur malveillance et que même toi tu n'as pas pu le protéger. Et tu en as souffert, n'est-ce pas ? »

Périclès hocha la tête.

« C'est vrai. Mais je veux espérer que tu ne fais pas ici l'éloge de la tyrannie, intervint alors Aspasie.

— Non, belle Aspasie. En eussè-je même le désir que je ne le ferais pas sous ton toit, répondit le philosophe. Je veux seulement dire qu'il faut se garder d'idéaliser la démocratie, car elle est féconde en injustices, et des injustices d'autant plus graves qu'elles se parent des apparences de la justice. »

Mnésiclès tirait une mine sinistre. Périclès écoutait, l'air pensif. Il leva les yeux sur Protagoras :

« Et tu disais donc que je suis comptable des injustices, n'est-ce pas ? »

Protagoras hocha la tête et vida son rhyton, qu'une servante s'empressa de remplir.

« Sûrement, déclara l'avocat Pardalos, un esprit aussi avisé que le tien, Protagoras, fait allusion à une injustice précise.

— Parle, Protagoras, dit Périclès.

— Je veux parler de l'assassinat de Philippide, le fils de Xéniade, dit le philosophe. À cette heure, il est probablement sous terre. Mais les rumeurs, elles, s'élèvent du tombeau comme les furies de l'enfer. Elles vont courir la ville. Comme elles ne peuvent siéger pour désigner un coupable, elles vont bourdonner comme un essaim de guêpes autour de ceux qui détiennent le pouvoir.

— Qu'y puis-je ? demanda Périclès, d'un ton las.

— On ne va quand même pas accuser mon père d'avoir tué Philippide ! s'écria le jeune Périclès, le visage congestionné.

— Non, jeune Périclès, répondit Protagoras. Mais on l'accusera de protéger un parent et un membre des Alcméonides. Car tu le sais bien, la première femme de son père et la mère d'Alcibiade sont sœurs, puisque toutes deux filles de Mégaclès, le grand Alcméonide. Et la mère de ton père, Agariste, est la sœur du même Mégaclès. »

Les servantes vinrent offrir aux convives des serviettes et

des bols d'eau tiède vinaigrée, pour se rincer les doigts. Puis elles emportèrent les tables et d'autres servantes apportèrent les desserts : des gâteaux de figues au pain cassé, des figues d'Égypte confites, de fines galettes au miel, si fines qu'elles étaient translucides.

« Pourquoi donc répugnes-tu à prendre mon fils pour élève, Protagoras ? » demanda Aspasie, désireuse de changer de conversation.

Le jeune homme s'interrompit de croquer la galette qu'il tenait entre ses doigts.

« L'honneur serait grand, belle Aspasie, répondit le philosophe, mais il se trouve que je n'ai pour élèves que ceux qui me suivent pour m'écouter, à leurs risques et périls. Et puis, je craindrais de mal préparer ton fils à s'occuper un jour des affaires de la Cité. Si tu me paies pour instruire ton fils, c'est parce que tu espères que mon enseignement lui sera utile.

— Mais tu as un disciple célèbre et fidèle, ce Théodore, observa Périclès. Veux-tu dire que ton enseignement le rendrait incapable d'être un jour utile à la Cité ? »

Protagoras sourit.

« Théodore n'est pas un disciple, mais un compagnon. Il ne me paie pas ; il écarte de moi la solitude. Si la Cité lui demandait un jour son avis, je pense qu'il le donnerait avec la sagesse qui lui est coutumière. Mais ce ne sont pas des avis que la Cité demandera un jour à ton fils : ce sont des ordres. Et je crains que la philosophie enseigne justement à ne pas donner d'ordres, car ils ne sont pas entendus par le peuple quand ils sont dictés par la sagesse. Le peuple est comme un fauve, mais un fauve particulier, en ce qu'il n'obéit qu'au glaive et à l'éloquence. Je dois donc à grand regret, jeune Périclès, renoncer aux dix mille sesterces que tes parents m'auraient donné pour parfaire ton éducation.

— Apprends-moi l'éloquence, alors ! s'écria le jeune homme.

— L'éloquence ? Je ne suis pas le meilleur maître dans ce domaine. Adresse-toi plutôt à Sophocle. »

Périclès donna un coup de coude à son fils ; l'affaire était close.

« Et moi, alors ? demanda Socrate, prenant la parole pour la première fois. »

Protagoras considéra un moment son cadet, l'œil amusé, et répondit :

« Allons, Socrate, c'est toi, toi qui te fais payer pour prodiguer ta sagesse, qui me demandes mon enseignement ? De plus, je ne crois pas que tu aies besoin de moi pour te faire des ennemis... »

Socrate retint un gloussement.

Sur un signe d'Aspasie à la maîtresse servante, une jeune danseuse entra dans la salle, suivie d'un jeune garçon ; ils étaient tous deux très légèrement vêtus pour répondre à tous les goûts des convives. Le jeune homme portait au bras une collection de petits cerceaux et tenait une flûte à la main. Il commença à jouer de son instrument un air fluide et scandé tout à la fois, et la jeune fille exécuta un premier pas de danse. Jouant un instant d'une seule main, il lui tendit de l'autre trois des cerceaux enfilés à son bras. Elle se mit à jongler avec les trois cerceaux tout en exécutant d'autres pas. Il lui tendit dès lors les cerceaux restants, un à un, et à la fin, elle jonglait avec une douzaine de cerceaux, sans jamais en laisser tomber un.

Pour clore le divertissement, elle dansa un moment avec le garçon, qui jouait sans désemparer de son instrument. Des applaudissements saluèrent la fin de ce numéro. L'armateur déclara à haute voix :

« Après ce que j'ai entendu ce soir, mes amis, je crois que cette jeune fille devrait être stratège ! »

Tout le monde éclata de rire, même Périclès.

6.

« Que Némésis me soutienne ! »

La fumée d'un sacrifice montait au-dessus de l'autel domestique, dans le patio de la grande maison de Xéniade.

« Némésis[1], ô toi qui assures la vengeance des justes, fais en sorte que le meurtrier de mon fils soit arrêté et qu'il meure dans des souffrances atroces ! »

Les paroles du maître des lieux retentissaient encore dans les esprits quand la foule amassée dans le patio gagna la rue pour former le cortège funèbre. Des porteurs sortirent le cadavre de Philippide, recouvert des vêtements qu'il portait au moment de sa mort, et le placèrent, la tête en avant, sur le plateau d'une charrette. Dans la lueur des torches, le bandeau d'or dont on lui avait ceint le front luisait cruellement sur la chair livide. Alors les chants lamentables des pleureuses s'élevèrent et les voisins interrompirent leur dîner pour se mettre aux fenêtres. La sœur du défunt, vêtue de noir, se plaça devant la charrette funèbre, les bras chargés du vase contenant le vin dont on ferait des libations sur la tombe de son frère. Venaient ensuite le père, portant une lance d'un air menaçant, et ses deux autres fils, encadrant le petit Philippe, puis les oncles, le beau-frère et les cousins du défunt.

---

1. Déesse de la vengeance.

Le chœur des pleureuses précédait le cortège des femmes, enveloppées dans des manteaux sombres, le front soucieux, car, on le savait bien, l'esprit de vengeance risquait de leur enlever d'autres hommes. Toutes se frappaient la poitrine, comme l'exigeait la coutume, mais le geste était creux. Sur la requête du petit Philippe, lui-même, ému par la compassion de la dame qui l'avait consolé, Xanthippe participait à leur groupe, agréée d'emblée par la mère de Philippide, mais non sans réticences par Xéniade, car elle était l'épouse du philosophe Socrate, conseiller de Périclès.

Or, Xanthippe pleurait sans effort. On ne pleure jamais que sur soi-même, mais elle lisait plus spontanément que d'autres l'injustice de son propre destin dans celui des autres.

En principe, six joueurs de flûte fermaient le cortège, mais, ce jour-là, c'étaient les amis et clients de Xéniade, parmi lesquels on comptait les deux fils de Périclès qui venaient après les femmes. Cette troupe funèbre se faufila dans le dédale des rues qui menaient à l'avenue principale, vers la porte du Lycabette. Là, elle s'avança dans la campagne, sur le chemin de l'un des trois cimetières hors les murs. Les fossoyeurs attendaient. Ils déchargèrent le défunt et le cortège se débanda pour entourer la tombe ouverte. Les célébrants contemplèrent un moment les restes des anciens en tuniques souillées de terre, l'orbite emplie d'ombre et comme étonnée d'accueillir ce jeune homme qui les rejoignait aussi prématurément.

Le petit Philippe se détourna du spectacle macabre et regarda autour de lui, cherchant quelqu'un dans le manteau de qui se réfugier. Il reconnut Xanthippe et se blottit contre elle en sanglotant, comme si la tendresse d'une étrangère lui était plus chère que celle des siens. Il y resta jusqu'au moment où l'on descendit le cadavre dans la fosse. Alors son grand-père l'appela. Philippe s'avança, le visage baigné de larmes, pour boire à la coupe unique dans laquelle on faisait des libations à l'âme du défunt.

Pauvre âme qui, comme le croyaient les Grecs, allait désormais errer sans repos. Les femmes jetèrent des guirlandes de roses sur la tombe et chacun laissa éclater son chagrin.

On approchait du milieu de la nuit. Le cortège se reforma, en désordre cette fois, et quand il eut atteint les portes de la ville et que la mère de Philippide eut renouvelé son invitation au banquet funèbre, Xanthippe prit congé ; elle ne pouvait pas laisser plus longtemps ses enfants seuls.

« Tu es une femme bonne, lui dit la mère de Philippide, et ton affection n'est certes pas de trop. Ce pauvre enfant avait déjà perdu sa mère... On croirait que notre chagrin est vraiment le tien.

— Il l'est, répondit Xanthippe. En trouvant ce beau garçon sans vie contre ma maison, j'ai eu l'impression de perdre un fils. Ils sont tous nos fils », ajouta-t-elle au bout d'un temps.

Puis elle baissa la voix :

« Dis-moi, crois-tu vraiment à l'accusation de Xéniade ? »

La femme hocha la tête.

« Je te le dirai une autre fois, murmura-t-elle, pressée par les autres. Viens me voir. »

Philippe tenait machinalement le manteau de Xanthippe. Elle se pencha vers lui pour l'embrasser. Il lui tendit un petit bouclier de bois, un jouet grand comme la main et s'en fut vers les siens.

« Que Némésis me soutienne ! » murmura-t-elle, et, serrant son manteau, elle s'en fut seule vers sa maison, ombre noire dans les rues noires, accompagnée de temps en temps par le hululement d'une chouette.

7.

Conversation nocturne
entre deux amants

Lui, nu, étendu sur le dos, les yeux fermés ; elle, nue aussi, allongée près de lui, accoudée sur un coussin. C'était la première heure après minuit, selon la clepsydre qui gouttait au fond de la pièce, sur sa table de bronze. Dans la lumière crépusculaire de la petite lampe d'argent pendue au plafond, elle fut soudain effrayée de découvrir un visage de Périclès qu'elle ne connaissait pas. Une lourdeur dans la mâchoire, une amertume dans les commissures des lèvres. Une bouffissure générale, surtout au-dessous des yeux.

Était-ce l'effet des fatigues de l'amour ? D'un excès de soucis ? Ou bien les signes à peine perceptibles d'un changement dans leur monde ? Aspasie fut saisie d'une inquiétude d'autant plus vive que rien de précis ne la justifiait.

« Pourquoi me regardes-tu ainsi ? demanda-t-il sans ouvrir les yeux.

— Comment sais-tu que je te regarde, puisque, toi, tu ne regardes pas ?

— J'entends au rythme de ta respiration que tu es agitée, dit-il d'une voix égale et lasse. Et comme ton sein gauche est sur mon bras, je sais que tu es accoudée, et donc que ton regard est dirigé vers moi. »

Elle s'assit.

« Il y a quelque chose que je n'aime pas dans... la forme des événements, dit-elle.

— C'est parce que tu es une Orientale. Tu crois trop aux mystères. C'est l'accusation contre Alcibiade qui t'inquiète, n'est-ce pas ?

— Les gens pensent que tu le protèges...

— Je le protège, en effet, puisqu'il appartient à ma famille, à mon dème, à mon clan, et que je suis son tuteur. Mais le fait que je le protège ne signifie pas qu'il ait commis un crime. Dix hommes libres sont prêts à jurer qu'Alcibiade a banqueté jusqu'à l'aube chez Alkyros et que Philippide est parti bien avant lui, seul et soûl.

— Ils se sont pris de querelle.

— Je le sais. Philippide, qui faisait partie de l'hétairie d'Alcibiade, lui a reproché de donner par son gaspillage une mauvaise image de l'aristocratie. Alcibiade lui a rétorqué que ceux qui le critiquaient étaient des jaloux. Philippide a répondu que trop de jaloux finissaient par constituer un parti qui pouvait troubler l'ordre de la Cité, qu'on finirait par intenter à Alcibiade un procès pour immoralité publique, et que l'opprobre de cette immoralité rejaillirait sur toute la jeunesse riche d'Athènes, dont lui-même, Philippide. La querelle s'est envenimée quand Alcibiade lui a lancé : "Tu as peur qu'on apprenne que toi, un homme libre, tu étais mon amant ?" Et Philippide lui a répliqué... »

Périclès s'interrompit, gêné, car il manifestait une pudeur obstinée sur les choses du sexe.

« J'ai compris, dit-elle.

— Bref, il lui a dit aussi que les ennemis intérieurs étaient plus à craindre que ceux de l'extérieur, parce qu'on pouvait se défendre contre ces derniers par les armes, alors que les ennemis intérieurs ne pouvaient être maîtrisés que par la force de la justice. Alcibiade s'est levé pour le gifler. Et c'est alors que Philippide est parti.

— Tu es bien informé...

— Oui. »

Aspasie se leva pour aller boire de l'eau au cruchon de terre près de la clepsydre. Périclès ouvrit les yeux. Il regarda ces formes si joliment peintes par la lumière dorée de la lampe. Non, elle n'était plus jeune, mais elle restait désirable.

« Mon sentiment, dit-elle, est qu'Alcibiade a lancé l'un de ses hommes à la poursuite de Philippide pour le tuer.

— Alors, garde-le pour toi. Il y a déjà trop de gens qui pensent comme toi. Mais on ne peut se prononcer dans une affaire aussi grave sur la seule base d'un sentiment. Xéniade, le père de Philippide, est du même dème que moi, mais il appartient également au clan adverse des oligarques, qui estiment que la démocratie est un système inefficace et de surcroît hypocrite, puisque, selon eux, je serais un tyran. Nous n'avons pas besoin d'un scandale qui viendrait compliquer une situation politique qui l'est déjà suffisamment. Je t'en prie, laisse tes sentiments de côté dans cette histoire.

— C'est bien à cause de la haine qu'il me porte qu'Hermippe m'a intenté un procès en immoralité ! La haine n'est-elle pas un sentiment ? s'écria-t-elle.

— Et il a perdu son procès », observa Périclès.

Aspasie demeura pensive un moment, près de la table, toute nue. Puis elle dit :

« Péri, tu ne t'es pas demandé pourquoi l'assassinat a eu lieu derrière la maison de Socrate ?

— Non. Pourquoi ?

— Parce que Philippide a essayé de s'y réfugier.

— Pourquoi n'est-il pas rentré directement chez lui ?

— Sans doute parce que c'était plus près que chez lui. Le garçon a été poursuivi par un sicaire d'Alcibiade et, comme il était ivre, il ne pouvait pas courir assez vite pour semer son assassin.

— Ce ne sont que des hypothèses, observa Périclès, néanmoins troublé. Je sais Alcibiade impétueux, mais je ne le crois pas capable de crime, fût-ce par personne interposée.

— Les accusations de Philippide étaient assez fondées pour inquiéter Alcibiade, insista Aspasie. Et le vin aidant...

— Et que veux-tu que je fasse ?

— Prends tes distances à l'égard d'Alcibiade.

— Et si on l'accuse publiquement ?

— Réfères-en à la justice. Ne prends pas sa défense, comme tu l'as fait pour moi. Nous sommes au bord de la guerre et tu n'as pas besoin d'une histoire comme celle-là en ce moment.

— Alcibiade a brillamment combattu au siège de Potidée, répondit Périclès. Il fait figure de héros dans la ville, et je veillerai à ce qu'il ne soit pas inquiété. »

Il se leva pour uriner, puis pour boire. Son pas était lourd.

« Tout ce que je te dis, reprit Aspasie, tu le savais, déjà, avoue-le. Mais tu ne te le disais pas. De toute façon, n'est-il pas temps que tu mettes fin à ta tutelle sur Alcibiade ? »

Il esquissa un sourire.

« J'y songeais. Il est, en effet, d'âge à assumer la responsabilité de ses actes. Je le ferai rapidement. Maintenant, il est temps de dormir. »

Il regagna le lit et tira le drap sur lui.

« J'ai une journée chargée demain, soupira-t-il. Il faudra décider notre stratégie à l'égard de Sparte et de ses alliés, et je devrai répondre à ceux qui m'accusent d'avoir trop tardé à riposter aux agressions des Lacédémoniens. Dont ce démagogue de Cléon. »

Elle s'allongea aussi et garda les yeux longtemps ouverts. Elle allait reprendre la parole quand elle s'avisa que la respiration de Périclès était devenue lourde et elle tenta de trouver aussi le sommeil.

Rumeurs et sortilèges

Deux masques creusés par l'âge, les angoisses de l'intuition, les affaissements de la résignation. Badigeonnés de blanc, ils auraient pu servir tels quels aux récitants des tragédies.

Les deux femmes, Xanthippe et Agaristê, la mère de Philippide, se tenaient à l'ombre de la maison. La première s'était rendue à l'invitation de la seconde afin de poursuivre sa recherche, sa vengeance peut-être. Agaristê l'avait entraînée à l'extérieur, autant pour éviter les oreilles indiscrètes dans sa propre maisonnée que parce que son mari, Xéniade, ne portait guère d'estime à Socrate.

« On rapporte qu'il est ami, tu vois ce que je veux dire, de ce type, Alcibiade... Et Xéniade penserait que tu vas lui rapporter ce que je t'aurais dit...

— Me crois-tu folle ? s'écria Xanthippe.

— Non, non, je te fais confiance. Mais mon époux...

— Où en est-on ? coupa Xanthippe.

— Nulle part. Tous ceux auxquels Xéniade s'est ouvert de ses soupçons font observer qu'il n'existe que des présomptions, mais aucune preuve. Mon fils est parti du souper bien avant Alcibiade, la chose est certaine.

— Je sais, coupa Xanthippe. Quelqu'un d'autre a donc quitté ce banquet pour se lancer après lui. »

Une question obsédait Xanthippe : Socrate était lié à Alcibiade depuis le siège de Potidée. Et Philippide avait été poignardé derrière leur maison. Il y avait donc un lien entre Socrate et l'assassinat. Mais elle estimait que ce serait trahir son propre époux que de faire part de ses soupçons à la mère de la victime.

L'autre l'observait comme une chouette. Lut-elle dans les pensées de la visiteuse ?

« Ce que je trouve curieux, dit-elle, c'est que mon pauvre fils soit tombé juste derrière votre maison, comme s'il s'apprêtait à aller frapper chez vous pour chercher refuge...

— Pourquoi chez nous ? demanda Xanthippe.

— Peut-être parce qu'il pensait que Socrate saurait faire entendre raison à ce voyou. C'est un homme raisonnable que ton mari, n'est-ce pas ?

— Oui, c'est un homme sage. Enfin... assez sage. C'est vrai qu'il aurait sans doute pu faire entendre raison à l'autre. Mais il était au banquet et ne pouvait donc être d'aucun secours. Moi, je n'aurais pas ouvert la porte. Et puisque Alcibiade est resté au banquet bien après le départ de ton fils, ce n'est donc pas lui qui le poursuivait.

— Non, pas lui, mais un de ses hommes de main, dit Agaristê d'une voix caverneuse. Il peut acheter les services de n'importe quel assassin.

— Mais alors, comment mon mari aurait-il pu faire entendre raison à un assassin ?

— Je ne sais pas. Je sais seulement qu'il y a un lien certain entre Alcibiade, l'assassinat de mon fils et l'endroit où il a été assassiné. »

Xanthippe ne releva pas le propos, mais elle pensait la même chose. Elle hocha la tête et prit congé. L'affaire lui paraissait à la fois évidente et absurde. L'évidence était qu'Alcibiade était, d'une manière ou de l'autre, responsable du meurtre, et l'absurdité, qu'il n'avait pas pu le commettre. L'hypothèse d'un séide d'Alcibiade chargé du forfait ne la satisfaisait pas. Un coup de dague donné dans l'ivresse de l'alcool, soit : un tel geste ne l'eût pas étonnée de la part de ce voyou arrogant d'Alcibiade. Mais un assassinat perpétré dans la nuit par l'entremise d'un tueur à gages, non : il y avait là une préméditation improbable. Xanthippe n'avait certes pas l'expérience de ces choses, mais elle se disait qu'on ne trouve pas un tueur à gages aux petites heures de la nuit.

C'était un de ces problèmes à la solution desquels excellait le seul homme auquel elle ne pouvait pas en parler : Socrate.

Xanthippe soupira et prit le chemin du Stoa pour y faire ses emplettes : des fèves, des concombres, de la laitue et quelques galettes de miel pour les enfants. Elle aurait donné cher pour s'approcher des hommes assis là et écouter leurs ragots, mais c'eût été inconvenant. Elle dut se contenter d'interroger les marchands sur ce qui les préoccupait ce jour-là.

« La guerre, répondit l'un d'eux en pesant deux cotyles de fèves. Les jeunes gens qui vont partir. L'argent que cela va coûter. Mes deux fils vont y aller. »

Les pensées de Xanthippe allèrent au cadavre qu'elle avait découvert au petit matin, deux jours auparavant. Combien d'autres cadavres ramènerait-on cette fois au pays !

« La guerre..., répéta-t-elle avec tristesse. Elle est donc décidée ?

— Femme, les guerres commencent avant même qu'on les ait déclarées. Et il y a aussi la dernière folie d'Alcibiade.

— Ha ! fit-elle en tressaillant. Alcibiade l'Alcméonide ?

— Quel autre ?

— Qu'est-ce qu'il a fait ?

— On vient d'apprendre que, l'an dernier, alors qu'il se remettait de sa blessure de guerre, il était à Abydos, sur l'Hellespont.

— L'Hellespont ? répéta-t-elle, ne sachant où se trouvait ce pays.

— Oui, là-bas, au-delà des mers, en Phrygie. Alcibiade y était avec son oncle. Et que crois-tu ? Ils ont tous les deux épousé la même femme !

— La même femme ? Mais c'est impossible !

— Eh bien, si, c'est possible, la preuve. Il a ramené cette

femme à Athènes et elle habite un mois avec l'oncle et un autre avec le neveu. »

Xanthippe regarda, interdite, le marchand qui versait les fèves dans son sac. Et, comme elle gardait les yeux écarquillés, tandis qu'il attendait son écot, il s'écria :

« Ces fils de riches, aucune maîtrise de soi ! »

Quand elle eut achevé ses emplettes, elle eut soudain une idée, et enfila les ruelles les unes après les autres. Elle atteignit le quartier sud d'Athènes et franchit la porte de Phalère. De là, elle se dirigea vers le Long Mur Sud et le Mur de Phalère. Elle aborda des masures bâties plusieurs années auparavant sur les décombres laissés par les incendies de la guerre des Perses. Noyées dans les gravats et les broussailles, séparées par des terrains vagues où paissaient des chèvres et picoraient des poules, c'étaient les habitations des oubliés d'Athènes. Un quartier hors les murs, ignoré des riches et des puissants, des architectes et des marchands de terrains. On l'appelait familièrement Périmoukasso, mais en réalité il n'avait pas de nom. Les voleurs et les contrebandiers en avaient fait leur fief, et l'Assemblée projetait régulièrement de nettoyer ce cloaque, mais ne le faisait jamais.

Xanthippe chercha quelqu'un à qui demander son chemin. Son regard tomba sur une vieille femme borgne, accroupie, qui donnait de l'herbe à une chèvre. On eût dit d'une chèvre qui nourrissait l'autre.

« Sais-tu où habite Antigone ? » demanda-t-elle.

La borgnesse mâchait et remâchait on ne savait quoi de verdâtre, considérant Xanthippe de son œil unique, et cette dernière se demanda si elle n'était pas privée de ses sens.

« La sorcière ? finit par lâcher la créature d'une voix aigre.

— Si c'est comme ça que tu l'appelles...

— Va tout droit. Tu arriveras à une colonne tombée. Un peu plus loin, à gauche, tu verras une maison sous un abricotier. C'est là. »

Xanthippe suivit les indications et arriva, en effet, à une masure, plus grande et moins délabrée que les autres. Un animal qui ressemblait à un chien, mais certes pas au lévrier d'Alcibiade, aboya après elle, avec l'imbécillité de ces chiens fonctionnaires et xénophobes qui répètent à l'envi le même discours hargneux. Une femme apparut sur le pas de la porte. Elle avait dû être belle jadis et, malgré l'épaississement des hanches et le double menton, il lui en restait quelque chose. Elle avait aussi dû avoir des amants ardents, pensa furtivement la visiteuse. Ses yeux cernés d'antimoine se rivèrent sur Xanthippe.

« Qui cherches-tu ? demanda la femme.

— Antigone.

— C'est moi. Qui t'envoie ?

— Ma mère, Hélas. »

Ce n'était qu'à moitié vrai. La vieille Carysta, voyante réputée qu'on disait en réalité un homme, étant morte depuis belle lurette, Hélas avait simplement mentionné le nom d'Antigone. Elle lui avait également indiqué le quartier où elle habitait.

« Entre. »

Le cerbère réduit au silence lui flaira les jupes, sans doute pour vérifier qu'elle n'était pas un animal déguisé. Une fois à l'intérieur, Xanthippe s'avisa que la maison n'était pas vraiment une masure. Le sol était en dalles de pierre, et un autel de pierre noircie trônait au milieu de la première pièce, sous un trou dans le plafond. Un autre trou avait été ménagé audessus de l'âtre, où un petit feu brûlait sous une marmite. Quelques beaux meubles, d'ébène et de chêne incrustés d'ivoire ou d'argent, y étaient parsemés. Par l'entrebâillement d'une porte, Xanthippe remarqua un lit de bronze. Elles s'assirent.

« Quel service attends-tu de moi ? demanda tout de suite Antigone.

— Je ne sais pas », murmura Xanthippe, soudain intimidée.

Le cœur lui battait toujours quand elle traitait avec les puissances de l'autre monde. « Un homme a été assassiné. Je me suis prise d'affection pour son petit garçon. Je voudrais... »

Quoi, elle ne savait dire.

« La vengeance », dit calmement Antigone.

Les oiseaux chantaient et le chien s'était couché en rond.
Xanthippe hésita : c'était tellement effrayant, ce mot de « vengeance ».

« La vengeance, oui.

— Es-tu parente de la victime ?

— Non. »

Antigone se pencha vers Xanthippe.

« As-tu un objet qui lui ait appartenu, ou qui ait appartenu à son fils ?

— Non... Oui, attends... »

Elle venait de se souvenir du petit bouclier de bois que lui avait donné Philippe. Elle fouilla dans sa poche, espérant qu'elle ne l'avait pas perdu. Elle parvint enfin à l'extraire des plis de sa robe et le tendit à Antigone.

« Un bouclier ? dit Antigone. Un bon symbole. Il appartient au fils ? »

Xanthippe hocha la tête. Puis elle s'inquiéta : combien allait lui demander Antigone ?

« Je ne suis pas riche... »

Antigone sourit.

« Qu'est-ce que tu as dans ce sac ?

— Des fèves.

— Fraîches ? »

Xanthippe hocha la tête.

« Nous en cuisinerons la moitié. Tu es la fille d'Hélas. »

Xanthippe se demanda ce que sa mère pouvait bien avoir de commun avec cette femme pour mériter cette sollicitude. Antigone se leva et se dirigea vers une étagère sur le mur, où étaient rangées des boîtes. Le chien la suivait du regard. Une boîte sous le bras, elle se pencha, tira du petit bois d'un fagot par terre et le jeta sur l'autel. Puis elle y mit le feu à l'aide d'un brandon.

« Connaissais-tu le défunt ? demanda Antigone.

— Non.

— Son nom ?

— Philippide. »

Antigone considéra longuement Xanthippe.

« Le fils de Xéniade ? Sa mère est déjà venue me voir. »

Elle m'a donné de l'argent. Les puissances infernales ont déjà répondu. Il ne faut pas les importuner. »

Elle alla remettre la boîte sur l'étagère.

« Deux sorts ne sont-ils pas plus puissants qu'un ? demanda Xanthippe d'une voix tendue.

— Des sorts ? Contre qui ? répliqua Antigone. L'assassin n'est pas celui qu'on croit.

— Qu'ont dit les puissances ?

— L'assassin mourra au spectacle. Bientôt.

— Alcibiade ? Au spectacle ? » s'écria involontairement Xanthippe.

Antigone resta silencieuse un long moment, le regard muré. Puis elle sourit et se tourna vers Xanthippe.

« Non, pas lui. Un autre. Nous l'avons vu. Les puissances infernales nous ont montré son image : il est brun, Alcibiade est blond. »

La surprise laissa Xanthippe muette. Elle se demanda si cette devineresse n'en savait pas plus long qu'elle le prétendait et si elle ne mettait pas au compte des divinités infernales ce qu'elle avait appris par des ragots. Qu'est-ce que c'était que cette histoire de mort au spectacle ?

« L'assassin mourra donc impuni ? finit-elle par dire.

— Si la lance d'un ennemi n'est pas une punition suffisante pour toi... Il n'est pas destiné à la justice des hommes. »

Le regard de la pythie se creusa tout à coup, comme si un vide intérieur lui avait aspiré les prunelles. Sa voix aussi sembla sombrer dans le creux de sa poitrine. Elle écarta les bras et poussa un cri.

« Un temps de grand tourment... Je vois des épreuves terribles pour nous... nous tous... Athènes...

— Athènes ? demanda Xanthippe, la voix rauque.

— Athènes... pleine de morts ! »

Sa voix fusa vers l'aigu. Elle ravala sa salive.

« Le soleil sera noir... »

Elle exhala un gémissement et se laissa tomber sur un tabouret, comme vidée de sa substance. Xanthippe la considéra, désarmée, pendant un long moment. Puis elle aperçut une gargoulette d'eau couverte d'un gobelet sur l'appui de la fenêtre. Elle alla remplir le gobelet et l'apporta à Antigone, qui but avidement, prostrée. Elle revint à elle et leva vers sa visiteuse un regard triste.

« Athènes pleine de morts ? » répéta Xanthippe à mi-voix, comme si elle craignait d'entendre ses propres mots.

La pythie hocha la tête.

« C'est ce que j'ai vu. »

Elle soupira.

« Laisse-moi maintenant. Je veux me reposer. Tu mange-ras toutes tes fèves. Salue Hélas pour moi. »

Xanthippe se retrouva sur la route, dans le soleil déjà cuisant de la mi-journée, le vent battant sa robe et son man-teau. La vieille était toujours assise sur le chemin, regardant le ciel de son œil unique.

Quel être humain comprend les dieux ? se demanda Xanthippe, le pas devenu las.

9.

Alcibiade
ou les noces de l'amour
et de la philosophie

« Être beau est donné au premier venu », lança Alcibiade, assis sur le lit de la salle à manger, tout en tendant le pied à un esclave pour qu'il lui ôtât ses sandales. Des sandales en écailles d'argent cousues sur le cuir et ornées de turquoises, conçues exprès pour lui par Tsimis le sandalier. « Le gymnase fourmille de jeunes gens dont chacun est une statue vivante », poursuivit-il en repliant une cuisse pour s'allonger et jetant un long regard à l'un des convives, Eukolinê, couronné aux dernières Panathénées pour ses prouesses au lancement du disque. Il mit sa cuisse bien en évidence, et chacun put y voir la cicatrice qui avait été causée par une flèche au siège de Potidée, un an et demi auparavant. Il dégrafa sa chlamyde, retenue par une broche d'or ornée de grenats et de turquoises, et le vêtement, un simple morceau de tissu carré, ne se trouva plus retenu que par la ceinture, qui était en or. Il laissa voir un torse lisse et finement doré par le soleil de la palestre, un torse qui avait convaincu Phidias de sculpter en pied l'ensemble du personnage, dont d'autres artistes

mineurs s'étaient également empressés de reproduire les proportions et le modelé. Chacun savait, puisque Alcibiade le
disait, que le grain satiné de sa peau était entretenu par des
bains de lait.

Les convives qui prenaient place sur leurs lits écoutaient,
captivés, cette réponse à un compliment qu'avait lancé l'un
d'eux, Alexios. Assister à un repas auquel participait Alcibiade
était déjà un privilège ; être invité par lui était quasi-divin. Or,
ce repas était exceptionnel ; c'était l'un de ceux qui célé-
braient l'accession au majorat du maître de maison. À l'âge
de dix-huit ans, affranchi depuis peu de la tutelle de Périclès
et mis en possession de son immense fortune, Alcibiade venait
de s'installer dans une maison dont l'opulence surpassait tout
ce qu'Athènes avait connu. Le mobilier était d'argent, la vaisselle, d'or. Le luxe dont il s'était entouré en l'espace de
quelques semaines défrayait les conversations. Ses deux cuisiniers passaient pour réaliser des prodiges dignes de la table
des dieux. Outre la statue en pied par le grand Phidias lui-
même, sa villa s'enorgueillissait de fresques de peintres d'égal
renom. La fleur de l'aristocratie athénienne, sans compter les
poètes et les athlètes, bourdonnait autour de lui.

L'un des convives les plus âgés le dévorait des yeux, et
c'était Socrate. Car, sensible à l'attention amoureuse que lui
prodiguait le philosophe, conseiller du premier stratège, et
conscient de l'influence des conseils de Socrate sur ce dernier, Alcibiade en cultivait ardemment l'amitié et même plus,
l'amour. Les sept autres convives étaient des jeunes gens, tous
autour de vingt ans, tous beaux chacun à sa façon, les uns
blonds, les autres bruns ou châtains ; ils faisaient partie de la
même hétairie. Torse nu selon l'usage, ils semblaient descen-
dus des bas-reliefs du Parthénon pour goûter aux nourritures
terrestres, mais leurs peaux ambrées, qui luisaient dans la
lumière des lampes innombrables, ajoutaient les séductions
de la vie à celles de la sculpture. Socrate parcourait leur
groupe du regard, comme si c'était des yeux qu'il se nourrissait.

« Être beau et bien né, reprit Alcibiade, voilà qui est déjà
plus rare. Etre beau, bien né et doté d'un esprit aussi agile

que le corps, voilà qui est la condition suprême dans ce monde.

— Et si l'on n'est ni beau, ni bien né ? demanda Socrate.

— Est-ce à toi que tu penses ? s'écria le blond Critias. Je vais répondre pour notre hôte. Il existe une autre façon d'être beau, et c'est par l'esprit. Or, qui dit esprit entend élévation du caractère, ce qui est l'un des apanages des gens biens nés, et c'est pourquoi tu te trouves parmi nous. »

Alcibiade et les autres applaudirent.

« Je vois, Critias, que tu m'as bien écouté, dit Socrate avec un sourire. Mais je suis effrayé d'être parmi tant de garçons dotés de puissance quasi divine. Outre le pouvoir que vous exercez sur les autres par votre beauté, vous en possédez en effet un autre, celui qui vous est donné par la naissance et la fortune. Je serais surpris que vous ne vous en serviez pas un jour, quand vous aurez obtenu le pouvoir politique. Il sera alors difficile de vous résister, quand même vous seriez saisi par l'ivresse de la puissance.

— Pourquoi est-ce que j'entends comme un avertissement dans ces compliments ? demanda Critias.

— Parce que c'est un avertissement, en effet, répondit Socrate.

— Tu ne nous fais pas confiance ?

— Le triomphe est un cadeau dangereux que nous font les dieux. Le parfum des lauriers peut endormir ou enivrer, selon les tempéraments. »

Les domestiques déposèrent les premiers plats sur des tables tendues de nappes de lin brodé : de petits poissons macérés dans l'aneth, une salade rustique de concombre au lait caillé, une autre de jeunes anguilles et de raifort au vinaigre de laurier et à l'huile, une troisième de petits oignons aux miettes de poisson... Les rhytons étaient tous d'argent. Les domestiques les remplirent d'un vin clair et sec, coupé de cette eau qu'Alcibiade faisait venir à dos de mulet d'une source montagneuse et qui ressemblait à une brise liquide.

« Dis-nous plutôt, Socrate, demanda Alexios, les lèvres lustrées par l'huile de la salade, ce qui est arrivé au siège de Potidée, quand tu as sauvé notre hôte.

— C'est lui qui m'a sauvé, répliqua Socrate.

— Non, c'est lui », déclara Alcibiade.

Des rires jaillirent.

« Il faut bien qu'il y en ait un qui ait sauvé l'autre, observa Alexios. Raconte.

— Nous étions six hommes, commença Socrate, à environ un plèthre des murailles de la ville, trois heures après midi. Nos archers essayaient de viser ceux qui se dissimulaient derrière les créneaux. Nous nous apprêtions à attaquer les fantassins qui étaient sortis de Potidée pour nous disperser. Alcibiade avançait devant moi pour me protéger, j'en jurerais. Tout à coup, une volée de flèches s'est abattue sur nous, Alcibiade a poussé un cri et j'ai vu le sang jaillir de sa cuisse...

— Et alors, intervint Alcibiade, il m'a jeté au sol, à l'abri d'un monticule couvert de fourrés, parce qu'une deuxième volée de flèches arrivait sur nous.

— Oui, mais si tu ne m'avais pas protégé en avançant devant moi, c'est moi qui aurais reçu la flèche, dit Socrate.

— Et si tu ne m'avais pas plaqué au sol, j'aurais reçu une deuxième flèche...

— Mais quand vous êtes revenus à Athènes, dit Alexios, et que vous avez été convoqués devant le Conseil des Stratèges pour recevoir l'insigne de l'honneur, c'est la version de Socrate qui a prévalu, et c'est toi, Alcibiade, qui as reçu l'insigne.

— Que veux-tu, fit Alcibiade, il est tellement plus éloquent que moi ! »

Nouveaux rires. Les appétits étaient vigoureux : les tables avaient été dévastées. Des domestiques vinrent les enlever, d'autres apportèrent les suivantes. Des cailles farcies aux raisins, des daurades grillées au thym, un ragoût d'agneau au fenouil et aux lentilles, et de petites galettes d'œufs aux miettes d'olives parsemées de grains de sésame. Les rhytons furent regarnis d'un vin plus corsé, au bouquet résineux.

« Est-ce depuis lors que tu aimes Alcibiade ? demanda à Socrate un convive nommé Éristée.

— J'aime Alcibiade depuis que je l'ai vu, répondit gravement Socrate. J'aime deux choses au monde : la philosophie et Alcibiade.

— Quel rapport fais-tu donc entre une chose abstraite comme la philosophie et un beau garçon comme Alcibiade ? demanda Éristée.

— Réfléchis donc, Éristée. La philosophie t'aide à connaître les motifs des actions humaines, et donc à diriger les tiennes. Elle te permet ainsi de savoir qui tu es. L'amour, lui, te permet de savoir quels sont tes désirs, c'est-à-dire à te connaître toi-même. Mes idées sont donc en parfaite harmonie avec mes sentiments...

— Mais qu'a donc Alcibiade de plus que nous ? » intervint Alexios.

Alcibiade écoutait, immobile, pensif.

« Je ne saurais le comparer à vous, répondit Socrate en souriant, car il faudrait que chacun de vous représente l'idéal de mes aspirations, c'est-à-dire que je vous aime chacun plus que les autres, et cela n'est évidemment pas possible. Quand je vois Alcibiade, un feu céleste brûle au-dessus de sa tête et promet tantôt de l'élever au rang d'un demi-dieu et tantôt de le réduire en cendres. »

Tout en l'écoutant, les jeunes gens écartelaient leurs cailles et leurs poissons, le regard brillant de l'ardeur de la jeunesse et de la soif de comprendre et de s'instruire autant que de se nourrir le corps.

« Et toi, Alcibiade ? demanda Éristée, aimes-tu Socrate ou bien te laisses-tu aimer par lui ? »

Le maître de maison fit signe à un domestique, qui lui tendit promptement une serviette. Il s'essuya la bouche et but une lampée de vin.

« Ta question est mal posée, Éristée. Quand on est aimé d'un homme tel que Socrate, on ne peut que se rendre à son amour. Si c'est cela que tu veux dire, oui, je me laisse aimer par Socrate. Maintenant, je pense que tu voulais me demander si j'ai aimé Socrate au premier regard et je te répondrai : non. Je l'ai aimé à la première parole, car il possède la séduction de l'esprit. Et j'ai compris que l'esprit n'est rien s'il n'est bienveillance. Socrate est le seul homme qui me donne envie de me dépasser sans cesse et de faire triompher ce qu'il y a de meilleur en moi. L'amour de Socrate est aussi noble et plus fort que celui d'un père et celui que je lui porte, plus vif que celui d'un fils. Mais nous sommes amants. »

Il y eut un long silence.

« N'aimes-tu pas aussi d'autres hommes, Socrate ? demanda l'athlète.

— Me parles-tu de sentiment ou bien de rapports physiques, Eukolinê ? » répliqua Socrate en souriant.

Ils éclatèrent tous d'un rire bruyant.

« Ne connaîtrais-tu pas un autre Socrate pour moi ? », reprit l'athlète.

Les rires reprirent de plus belle.

« Mais dis-moi, Socrate, demanda Éristée, comment concilies-tu le sentiment de la démocratie avec ton amour de ce qu'il y a de plus beau, de plus noble, de plus courageux ? Car tu conviendras que le peuple n'est pas beau, rarement noble et presque jamais courageux ? »

Le philosophe lança un long regard à son interlocuteur.

« C'est la question la plus pertinente qu'on m'ait jamais posée », finit-il par convenir.

Ils attendirent qu'il développât sa réponse, mais il se contenta de sourire de façon rêveuse, et l'on passa à d'autres sujets, et notamment à l'offensive des Lacédémoniens. Y aurait-il ou n'y aurait-il pas la guerre ? Jusqu'à quand Athènes supporterait-elle l'agression des Spartiates ?

Seul Socrate connaissait la réponse, mais il n'avait pas le droit de la révéler.

La soirée s'avança, les souvenirs de la journée se dissipèrent. Le vin, le luxe, la beauté exaltèrent l'ivresse d'être. Ce sont là de ces cadeaux que, dans leur cruauté, les dieux dispensent parfois pour vous en laisser le souvenir.

10.

De l'art
de faire parler une domestique

Xanthippe s'éveilla haletante. Elle rejeta le drap qui la couvrait et tendit l'oreille. Aucun bruit suspect ne justifiait son soudain arrachement au sommeil. La flamme de la lampe, à l'autre coin de sa chambre, filait paisiblement sa lumière vers le plafond. Elle se leva et alla ouvrir la porte qui donnait sur le patio. Rien. Le calme. L'envol soudain d'une chouette sur le toit lui fit lever les yeux. Elle alla ouvrir prudemment la porte de la chambre des enfants, enjamba l'esclave endormie devant le seuil et se pencha sur les lits des garçonnets ; ils dormaient paisiblement. Elle ressortit et longea la galerie couverte du patio pour aller écouter à la porte de son mari. Des ronflements sonores la rassurèrent. Elle revint dans sa chambre, perplexe, et se recoucha.

Puis le rêve lui revint. Philippe, immobile devant elle, les yeux mouillés, muet. Elle avait voulu le prendre dans ses bras. Il était son troisième enfant. Le destin lui avait donné celui-là.

Elle se rendormit difficilement, ayant tantôt trop chaud, tantôt trop froid. Au petit matin, elle froissa plusieurs feuilles de sauge et les versa dans un bol d'eau bouillante, qu'elle but à petites gorgées, pensivement. Le sort en était jeté. Socrate n'interviendrait pas, alléguant des dangers mystérieux. Les hommes ont toujours d'excellentes raisons à leurs déraisons. Quant aux dieux, selon la pythie Antigone, ils n'allaient pas se déranger pour une affaire de police.

Elle rumina les histoires sur le compte d'Alcibiade qu'elle avait glanées ces derniers jours au Stoa.

« Un jour, lui avait raconté le pharmacien Orthoxos, il a rencontré un maître d'école et lui a demandé de lui montrer un exemplaire d'Homère. Celui-ci n'en avait pas sur lui. Eh bien, Alcibiade l'a giflé !

— Mais le maître d'école ne lui a pas rendu la gifle ?

— Eh, qui donc va gifler Alcibiade ? »

Une autre fois, alors qu'elle achetait une cruche de vinaigre (l'un de ses rares luxes) chez Solon, elle l'avait savamment orienté vers Alcibiade. Solon avait haussé les épaules :

« Un garçon trop riche et qui se croit le droit de ne pas respecter nos lois.

— Vraiment ?

— Vraiment. Écoute, il y a un mois, l'un de ses protégés, un athlète dont je ne sais plus le nom et dont il s'est enamouré, a été accusé de vol chez un commerçant. Celui-ci a porté plainte et un acte d'accusation a été rédigé contre le voleur. Eh bien, que crois-tu qu'ait fait Alcibiade ? Il s'est rendu au Métrôon, il a demandé à consulter l'acte d'accusation et, quand on le lui a donné, il l'a déchiré ! »

Une gifle avait alors démangé les mains de Xanthippe.

« Il y a trois mois, il a vu chez son propre sandalier, Tsimis, la fille de celui-ci, qui est très jolie. Quinze ans, une nymphe ! Il a demandé qu'elle lui porte une paire de sandales qu'il venait d'acheter. Quand la fille est allée, il n'a plus voulu la laisser repartir. Tu devines la suite.

— Qu'a fait Tsimis ?

— Tu crois qu'il allait se brouiller avec son plus riche client ? Il a plaidé, il a patienté. À la fin, Alcibiade s'est amouraché de quelqu'un d'autre et il a renvoyé la fille à son père. La virginité en moins, bien sûr.

— Mais vous ne faites donc rien contre ce malfrat ? s'était écriée Xanthippe.

— Qu'est-ce que tu veux qu'on fasse ? C'est le pupille de Périclès, il s'en tirera toujours. Je me demande parfois si nous sommes vraiment en démocratie. Ces gens-là, Alcibiade et sa bande, et pas mal d'autres, se comportent comme si nous étions en oligarchie et qu'ils avaient tous les droits ! »

Et c'était ce garçon-là l'élu du cœur de son mari ! Son disciple ! Beau reflet de la sagesse de Socrate, en vérité ! Il sautait aux yeux que pareil voyou avait certainement trempé dans le meurtre de Philippide. La colère de Xanthippe bouillonna de nouveau.

Sitôt réglés les soins des enfants et de la maison, elle enveloppa trois galettes au miel dans une serviette, revêtit une cape légère et se rendit chez Agaristê, la mère de Philippide. Devant la porte, elle s'arrêta un instant pour reprendre son souffle et examiner la demeure, opulente et vaste, mais austère. Elle demanda à un esclave d'appeler la maîtresse de céans.

Les deux femmes s'étreignirent, heurtant leurs bustes généreux. Bien que plus jeune, avec son visage massif et carré, la lèvre supérieure garnie d'un duvet un peu trop fourni, Xanthippe évoquait un homme travesti qui retrouverait sa vieille maîtresse. Leurs voix alertèrent le jeune Philippe. Il apparut sur le seuil du gynécée, identique à l'image que Xanthippe en avait eu en rêve ; elle en fut saisie.

« Philippe... » murmura-t-elle.

Agaristê se retourna. « Viens donc », dit-elle à son petit-fils. Il s'élança vers les deux femmes. Xanthippe le prit dans ses bras et le souleva. Elle plongea ses yeux dans ceux du garçon. Il sourit. Elle l'embrassa avec fougue et le serra contre son cœur. Puis elle le reposa à terre et lui donna les galettes qu'elle avait apportées à son intention.

« Je t'attendais, dit Philippe.

— Tu m'attendais ? fit Xanthippe, étonnée.

— Oui, je savais que tu viendrais. »

Xanthippe ne releva pas ces mots. Le moment était mal

choisi pour approfondir la mystérieuse tendresse qui l'unissait désormais à cet enfant.

« On croirait que c'est ton propre fils, observa Agaristê. Ou que tu n'as jamais eu d'enfants. Et pourtant tu en as deux.

— Deux et demi, maintenant », répondit Xanthippe avec un sourire.

Les deux femmes restèrent un moment songeuses, observant le gamin déplier le paquet et croquer l'une des galettes.

« Agaristê, reprit Xanthippe d'un ton décidé, nous devons agir. Les hommes ne feront rien.

— Agir ? répéta Agaristê. Comment ? Pour quoi faire ?

— Retrouver le meurtrier, Agaristê ! L'assassin ! »

Philippe s'interrompit de manger et leva les yeux vers Xanthippe. « Laisse-nous, maintenant », dit sa grand-mère. Et quand il se fut éloigné, elle se tourna vers Xanthippe :

« Comment le retrouverions-nous ? Malgré toutes ses relations, Xéniade n'est parvenu à rien. Personne ne sait rien ou ne veut rien savoir. Ton mari, n'est-il pas le conseiller de Périclès lui-même ? Ne peut-il rien faire ?

— Agaristê, je te l'ai dit : les hommes ne feront rien ! Ils ne veulent pas déclencher un scandale qui leur nuirait plus qu'il ne les servirait. C'est à nous d'agir !

— Mais que veux-tu donc faire ?

— Nous savons que ton fils et l'assassin se trouvaient au banquet donné par Alkyros, auquel assistaient, entre autres, mon mari et Alcibiade. Nous savons qu'Alcibiade est resté jusqu'à la fin du banquet et que ce n'est donc pas lui qui a porté le coup de poignard. »

Agaristê l'écoutait en hochant la tête.

« Un homme, un ami d'Alcibiade, a probablement quitté le banquet après l'algarade qui a eu lieu entre ton fils et Alcibiade. Me comprends-tu ?

— Il y a eu une algarade entre Alcibiade et mon fils ?

— Oui.

— Comment le sais-tu ?

— Par Socrate. »

Le visage d'Agaristê s'assombrit.

« À quel sujet ?

— Je ne sais pas.

— À quoi cela nous mène-t-il ? Mon fils est mort ! Ce n'est pas cela qui me le rendra !

— Agaristê, veux-tu ou ne veux-tu pas retrouver l'assassin de ton fils ? »

L'autre ravala ses larmes.

« Quelle question ! Je le poignarderai de mes propres mains !

— Une main suffira, dit Xanthippe, étonnée de sa propre sécheresse. Écoute-moi. Il y avait des domestiques à ce banquet. Il faut les retrouver et leur faire dire qui a quitté le repas avant la fin.

— Crois-tu qu'ils le sachent ?

— Les domestiques savent tout. Seulement, il faut les payer. Je n'ai pas d'argent pour cela. C'est toi qui devras le faire.

— Comment ferons-nous ?

— Allons de ce pas à la maison d'Alkyros et interrogeons les domestiques l'un après l'autre.

— Crois-tu qu'ils répondront ?

— Écoute, s'impatienta Xanthippe, nous ne pouvons pas nous demander tout le temps si nous réussirons ceci ou cela. Si nous n'agissons pas, nous n'apprendrons rien !

— Et quand nous saurons ?

— Nous dénoncerons le coupable aux magistrats. »

Agaristê redevint pensive.

« Nous ne sommes que des femmes, finit-elle par dire. Les hommes s'opposeront à nous.

— Nous verrons bien déclara Xanthippe avec force. Va chercher de l'argent. Nous y allons.

— Tout de suite ?

— Tout de suite. »

Agaristê s'absenta quelques instants et revint, enveloppée dans un manteau sombre et chaussée de grosses sandales. Elle fourrait une bourse dans la poche de son manteau. Les deux femmes sortirent dans la rue.

« Combien d'argent as-tu pris ? demanda Xanthippe.

— Cinq statères d'argent et cent drachmes.

« — C'est plus qu'il n'en faut. Tu me laisseras marchander.

— Il doit y avoir beaucoup de domestiques. Connais-tu l'adresse ?

— Oui, ce n'est pas loin.

— Tu te rends compte, dit Agaristê en évitant un chariot bringuebalant qui transportait des blocs de marbre équarris, deux femmes de notre condition qui vont interroger des domestiques ! De quoi aurons-nous l'air ? Et si Alkyros était là ?

— Les hommes ne sont jamais chez eux à cette heure-ci, repartit Xanthippe. Et, si tu as honte, laisse-moi faire. »

Elles arrivèrent à la porte d'une demeure aussi vaste que celle de Xéniade, à deux étages et garnie de nombreuses fenêtres, mais plus riante. Le mur d'enceinte s'ornait de grands vases de pierre d'où jaillissaient des touffes de jasmin. Par la porte ouverte, on apercevait un jardinier qui taillait des arbustes dans un vaste patio. Xanthippe s'avança la première. Elle avisa un jeune homme qui se dirigeait vers l'appartement réservé aux hommes, chargé d'un seau d'eau, et l'interpella avec autorité.

Il tourna la tête.

« Vous avez des servantes, ici ? demanda-t-elle.

— Oui, trois. »

Il dut penser qu'elle cherchait un emploi.

« Quelle est celle qui les dirige ?

— Léthô. »

Elle se tourna vers Agaristê et lui dit à voix basse : « Donne-moi une drachme. » Agaristê, effarée, lui tendit toute la bourse qu'elle tenait cachée dans son manteau. Xanthippe la dénoua et en tira la pièce. Le domestique les observait avec indifférence. Xanthippe s'avança vers lui, lui glissa la drachme dans la main et dit :

« Veux-tu me l'appeler ? »

L'homme hocha la tête, posa le seau et s'en fut.

Quelques instants plus tard, il revenait, suivi d'une femme en tenue de ménagère, une robe brune, et qui s'essuyait les mains dans un torchon. Le domestique reprit son seau d'eau pour vaquer à sa besogne. Xanthippe examina rapidement la jeune femme : vingt-trois ou vingt-quatre ans, belle, mais pas assez pour troubler les esprits, un visage volontaire et lourd.

« Tu m'as demandée ? dit Léthô, apparemment étonnée.

— Oui. J'ai besoin de toi. »

L'autre leva les sourcils.

« Tu as besoin d'une servante ? demanda-t-elle. Ou tu cherches un emploi ?

— Non, j'ai besoin d'une femme intelligente.

— Comment saurais-tu que je ne suis pas sotte ? » répondit Léthô en riant.

Xanthippe rouvrit la bourse et en tira deux drachmes. Mais elle ne les tendit pas à la domestique ; elle les garda en évidence dans sa paume. Elle le savait, c'était le salaire d'une semaine pour une domestique de ce rang. Léthô lança un long regard aux deux pièces d'argent.

« Me voici prête à être intelligente », dit-elle.

Xanthippe sourit et hocha la tête.

« Je pense qu'il vaut mieux que nous parlions dans la rue », dit-elle.

Sur l'indication de la servante, les trois femmes se rendirent dans un terrain vague proche de la maison, où un figuier sauvage poussait dans la broussaille.

« C'est toi qui veilles dans cette maison au déroulement des banquets ? commença Xanthippe.

— Oui. Le lavement des pieds, les tables qu'on porte et rapporte, le vestiaire des convives, le nettoyage des plats et, le lendemain, celui des lits et de la salle. Je suis aussi responsable des lits, du linge et...

— Ce sont les banquets qui m'intéressent. Tu y assistes jusqu'à la fin, n'est-ce pas ?

— Oui, puisque je suis responsable du vestiaire. Je ne suis plus dans la salle quand les dernières tables ont été rapportées. À partir de là, ce sont les échansons qui versent à boire aux convives. Mais c'est moi qui rends aux invités leurs manteaux, leurs sandales et leurs effets quand ils s'en vont.

— Très bien. Il y a six jours, il y a eu dans cette maison un grand banquet... »

Une étincelle scintilla dans le regard de Léthô.

« Attends que je me rappelle, dit-elle en faisant mine de fouiller dans sa mémoire.

— Tu te le rappelles très bien, Léthô. Il y avait à ce banquet un homme beau et célèbre qui ne peut pas avoir échappé à ton attention ; il se nomme Alcibiade. Il y avait là aussi un philosophe au visage de silène et à la barbe blonde, Socrate. Et il y avait un jeune homme qui a été assassiné dans la nuit.

— Je vois maintenant de quel banquet tu parles, dit Léthô, son regard se portant sur Agaristê, qui avait vaincu ses appréhensions et s'était approchée de Xanthippe et de la servante.

— Tu connais le nom de ce jeune homme ?

— Oui, il s'appelait Philippide, fils de Xéniade. Il est venu précipitamment reprendre son manteau et ses sandales. Que veux-tu savoir ?

— Précipitamment ?

— Oui, il paraissait très en colère.

— D'autres convives sont partis après lui, n'est-ce pas ? » Léthô baissa la tête.

« Mon maître m'a interdit de répondre à toutes les questions qu'on me poserait sur ce banquet, finit-elle par répondre.

— Ton maître a donc quelque chose à cacher ? »

Agaristê s'essuya les yeux. Léthô ne répondit pas.

« Tu te doutes bien, reprit Xanthippe, qu'on finira par savoir ce qui s'est passé cette nuit-là. Tu passeras alors pour complice des coupables. Les magistrats et l'Aréopage ne sont pas tendres pour les femmes, et encore moins les femmes de condition inférieure. »

Léthô baissa de nouveau la tête, visiblement troublée.

« Si tu me poses ces questions, c'est que tu comptes te servir de mes réponses. Et si on l'apprend, je perdrai ma place, répondit-elle.

— Combien gagnes-tu, ici ? demanda alors Agaristê, qui n'avait encore rien dit jusque-là.

— Douze drachmes. Et l'on me paie mes vêtements.

— J'ai une grande maison et je suis l'épouse d'un membre du Conseil. Je m'engage à te prendre à mon service pour quinze drachmes, en plus de tes frais de garde-robe. »

La servante battit des cils.

« Es-tu rassurée ? » demanda Xanthippe.

Léthô se léchait les lèvres, hésitante.

« Dans ce cas, dit-elle à Agaristê, prends-moi tout de suite à ton service, parce que personne ne me reprochera d'être loyale à l'égard de ma maîtresse.

— Qu'il en soit ainsi, approuva Agaristê. Quand peux-tu venir ? J'habite la grande maison blanche dans la rue des Deux Hermès.

— Après-demain.

— Fort bien, reprit Xanthippe, tu as une nouvelle maîtresse. Les noms, maintenant. »

Le ton était sans réplique.

« Deux convives sont partis après Philippide. Téléclidès et Ktimenos.

— Lequel est parti le premier ?

— Téléclidès.

— Peux-tu le décrire ?

— Il est plutôt petit, mince, avec un grand nez et les cheveux coupés court, bas sur le front. Il doit avoir vingt-deux ou vingt-trois ans. Il portait une dague, qu'il avait laissée au vestiaire en arrivant et qu'il a reprise en partant. Il paraissait très agité. Une querelle avait éclaté un peu plus tôt dans la salle, j'ai entendu des éclats de voix et j'ai seulement pu glisser un regard. Ils étaient tous très échauffés par le vin et la discussion. Plusieurs d'entre eux s'étaient levés. Certains tenaient à peine sur leurs jambes, mais ils continuaient de s'invectiver. Philippide était congestionné et titubait. Mon maître essayait de calmer tout ce monde et il a même dû faire appel aux échansons pour les aider à regagner leurs places. »

Agaristê ne put retenir un gémissement.

« Près de qui Téléclidès était-il assis au banquet ?

— Il était sur le lit voisin de celui d'Alcibiade. Celui-ci était à la droite de mon maître.

— Et Ktimenos ? fit Xanthippe.

— Il est plus grand que Téléclidès. Plutôt blond ou châtain clair. Il a aussi les cheveux courts. Il est bien bâti, je crois que c'est un champion de pancrace et qu'il a été couronné aux dernières Olympiades. Il était assis sur le même lit qu'Alcibiade. J'ai eu l'impression qu'il partait, lui, à la recherche de Téléclidès. C'était quelques minutes plus tard.

— Il portait aussi une dague ?

— Non. Il est revenu vers la fin du banquet. »

Xanthippe et Agaristê échangèrent un regard.

« Pour quoi faire ?

— Pour ramener Alcibiade chez lui. Avec une des danseuses. Alcibiade ne tenait vraiment plus debout. Ktimenos m'a demandé de l'eau pour se laver les mains et j'ai vu qu'elles étaient... »

Elle hésita un instant.

« Qu'elles étaient tachées de sang. »

Les trois femmes demeurèrent silencieuses. Xanthippe tendit les deux drachmes à Léthô.

« Il faut que je retourne à la maison, ma maîtresse va s'inquiéter, dit celle-ci.

— Ta maîtresse est-elle au courant de tout cela ?

— Je ne crois pas. Il n'y avait pas de femmes au banquet. Enfin, je veux dire... pas de femmes convenables. Elle savait néanmoins que Philippide était au banquet. J'étais présente quand elle a appris sa mort, elle était très en colère. Elle a crié que tous les hommes étaient des enfants dévoyés. »

Léthô s'éloignait déjà d'un pas rapide.

« Je t'attends après-demain ! » lui cria Agaristê.

Elle était échevelée. Elle se lissa la coiffure du plat de la main et considéra Xanthippe un long moment. Son expression était à la fois consternée et énigmatique.

« N'es-tu pas satisfaite ? lui dit Xanthippe. Nous savons qui est l'assassin. »

Agaristê hochait la tête, accablée.

« Qu'as-tu ? demanda Xanthippe.

— Ce que tu ne sais pas, c'est que Téléclidès est le cousin de Philippide », dit-elle enfin.

Xanthippe fut stupéfaite.

« Cela complique évidemment les choses », convint-elle.

En effet, les affaires de ce genre se réglaient en famille. Encore fallait-il établir aux yeux de tous que c'était bien lui l'assassin.

« Cela risque de tourner à la guerre de famille, dit Agaristê en s'appuyant sur l'épaule de Xanthippe. Et il y aura encore du sang versé ! »

Elle se remit à pleurer et Xanthippe trouva que les dames de qualité avaient décidément la larme facile.

« Raison de plus, dit-elle avec force, pour que cette affaire soit jugée par l'Aréopage et non par votre conseil de famille. Nous devrons poursuivre nos recherches seules. Ne dis rien à ton mari. »

Agaristê secoua la tête et leva les yeux au ciel.

11.

Une soirée à Mégare

La taverne d'Evrenikos, dans les faubourgs de Mégare, retentissait ce soir-là de clameurs, invectives, éclats de rire et chansons de soldats lacédémoniens. La ville se trouvait à la frontière du Péloponnèse, ou du moins ce qui avait été sa frontière jusqu'à ces dernières semaines. Depuis l'offensive lacédémonienne, cette frontière avait été enfoncée, et les troupes passant par là suivaient naturellement la route sur laquelle se trouvait la taverne. Elles y faisaient toutes halte, surtout celles qui venaient de loin, Sparte, Tégée ou Corinthe. La taverne comptait six tables et douze bancs. Elle débordait de fantassins, bramant dans une atmosphère lourde de remugles de sueur mélangés à des odeurs de friture, de poiscaille marinée et de vinasse tombée sur des estomacs vides. À leur accent, on devinait que plusieurs d'entre eux n'étaient pas des Spartiates, mais des Béotiens. De temps en temps, l'un d'eux sortait pour soulever sa jupe et pisser derrière la taverne.

« Aubergiste, lança un archer, donne-nous donc du poisson mariné ! Il fera passer le goût de ton vin et le vin fera passer le goût du poisson ! »

Des rires éclatèrent.

« Payez d'abord », répondit l'aubergiste goguenard, tenant un cruchon et un grand bol au-dessus de la tête de la soldatesque.

Des pièces tintèrent sur le plat de terre au centre de la table. L'aubergiste les ramassa et posa le cruchon et le grand bol de poisson en saumure.

« Demain, on dégueulera chez les Athéniens ! lança un soldat.

— Demain, on baisera les Athéniens ! beugla un autre.

— Paraît qu'ils ont la reine des putes, une certaine Aspasie, renchérit un troisième.

— Ouais, c'est même la maîtresse de leur grand stratège, Périclès.

— Parce que c'est un maquereau, Périclès ?

— Faut croire. Aubergiste, du pain !

— C'est même à cause d'elle et de son bordel qu'on est en guerre », dit un lieutenant.

Et, comme les soldats rigolaient, incrédules, il expliqua :

« Il y a trois mois, une bande de jeunes Athéniens est venue un beau soir à Mégare, avant qu'on soit en guerre. Ils étaient soûls, ils sont allés chez une pute de la ville, Alcina, ils ont déclenché une orgie sans nom et fait du tapage. Puis ils ont enlevé Alcina et l'ont ramenée à Athènes en braillant partout que c'était une prise de guerre. Or, on n'était pas encore en guerre.

— Fils de putes ! s'exclama un soldat. On va leur rendre la pareille !

— Attends. C'est justement ce qu'ont fait trois de nos gaillards quelques jours plus tard. Ils sont allés chez Aspasie, à Athènes, ils ont fait irruption en pleine fête, ils ont enlevé deux de ses filles et les ont ramenées à Mégare.

— Formidable ! On va enlever toutes leurs filles et on en fera des putes !

— Mais je ne vois pas pourquoi ça a déclenché la guerre... ? demanda un fantassin.

— C'est qu'Aspasie a piqué une rage folle, et comme Périclès est son amant, il a fait voter un décret selon lequel les Mégariens n'auraient plus droit aux ports ni aux marchés de l'Attique.

— Ce serait notre ruine !

— C'est pour ça qu'on fait la guerre. »

À une table voisine, un autre groupe de soldats avait entonné une chanson obscène qui faisait rire toute la salle, y compris l'aubergiste, ses domestiques et ses esclaves. Tôt dans l'après-midi, la soldatesque de la Ligue reprit la route. Elle fut remplacée le lendemain matin par des renforts béotiens.

Depuis deux semaines les phalanges lacédémoniennes avançaient dans les campagnes de l'Attique comme une faux, sans rencontrer d'autre résistance que celle des rares paysans qui n'avaient pas fui et qui étaient massacrés sans pitié. Les Lacédémoniens ne s'embarrassaient pas de scrupules. Ils enfonçaient leurs piques et leurs glaives dans qui bon leur semblait ou ne les accueillait pas chaleureusement, et ils emmenaient les survivants comme esclaves. Ils pillaient, incendiaient, saccageaient champs et maisons. Les premiers arrivés dans les campagnes à l'ouest de Platée virent les paysans leur faire les yeux ronds ; ils s'abattirent sur eux comme des furies et les taillèrent en pièces, des plus âgés aux plus jeunes, poussant des cris de fureur. Les femmes furent violées, puis décapitées ou démembrées à coups de glaive. La fumée des maisons incendiées obscurcissait le ciel.

Quelques fuyards parvinrent par des chemins détournés à rallier les villages voisins et à donner l'alerte. Ce fut ainsi que, emportant meubles et troupeaux, les campagnes de l'Attique refluèrent vers Athènes, la cité qu'on disait inexpugnable. La chouette d'Athéna vit arriver des hordes hagardes de paysans dépenaillés poussant devant eux les lointaines descendantes de la mythique chèvre Amalthée, celle qui avait nourri Zeus enfant. La cité habituée aux accents de la lyre se trouva emplie de bêlements ; l'odeur du crottin se mêla à celle de la poussière de marbre.

Le contraste était saisissant pour ceux des chefs spartiates qui passaient en quelques heures de ces atrocités au calme luxueux des tentes où siégeait le commandement royal. Ces transitions désarmaient toujours ceux qui en avaient le privilège, tel ce lieutenant qui avait galopé à bride abattue depuis les premières lignes pour informer son monarque et stratège en chef, Archidamos, sur le déroulement des opérations.

Quand il arriva, haletant, trempé de sueur, il trouva le roi faisant ses ablutions, nu dans un baquet de bois rempli d'eau froide tirée de la rivière voisine, et s'entretenant avec trois généraux et son aide de camp tout en se massant les orteils avec un gant de crin végétal doublé de feuilles de géranium (léger révulsif favorable à la circulation et agréablement odorant).

Archidamos leva les yeux sur lui, hocha la tête et, nonobstant l'essoufflement du lieutenant qui indiquait pourtant quelque urgence, poursuivit son discours :

« ... Oui, je sais ce que pensent les Athéniens, que nous voulons envahir l'Attique. Ils sont prêts à nous consentir des terres pour peu que, nous, nous acceptions leur suprématie navale... »

Les généraux écoutaient respectueusement et l'un d'eux ajouta de l'eau dans le baquet royal.

« Mais, d'abord, nous n'acceptons pas leur suprématie navale et, ensuite, nous n'avons pas besoin des terres de l'Attique. Nous avons assez de terres pour nous fournir le blé, les melons et les olives qu'il nous faut. Non, la suprématie navale, c'est ce qui fait la force des Athéniens, et c'est là que réside la plus dangereuse menace à notre égard. C'est pourquoi je n'étais pas tellement favorable à cette opération terrestre. Mais enfin, elle est faite... Oui, Astidamas, tu as des nouvelles, je crois ?

— Sire, dit le lieutenant, les paysans de l'Attique ont presque tous fui vers Athènes. Nous ne trouvons plus que des maisons désertes. Ni meubles, ni troupeaux, ni âme qui vive. »

Le roi trempa ses orteils dans l'eau pour les rincer et parut contrarié.

« Très bien, dit-il enfin. Incendiez et détruisez ce que vous pouvez. Faites halte pour la nuit. Toi, reviens demain matin. Avant de repartir, sers-toi de vin. L'eau est dans le broc à côté. »

Il fit un geste du menton et son aide de camp lui versa sur la tête un pot d'eau froide, puis l'aida à se lever. Sous les yeux des généraux, le monarque sécha son corps athlétique, quoiqu'un peu empâté, accordé à son visage énergique mais lourd. Comme chaque soir, chacun put admirer la membrure du monarque. Puis il se peigna soigneusement les cheveux et revêtit une jupe courte et des sandales.

« Que croyez-vous ? dit-il. Périclès s'imagine que nous allons le poursuivre jusqu'à Athènes et que, là, il nous donnera l'estocade.

— D'où leur absence de résistance, approuva un général. Ils n'ont pas fait une seule sortie de cavaliers ou de fantassins. C'est un piège. »

Archidamos eut un petit rire.

« Le piège, c'est nous qui le tendons à Périclès. Tous ces paysans qui refluent vers Athènes vont les encombrer. Et ils se plaindront que les armées athéniennes ne font rien pour les défendre. »

Les généraux hochèrent la tête.

« Nous a-t-on préparé un morceau à nous mettre sous la dent ? demanda le roi à la cantonade en sortant de la tente.

— Sire, veux-tu le souper sous la tente ou bien à l'extérieur ?

— Sous la tente. »

Et se tournant vers les généraux, il reprit :

« Athènes a perdu la tête. Les États de notre Ligue la cernent. Tôt ou tard, Athènes tombera. Malheureusement, nous y aurons perdu des hommes. Mais il existe à Athènes un parti qui serait heureux de reconstituer la Ligue antique, celle qui existait du temps où nous nous battions contre les Perses ; ce sont les oligarques. Pour eux comme pour nous, l'évidence est limpide : Sparte et Athènes devraient être les deux bras d'un même corps. »

Ils s'assirent en rond, par terre, sur des peaux de chèvre. L'aide de camp distribua des plats et les gobelets qui étaient en terre, comme ceux des troupes, et un soldat apporta des pains de froment et une vaste marmite de terre où fumaient des quartiers de volaille.

« Pourquoi ne pas persuader les oligarques de prendre le pouvoir ? Nous pourrions alors traiter avec les Athéniens, suggéra un général en se servant de vin.

— C'est le bon sens qui t'inspire, répondit Archidamos. Plusieurs oligarques sont, d'ailleurs, venus nous consulter en secret. Mais Périclès a ancré son système politique de manière astucieuse et forte, en faisant profiter les pauvres. À ceux qui n'avaient pas de terres, il a distribué des lots qui font d'eux à la fois des paysans et des soldats. Autrefois, les matelots n'étaient pas payés ; maintenant il leur verse des soldes. Et ceux qui n'avaient pas de travail en trouvent aujourd'hui dans les chantiers navals et les arsenaux. Périclès croit ou feint de croire à la démocratie, mais il se comporte comme un oligarque, voire un tyran. »

Il décortiqua énergiquement un pilon de volaille coriace, puis se servit de l'os comme d'un bâton de maître d'école.

« Ne nous faisons pas d'illusions, reprit-il. Les oligarques sont favorables à la paix, mais c'est parce qu'ils souhaitent instaurer un régime aristocratique ou même une royauté, comme chez nous. Et de l'autre, parce qu'ils détestent Périclès jusqu'à la démence. Ce n'est pas l'affection fraternelle qui les porte vers nous. Or, ils n'ont pas le pouvoir nécessaire pour renverser la démocratie.

— Le seul problème est donc Périclès, dit un lieutenant.

— Pas le seul, mais le principal, admit le roi. Il s'imagine qu'il a créé Athènes. Il semble également s'imaginer que les Spartiates et les Athéniens appartiennent à deux races différentes et ennemies. Il a oublié le temps où lui et tous les autres étaient bien contents de nous avoir à leurs côtés quand il fallait repousser les Perses. Et surtout, il ne partagerait son pouvoir avec Sparte pour rien au monde. »

Les grillons et les crapauds chantaient dans la nuit. Les généraux se servirent de la volaille à la pointe du couteau ; l'aide de camp versa le vin, puis l'eau.

« Oui, répéta le roi, il y a Périclès. Et à Athènes, on le considère comme un héros. »

12.

« La guerre ! »

Indisposée par une fièvre, Xanthippe s'était alitée pendant une semaine et était restée chez elle pendant trois autres jours. Sitôt remise, elle alla acheter son blé, ses fèves, son fromage et ses salades au Stoa. Là, elle ressentit soudain un choc inconvenant autant que rude sur son postérieur et, croyant avoir affaire à un mauvais plaisant, elle se retourna pour l'invectiver. Mais elle se trouva bousculée et quasi renversée par un troupeau de chèvres. Un troupeau de chèvres sur le Stoa en vérité ! Elle en fut stupéfaite et plus encore par l'allure des chevriers, des gens de la terre, petits, noirauds et contrefaits comme tous les autres, y compris son défunt père. Que faisaient donc ces gens-là en ville ?

La surprise qui se peignait sur son visage fut assez éloquente pour que les deux compères Taki et Demis, qui étaient assis sur un banc, l'interpellassent, goguenards.

« Hé ! la matrone, tu n'as donc jamais vu de chèvres ? »

Elle les toisa d'un air offensé.

« Si, rétorqua-t-elle, mais je n'avais pas encore vu de boucs dotés de la parole ! »

Ils s'esclaffèrent, leurs voix s'élevant jusqu'au glapissement aigu des eunuques.

« Ce sont nos campagnes qui refluent en ville pour tâter de la démocratie, l'informa Demis en riant.

— Qu'est-ce que nos campagnes font sur le Stoa ? demanda-t-elle.

— Comme elles ne sont pas défendues par nos vaillants démocrates, elles ont fui sous l'assaut des Spartiates.

— Et pourquoi ne sont-elles pas défendues ?

— Parce que notre éminent stratège Périclès, l'amant de la pute Aspasie, estime que nous avons trop de terres pour les défendre au risque de nous colleter avec ces mangeurs de brouet lacédémoniens qui nous envahissent, expliqua Taki.

— Qu'est-ce que tu racontes ? demanda Xanthippe, de plus en plus sourcilleuse.

— Tu n'as pas l'air de comprendre la plaisanterie, matrone. Je recommence, sur le ton didactique : les Lacédémoniens envahissent l'Attique, et notre premier stratège Périclès estime qu'il est inutile de nous battre contre eux parce que nous avons suffisamment de terres et que nous pourrions les prendre à revers sur mer. En attendant, nos paysans et leurs chèvres se réfugient à Athènes. Suis-je clair, cette fois-ci ? »

Elle considéra les deux hommes d'un air sombre et hocha la tête.

« Nous ne nous défendrons donc pas ? » demanda-t-elle, incrédule.

Taki pointa le menton en direction du Stratégéion.

« Rien n'est encore dit. Tu vois cette foule devant le Stratégéion ? C'est la plus grande partie de l'Assemblée qui assiège les stratèges. Il leur faudra, en effet, beaucoup de stratégie pour se tirer de ce siège-là. »

Elle tourna la tête dans la direction indiquée, Socrate ne lui disait jamais rien. Si ces barbons disaient vrai, il ne faudrait pas longtemps avant qu'Athènes elle-même fût assiégée. Elle se dirigea vers le Stratégéion et s'arrêta à quelque distance, car elle n'aimait pas les foules, ces monstres imprévisibles et brutaux qui peuvent à tout moment s'élancer vers vous et vous piétiner. Un millier d'hommes se pressaient là, et le cœur de Xanthippe battit à l'idée que Socrate se trouvait à l'intérieur et qu'une émeute pouvait éclater d'un instant à l'autre. La preuve en était que le péristyle de l'édifice était gardé par une trentaine de hoplites en armes.

Le ciel chargé de nuages depuis l'aube commença à se résoudre en eau. Xanthippe tira la capuche de son manteau sur son front et, avisant non loin d'elle un homme aux cheveux blancs, elle s'enhardit à lui demander ce qui se passait.

« Les stratèges débattent en ce moment de la riposte à apporter aux Lacédémoniens, répondit-il. Et tous ces gens sont des citoyens de l'Assemblée, impatients de voir nos troupes passer à l'offensive. Ils attendent le résultat des délibérations. »

Xanthippe eut une grimace amère. « Les hommes ! songea-t-elle. Les hommes sont une autre race. Vaniteux et agressifs en temps de paix, ils ont besoin de débattre pour savoir s'ils vont défendre leurs propres terres ! » Elle se rappela les sombres prédictions de la pythie Antigone et se demanda si elles n'étaient pas en train de se réaliser.

À l'intérieur du Stratégéion, la chaleur de l'orage semblait affecter les dix grands chefs d'Athènes ; crânes, fronts, torses, ils ruisselaient de sueur. Le stratège Naumarchos était franchement congestionné. Périclès l'observait avec inquiétude craignant l'apoplexie de son collègue.

« Jusqu'où supporterons-nous l'impudence des Lacédémoniens ? tonna Naumarchos. Après avoir ravagé Oinè, notre avant-poste, ils ont saccagé Éleusis et la plaine de Thria, puis Acharnes, qui est le plus vaste des territoires de l'Attique. Nous n'avons pas réagi et nous nous sommes contentés d'évacuer les terres qui se trouvaient exposées à leur soldatesque. Pendant tout ce temps, nous avons entendu l'argumentation de Périclès selon laquelle il fallait les laisser avancer, pour les prendre ensuite à revers par la mer. Mais quel bien cela fera-t-il à Athènes de prendre Mégare par la mer alors que les troupes d'Archidamos occuperont toute l'Attique et menaceront Athènes elle-même ? Notre stratégie consiste-t-elle donc à sacrifier les populations de nos campagnes dans l'espoir illusoire que la menace lacédémonienne s'évanouira d'elle-même ? »

Les regards se portèrent vers Périclès, qui affichait un air impassible. Trop, peut-être, pour paraître naturel.

« Je demande qu'ici, aujourd'hui, reprit Naumarchos, nous restaurions le courage de notre Cité, comme elle l'attend de nous en ce moment même, aux portes de cet édifice, que nous levions une armée et que, dès demain, nous passions à l'offensive contre Sparte. »

Périclès hocha la tête et se leva.

« J'ai entendu les arguments de Naumarchos, dit-il, mais je n'en partage que la conclusion. Il nous faut, en effet, répondre rapidement à l'offensive d'Archidamos et de ses alliés. Je tiens à rappeler que je n'ai pas cherché à temporiser et que je n'entretiens pas d'illusion sur les intentions d'Archidamos. Vous le savez bien, puisque c'est d'un accord unanime que nous avons, depuis trois mois, renforcé nos liens avec nos alliés, Corcyre, la Céphallénie, l'Acarnanie, Zacynthe, Chios, Lesbos, Platée, Naupacte ainsi que les cités tributaires. Nous l'avons fait en vue de notre défense. Vous n'avez pas entendu de ma part une seule critique à l'égard de ces préparatifs, et vous trouverez un gage supplémentaire de ma détermination dans le fait que mes terres et mon dème figurent parmi les premiers ravagés par les troupes de Sparte, alors que j'aurais pu céder à la colère et, considérant que les terres d'un Athénien sont des terres athéniennes, plaider pour une riposte immédiate. Je ne l'ai pas fait, car les intérêts de la Cité primaient sur les miens. J'eusse pu m'estimer personnellement offensé quand l'émissaire des Lacédémoniens est venu à Athènes vous inviter, en termes à peine voilés, à vous débarrasser de la souillure que je suis censé représenter pour la pureté de la ville à l'égard de la déesse Athéna. Belle sollicitude que celle des Lacédémoniens pour une déesse qui n'est pas la leur ! Mais j'ai fait taire mes sentiments personnels. »

Plusieurs stratèges hochèrent la tête en signe d'approbation. La voix et l'attitude de Périclès s'étaient affermies au cours de cette première partie de sa riposte.

Il reprit son souffle, et poursuivit avec une vigueur redoublée, martelant ses mots :

« Ce que j'ai dit, justement, c'était qu'il fallait se garder de réactions précipitées. Je tenais à ce que l'agression fût évidente, afin que personne ne pût jamais prétendre que nous nous sommes engagés dans la guerre à la légère. Nous savons trop bien que les Lacédémoniens se laissent facilement aller à des fanfaronnades. Ils se jettent dans des entreprises destinées à montrer leur vaillance et, sitôt qu'ils s'en sont convaincus eux-mêmes, ils tournent casaque comme des lapins auxquels le vent vient d'apporter l'odeur du chien. Nous l'avons bien vu, il y a quatorze ans, quand un autre de leurs rois, Pleistoanax, s'est lui aussi lancé à la conquête de l'Attique. Il est allé jusqu'à Éleusis et Thria et là, sans qu'on sache pourquoi, il a fait demi-tour et il est rentré à Sparte. Nous n'avions subi que des dommages négligeables. »

De nouveau, les stratèges hochèrent la tête. Seul Naumarchos affichait un air buté.

Sentant l'humeur du Conseil tourner, Périclès poursuivit :

« Tout porte à croire que le roi Archidamos est fait du même bois. Il n'était pas enclin à l'offensive et ne s'y est risqué que poussé par le mécontentement de son armée et la rivalité de son éphore[1]. Nous pouvions donc espérer qu'une fois de plus les humeurs belliqueuses de nos ennemis se réduiraient à des gesticulations de traîneurs de sabre. Je vous le demande, allais-je plaider pour que risquions les vies de nos soldats à seule fin de ramener les Lacédémoniens au sens des réalités ? Sommes-nous donc les pédagogues et les policiers de la Grèce ? J'ai préféré attendre, afin de voir où menaient ces gesticulations. Naumarchos a dit tout à l'heure que nous n'avions rien fait pendant que les Spartiates et leurs alliés avançaient. Je veux croire qu'il a oublié les sorties de notre cavalerie à Phrygia...

— Elles ont été désastreuses ! coupa Naumarchos.

— Justement, stratège, justement ! Nous avons été mis

_____

1. Chez les Spartiates, magistrat élu, disposant d'un pouvoir égal à celui du roi.

en déroute par les cavaliers béotiens, qui venaient de recevoir le renfort de leur infanterie ! Ne vois-tu donc pas que, à moins de nous engager dans une guerre totale, nous risquions surtout de perdre des hommes chaque fois que nous riposterions aux provocations de la Ligue ? Mais, aujourd'hui, l'évidence est là : nous ne pouvons plus tolérer les menées des Lacédémoniens. Ma détermination est donc entière. Nous comptons treize mille hoplites, sans compter les seize mille qui défendent nos murs, mille deux cents cavaliers, mille six cents archers à cheval. Nos revenus sont largement suffisants. Nos trois cent trières nous assurent la suprématie sur la mer. Athènes est en mesure de se défendre victorieusement contre l'agression. »

Naumarchos tirait une longue mine.

« N'est-il pas vrai, Périclès, que ta modération, quand tes propres terres ont été envahies, était due au fait que tu considérais Archidamos comme ton hôte ? demanda-t-il.

— C'est exact, Naumarchos, répondit Périclès. Si seules mes terres avaient été envahies, je vous aurais laissé l'entière décision de la riposte. Parce que, dans ce cas, l'offense n'aurait été adressée qu'à ma personne. Mais si tu entends par là que j'entretiens des liens d'amitié avec le roi des Spartiates, tu te trompes : je ne saurais avoir de liens avec un homme dont l'émissaire m'a traité d'ordure.

— Périclès, intervint le stratège Nicias, je t'ai entendu et j'approuve entièrement tes propos.

— Moi aussi, dit un autre stratège.

— Moi de même », dit un troisième.

Socrate se leva pour aller chuchoter des félicitations à Périclès ; celui-ci se retourna avec un sourire.

« Naumarchos, es-tu satisfait de la réponse de Périclès ? demanda quelqu'un.

— Il faut bien que je m'en satisfasse, répondit Naumarchos avec un sourire contraint, puisque vous en êtes tous satisfaits. J'observe néanmoins que le retard que nous avons pris à riposter nous contraint à accueillir tant de réfugiés que nous sommes réduits à les loger dans les temples, faute d'autres lieux.

— Ils regagneront bientôt leurs terres, répondit Nicias.

— Il est donc admis que nous décidons à l'unanimité d'envoyer dès demain des troupes contre les Lacédémoniens », dit Naumarchos.

Les approbations fusèrent. Les fenêtres de la salle du conseil avaient été tenues fermées, afin qu'aucun des propos qui s'y tenaient ne pût filtrer à l'extérieur ; Périclès donna l'ordre de les ouvrir. Des courants d'air rafraîchirent les lieux. Les stratèges s'épongèrent le front et la poitrine avec le pan de leurs robes.

Nicias alla à la fenêtre et considéra la foule qui attendait en bas. Il leva le bras.

« C'est la guerre ! » cria-t-il.

Une formidable ovation se répercuta jusqu'au Stoa du sud, épouvantant les oiseaux. Elle dura le temps qu'il fallait pour lire au moins cinquante vers de *L'Odyssée*. Puis elle fut scandée par les plus excités, qui répétaient : « La guerre ! La guerre ! » Assis dans le fond de la salle, les mains jointes sur les genoux, Socrate écoutait d'un air pensif.

Non loin de là, dans la rue, sa femme écoutait, elle, les propos d'un groupe de badauds qui semblaient des gens de condition aisée.

« C'est défier les dieux ! Comment a-t-on pu leur permettre de s'installer là ? »

Qu'est-ce qui était un défi aux dieux ? se demanda-t-elle. Qui s'était installé où ?

« Le Pélargikon ! s'écria quelqu'un. L'oracle de Delphes l'a formellement interdit ! À quoi pensent donc nos stratèges ? Et le Conseil des Cinq Cents ?

— Ces paysans vont attirer sur nous la vengeance divine ! dit un autre. Il faut les en déloger ! Mais qui donc va s'y employer ? Sommes-nous donc gouvernés ? »

Xanthippe frémit : avait-on vraiment laissé des réfugiés s'installer au pied de l'Acropole, en ce lieu qui avait été frappé d'interdiction, en effet par un oracle de Delphes ? Elle repensa aux prédictions de la pythie Antigone et fut saisie de pressentiments funestes.

À trois ou quatre stades de là, on ne se souciait ni des augures ni des pressentiments : on préparait un grand banquet chez Alcibiade.

Les danseuses arrivèrent les premières : des esclaves ou filles d'esclaves, pour la plupart à peine nubiles, sous la direction d'une matrone qui, la baguette dans une main et le coffret de fards dans l'autre, mena son troupeau jusqu'à la salle réservée au maquillage et à l'habillage, ou plutôt au déshabillage.

Elles étaient six filles offrant au regard tout l'arc-en-ciel des peaux, de la Nubienne, si gracile qu'on se demandait comment des entrailles tenaient dans son corps, à la Phrygienne toute en blondeurs, en passant par des bistres plus ou moins accusés. Elles connaissaient la pratique : elles se dévêtirent entièrement, tandis que les domestiques glissaient des regards furtifs à travers un rideau que la matrone allait régulièrement tirer d'un geste furieux.

Elle commença par rectifier les chevelures, serrant une natte ici, un bandeau d'or là, distribuant les bracelets qu'il fallait fermer au pied et qui étaient garnis de clochettes minuscules, afin de prêter à chaque pas un frémissement sonore et argentin. Puis les bracelets de verroterie, les colliers, les boucles d'oreilles et une ceinture ornée d'un pendentif qui devait se balancer gracieusement devant le sexe. Armée d'une pince à épiler, elle vérifia ensuite l'absence de pilosité.

Vint ensuite la distribution des parfums, des nards coûteux et des huiles qui prêtaient à la peau une luisance métallique et emplissaient l'air d'émanations capiteuses. Les filles s'en enduisaient les unes les autres, poussant des glapissements aux chatouilleries et aux caresses indiscrètes. Après quoi, la matrone ordonna à chacune de ses pupilles de se présenter devant elle pour le maquillage. Elle appliqua une touche de gras à la cochenille sur les lèvres et les aréoles des seins, qu'elle étala du pouce, achevant l'ouvrage par un pincement du téton destiné à lui donner du relief. La dernière touche consistait dans l'application de noir d'antimoine autour des yeux et de gras à l'antimoine sur les cils.

Dans la salle voisine, autant de garçons de peaux également variées s'apprêtaient pareillement, s'enduisant, se peignant, se coiffant et se maquillant sous la surveillance d'un barbon blafard. La seule différence était que le sexe des garçons appelait un traitement différent : il était enduit d'une touche de fard à la cochenille pour lui donner bonne mine.

Les domestiques apportèrent dans chaque salle des plateaux garnis d'un repas frugal. Les musiciens arrivèrent sur ces entrefaites et la porte entre les deux salles fut ouverte. Le barbon considéra la matrone d'un œil chassieux et celle-ci le poignarda d'un regard dédaigneux.

Les musiciens se mirent à jouer, qui du tambourin, qui de la flûte, du cistre, du triangle ou de la lyre et les deux groupes commencèrent à se déhancher en cadence, tandis que barbon et matrone claquaient des mains pour marquer la mesure. Les déhanchements le cédèrent à des acrobaties et à des contorsions, les filles faisant le pont de manière à mettre leurs sexes en évidence et les garçons à offrir l'envers aux regards, juste le temps d'un coup d'œil car les uns et les autres se rétablissaient d'un bond et recommençaient leurs girations.

Un coup de bâton au sol annonça la fin de la répétition et le temps de la pause. Les deux groupes s'immobilisèrent en attendant qu'on les appelât. Là-haut, en effet, les convives en étaient aux desserts et aux vins sucrés.

Les filles montèrent les premières, en file, suivies des garçons, tandis que maquereau et maquerelle restaient en coulisses. Leur entrée fut saluée par des applaudissements.

« Un dessert de plus ! » s'écria un convive.

Une heure plus tard, les musiciens se retirèrent sur l'invitation des domestiques et, leur représentation terminée, les danseurs entreprirent de servir aux convives d'autres plaisirs que ceux des galettes aux amandes et des figues au vin. Par exemple, pour un danseur, celui de s'offrir en spectacle tandis qu'il copulait avec une danseuse. On compta bientôt trois ou quatre occupants par lit, le même artiste servant éventuellement de dessert à deux convives. Des alcôves attenantes, jaillissaient des cris, des râles, des rires.

À l'étage inférieur, barbon et matrone comptaient les

pièces d'argent que l'intendant laissait tomber dans deux plats séparés.

« Ne venez pas les chercher avant midi, comme d'habitude, déclara l'intendant.

— Ils peuvent rentrer tout seuls, ils connaissent le chemin, répondit le barbon.

— C'est plutôt mon maître qui connaît leur chemin », lança l'intendant en riant.

Une soirée parmi d'autres à Athènes.

13.

Une visiteuse inattendue au Gymnase

Identifier le meurtrier avait été un jeu d'enfant en comparaison de la tâche qui restait : confondre publiquement le coupable et le traîner devant les magistrats afin qu'il fût déféré à l'Aréopage, et tout cela à l'insu des hommes, Xéniade, Socrate et tous ceux qui voulaient éviter un scandale. Périclès compris, sans doute.

Tout en pétrissant le pain dans la cuisine, le lendemain de l'interrogatoire de la servante Léthô, et pendant que sa domestique faisait frire du poisson et de petites galettes de blé bouilli, Xanthippe réfléchissait à son entreprise. L'été s'annonçait ardent. Elle s'arrêta pour s'essuyer le front avec la manche de sa robe.

Le pain moulé et enfourné, elle but une longue rasade d'eau, s'empara du panier de figues et alla s'asseoir sur le pas de la porte pour son premier repas de la matinée. Elle s'avisait depuis quelques heures que sa poursuite de Téléclidès tournait à l'obsession. Elle n'aspirait plus qu'à la perte de cet homme. Sa pitié spontanée pour le petit Philippe avait allumé sa haine pour celui qui en avait fait un orphelin. Les rancœurs accumulées durant des années à l'égard de la folie masculine avaient soudain pris feu comme du foin dans une grange, enflammant jusqu'aux murs de la grange et dévastant la campagne environnante. L'instinct maternel avait réveillé non seulement la mère, mais également la femme et, dans celle-ci, la furie.

Oui, elle s'était muée en furie, convint-elle en mâchant la dernière figue et en posant le panier par terre. Chaque fois qu'elle se représentait la nuit sanglante d'Alkyros, les braillements imbéciles des hommes pris de boisson, les vanités masculines attisées par l'alcool, le désir soudain de cette petite crapule de Téléclidès de se faire valoir aux yeux du bellâtre Alcibiade, la poursuite dans la nuit, le coup de poignard, le dernier gémissement de Philippide, Xanthippe se mettait à grincer des dents.

Mais par-delà Téléclidès, elle se l'avouait sans peine, sa haine allait à Alcibiade. Machinalement, elle en appela aux dieux. Sa mère lui avait jadis appris qu'ils gouvernaient le monde. Discours anciens, répétés sans trop y réfléchir. Mais les dieux ne paraissaient guère s'intéresser au monde, à la différence des puissances infernales et encore, quand celles-ci daignaient se manifester. Pour le reste, c'était la folie des humains qui gouvernait en fait le monde. Et par humains, elle voulait dire les hommes.

Les hommes, justement, étaient en proie à une grande fièvre : ils préparaient une offensive navale contre le Péloponnèse. Le Pirée était devenu presque inaccessible, tant il y avait d'agitation. Les poissonniers avaient été délogés de leurs quartiers ordinaires et repoussés vers le port de Zéa ; partout, on construisait des trières. Cent trières, avait ordonné le Conseil des Dix. Assez pour refaire la guerre de Troie !

À Athènes non plus, on ne pouvait plus circuler tant il y avait de réfugiés. Les chèvres broutaient les dernières broussailles, les porcs couvraient d'excréments les parvis des temples. Mauvais décor pour monter une vengeance contre un assassin.

Une fois de plus, Xanthippe essaya de se le représenter, d'après le peu qu'en avait dit Léthô. Un petit maigre impatient de montrer sa bravoure. Alcibiade lui avait-il vraiment demandé d'aller poignarder Philippide ? Plus elle y pensait, moins elle le croyait. Alcibiade, pris de boisson, devait sans doute dire n'importe quoi et un homme de bon sens ne se serait pas lancé dans pareille entreprise sur l'injonction d'un compagnon de beuverie. Non, Téléclidès avait probablement voulu témoigner de son dévouement à l'égard d'Alcibiade et se faire valoir aux yeux de celui-ci. On pouvait même penser qu'Alcibiade, voyant Téléclidès se lancer à la poursuite de Philippide, avait craint un incident et dépêché son voisin de table, l'athlétique Ktimenos, pour calmer le jeu et empêcher Téléclidès de commettre une sottise.

C'était contrariant à admettre, mais si Alcibiade avait joué quelque rôle dans cette affaire, comme Xanthippe l'avait d'abord soupçonné, ç'avait été seulement par l'ascendant qu'il exerçait sur les jeunes gens de son entourage. Il n'avait pas voulu ce meurtre. Ce qui ne changeait rien à sa nature détestable et à sa déplorable influence.

Que faire, alors ? Elle n'allait quand même pas laisser cette petite ordure de Téléclidès en liberté. Elle pensa au petit Philippe et se dit que, non, cela, elle ne s'y résoudrait jamais. Mais que faire, par tous les dieux de l'Olympe ? Elle se tordait les mains de perplexité.

Et soudain, elle sut : elle irait voir Ktimenos, celui qu'Alcibiade avait lancé à la poursuite de Téléclidès. Toujours d'après la description de Léthô, il avait l'air d'un bon garçon. Un athlète, soit, c'est-à-dire un microcéphale, mais sans malice. Que lui dirait-elle ? Elle n'en savait trop rien. Elle improviserait. Et elle irait seule. Agaristê était un boulet, empêtrée dans son personnage de dame de l'aristocratie et ses scrupules, qui s'emboîtaient les uns dans les autres, sans parler de la peur que lui inspirait son mari, Xéniade.

Elle était sûre de trouver Ktimenos au gymnase : ces tas de muscles y passaient leurs journées. Elle s'imagina elle-même attendant un athlète à la porte du gymnase, essuyant les plaisanteries salaces de ces sacs à muscles. Elle haussa les épaules. Pour ce qu'elle pensait des hommes !

Elle se leva péniblement, alla voir la friture, la trouva appétissante, tira de la poêle un filet de daurade et le dégusta d'un air absent. Puis elle donna l'ordre à la domestique de disposer les plats pour les enfants et de leur servir le poisson et la salade. Une fois de plus, elle s'enveloppa dans son manteau et partit en direction du gymnase, au nord-ouest, au-delà de la porte du Dypilon.

C'était à deux heures de marche, dans la cohue, la poussière, la chaleur. Elle était en nage quand elle arriva. Le bâtiment était un véritable temple à la gloire du corps des garçons. Des statues de champions nus gardaient le péristyle, dans des postures apprêtées. Un portier se tenait à l'entrée, le torse nu et bombé comme une cuirasse, les oreilles rouges, la cuisse avantageuse, le téton dardé. Elle se rappela ce que sa mère lui avait appris sur les rapports sexuels des hommes entre eux et se retint de rire. Quand il la vit traverser le péristyle, où des hommes d'un certain âge, pas des athlètes, eux, battaient la semelle, le portier, lui, écarquilla les yeux, Achille voyant foncer sur lui une tortue géante.

« Je veux voir Ktimenos », lui dit-elle.

Il fut un moment sans répondre, estomaqué. Qu'est-ce qu'une bonne femme pouvait bien vouloir au pugiliste ?

« Ktimenos ? répéta-t-il. Le champion de pancrace des dernières Olympiades ?

— Lui-même.

— Il sortira de l'entraînement dans une heure.

— J'attendrai ».

Elle tira une pièce de la bourse qu'Agaristê avait oublié de lui reprendre.

« Indique-le moi. »

Il prit la pièce, médusé. Si les femmes se mettaient à faire la sortie du gymnase, maintenant, c'est qu'il y avait quelque chose de neuf sous le soleil.

« Tu ne le connais pas ?

— Non, c'est pour cela que je t'ai donné la pièce.

— Tu es une maquerelle ?

— Et ta mère ! », rétorqua-t-elle.

Mais la pièce avait cousu le clapet du colosse.

Elle examina les hommes qui se trouvaient là et qui la dévisageaient eux aussi. Elle en compta vingt-sept, quatorze barbons, six jeunes efflanqués ou mafflus, sept jeunes hommes qui paraissaient dotés de revenus confortables, le cheveu trop brillant, la sandale trop neuve, et, sous le soleil qui faisait rage, un doigt de maquillage çà et là. Tous se demandaient ce que venait faire cette maritorne dans ce lieu réservé. Une mère ? Une gouvernante ? Elle comprit à ce moment-là qu'à Athènes, et en dépit de la splendide statue de la femme Athéna qui dominait l'Acropole, une barrière presque infranchissable séparait les hommes des femmes. Elle se retint d'en penser plus et s'arma de patience.

Une heure plus tard, le portier lui adressa un signe de tête.

« Le voilà », marmonna-t-il en pointant le menton dans la direction d'un jeune homme blond qui traversait le péristyle d'un pas élastique.

Ce devait être lui, en effet, d'après la description de Léthô. Xanthippe lui emboîta vivement le pas. Il était escorté de trois compagnons avec lesquels il échangeait des propos enjoués. Elle perçut des parfums un peu excessifs, myrte, laurier, jasmin, exaltés par la chaleur.

« Ktimenos », cria-t-elle d'une voix sonore.

Les quatre hommes se retournèrent à l'unisson.

« Tu m'as appelé ? fit l'athlète.

— Je t'ai appelé. Je veux te parler. Seul. »

Les compagnons étouffèrent des rires entendus. Elle les ignora, la mine hautaine. Il s'avança seul vers Xanthippe.

Léthô avait dit vrai ; il paraissait aimable. Bonasse, plutôt.

« De quoi veux-tu me parler ?

— Je serai brève. Le soir du banquet chez Alkyros, c'est bien Alcibiade qui t'a lancé à la poursuite de Téléclidès ? »

Il se figea et cilla, effrayé. Son sourire de convenance s'effaça. L'air bonasse le céda à une expression anxieuse.

« Qui es-tu ?

— Une femme que l'affaire intéresse.

— Quelle affaire ?

— Celle que tu sais.

— Comment sais-tu qu'Alcibiade m'a envoyé à sa recherche ?

— Par ta réponse. As-tu retrouvé Téléclidès ? »

Il ouvrit la bouche, mais resta muet.

« Trop tard, n'est-ce pas ? dit-elle.

— Puisque tu sais tout... »

Les trois autres observaient la scène à distance. Ils avaient cessé de ricaner. Elle les dévisagea, se demandant si Téléclidès n'était pas de leur nombre. Mais aucun d'eux ne ressemblait à la description de Léthô.

Ktimenos était devenu grave.

« Pourquoi t'occupes-tu de cela ? Ce ne sont pas des affaires de femmes.

— Il sera un jour temps de te rappeler, Ktimenos, que tu es né des entrailles d'une femme. Tes beaux muscles ont commencé à se former dans le ventre d'une femme, comprends-tu ? »

Elle était devenue presque agressive. Il hocha la tête. Ces champions n'avaient pas l'habitude de se battre avec des femmes.

« Quand tu es retourné chez Alkyros, à l'aube, pourquoi avais-tu du sang sur les mains ? »

Il sursauta. Ses yeux s'emplirent d'effarement.

« Comment... Es-tu une prêtresse de Némésis, femme ? »

Il fallait battre le fer pendant qu'il était chaud et que Ktimenos était sous le coup de la surprise.

« Réponds ! ordonna-t-elle.

— Le poignard..., répondit-il. J'avais récupéré le poignard. Il était ensanglanté.

— Et Téléclidès ?

— Il s'est enfui dans la nuit en criant.

— C'est tout ce que je voulais savoir », dit-elle sombrement.

Et elle s'éloigna sans autre cérémonie sur la place inondée de soleil, forme drapée de noir habitée de menaces indescriptibles pour ces hommes qui se croyaient tout-puissants.

14.

Un volontaire
de la dernière heure

Le Conseil des Dix, qui siégeait depuis le matin, avait suspendu sa séance pour une heure, le temps d'une collation. Éventails en main, les stratèges se levèrent pour descendre au Stoa et se restaurer, qui de galettes garnies de fromage, qui de poisson séché avec une salade, le tout arrosé de bière ou de vin ordinaire allongé. Ils regagneraient ensuite la grande salle pour reprendre leurs débats sur l'offensive contre Mégare.

Ils descendaient le vaste escalier quand Périclès, suivi de Socrate et de Scymnos, un chef de hoplites qui lui servait de conseiller militaire, vit venir à lui Mycilos, le chef de ses espions. Le front luisant, non, dégoulinant de sueur, il marchait vite. Il fixa son regard sur Périclès, la main levée, comme pour faire une annonce importante.

« Que se passe-t-il ? lui demanda Périclès quand ils furent face à face.

— Des choses... » commença Mycilos en prenant Périclès à part, mais pas assez loin pour que Socrate ne pût l'entendre.

Le chef des hoplites, lui, s'entretenait avec le conseiller d'un autre stratège.

« L'assassin de Philippide a été découvert...

— Qui est-ce ? demanda Périclès. Qui l'a découvert ?

— Téléclidès, le fils d'Aristoxénis, le propre beau-frère de Xéniade ! »

Périclès fronça les sourcils.

« Quoi ? Il parut stupéfait. Viens, dit-il, nous allons nous restaurer un peu au Stoa. Nous pourrons parler plus à l'aise. »

Les quatre hommes sortirent du Stratégéion sous un soleil furieux et un ciel presque incandescent. Ils gagnèrent d'un pas vif les auvents du Stoa. Là, ils trouvèrent une table un peu à l'écart et tirèrent quatre chaises. Périclès commanda une cruche de Chios et une autre d'eau, afin de pouvoir couper son vin.

« C'est Téléclidès qui a tué Philippide ? s'écria Périclès. Mais c'était son propre cousin ! »

Socrate et le chef des hoplites écoutaient sans mot dire, en s'éventant pour se rafraîchir autant que pour chasser les mouches diligentes. Périclès avait l'air soucieux :

« Xéniade doit être fou de rage ! dit-il.

— Il ne le sait pas encore, répondit Mycilos, en trempant ses lèvres dans le gobelet de vin.

— Il ne le sait pas encore ? Mais alors, qui le sait ?

— Écoute, voici l'histoire, dit Mycilos. Tu sais que, après la querelle au banquet d'Arkylos, Philippide est parti et que l'assassin s'est probablement lancé à sa poursuite. Alcibiade a dû se douter de quelque chose puisqu'il a envoyé un de ses amis à la poursuite des deux hommes, afin d'éviter que la querelle prenne un tour fâcheux. Quelqu'un, une femme, je ne sais pas son nom, a deviné ce qui s'était passé et, ce qui est plus grave, elle a appris le nom de l'assassin et celui de l'émissaire qu'Alcibiade avait envoyé à sa poursuite pour maîtriser Téléclidès.

— Qu'est-ce que c'est que cette histoire ? grommela Périclès en fourrant dans sa bouche le morceau de fromage blanc qu'il tenait entre le pouce et l'index. Rien ne prouve dans tout ça que Téléclidès soit l'assassin !

— Si. Attends la suite. Cette femme est allée voir Ktimenos à la sortie du gymnase. Je ne sais comment elle a appris que Ktimenos était celui qu'Alcibiade avait lancé à la recherche de Téléclidès. Elle lui a tout fait avouer, y compris le fait que, lorsqu'il avait enfin rejoint Téléclidès dans la nuit, le meurtre avait déjà été commis.

— Mais enfin, qui est cette femme ? s'écria Périclès irrité. Il faut savoir qui elle est ! Il faut la retrouver !

— Ktimenos ne l'avait jamais vue. Il dit qu'elle a une quarantaine d'années, qu'elle est massive et pleine d'autorité. Il s'est demandé si ce n'était pas une prêtresse du temple de Némésis. »

Socrate fronça les sourcils et plongea la main dans un bol de concombres macérés dans le vinaigre. Périclès paraissait de plus en plus soucieux.

« Mais comment sait-on tout cela ? Comment le sais-tu, toi ? Voici la fin, reprit Mycilos. Conscient de la portée de ses aveux et pris de panique, Ktimenos est allé prévenir Téléclidès de ce qui s'était passé et du témoignage qu'il avait donné sous l'effet de la surprise. Téléclidès a été à son tour pris de panique. J'ai appris tout cela d'un domestique de la maison d'Aristoxénis, qui avait surpris la conversation entre les deux garçons, conversation qui a paraît-il été violente et au terme de laquelle Téléclidès a disparu de la maison paternelle. Il est venu ce matin au Stratégéion pour demander à être placé d'urgence sur l'une des trières en partance, mais vous étiez déjà en séance. Il va revenir tout à l'heure. À mon avis, il doit déjà être dans les parages. Son comportement même confirme tout ce que je t'ai dit. »

Périclès mangeait des boulettes de viande hachée, l'air sombre.

« Tout cela est très contrariant, si c'est vrai, finit-il par dire. Ça risque, en effet, de déclencher une guerre fratricide dans la famille de Xéniade, d'autant plus que Xéniade est du clan des oligarques et Aristoxénis, de celui des démocrates. Nous n'avons absolument pas besoin d'une affaire pareille en ce moment.

— Tiens ! s'écria Mycilos en pointant le doigt vers un homme qui approchait du Stoa. Voilà Téléclidès ! Il est avec Ktimenos ! »

Tous quatre tournèrent la tête dans la direction indiquée.

« Va le chercher ! » ordonna Périclès.

Mycilos bondit comme un chien de chasse et rejoignit les deux jeunes gens. Au terme d'un échange animé et bref, Téléclidès tourna la tête en direction de la tablée de Périclès, le visage crispé, et s'approcha enfin d'un pas lent, suivi à distance de son compagnon et de Mycilos.

« Salut, stratège, dit-il. Tu as demandé à me voir. »

Il ruisselait de sueur. L'eau jaillissait de son front et tombait sur ses yeux comme s'il s'était trouvé sous la pluie. Mycilos, qui s'était rassis, ne le quittait pas du regard.

« J'apprends que tu as disparu de la maison de ton père ? » demanda sévèrement Périclès au jeune homme.

Celui-ci ne répondit pas. Son menton tremblait.

« J'apprends aussi que tu veux t'engager d'urgence sur une trière. En qualité de quoi ? Certes pas de rameur, ce qui n'est pas de ta condition. As-tu de quoi te payer des armes ? »

Le jeune homme hocha la tête.

« Es-tu en fuite, Téléclidès ? » demanda Périclès.

Le jeune homme tremblait maintenant de tous ses membres.

« Il est bien temps de trembler ! s'écria Périclès. C'était avant qu'il fallait trembler ! »

Les larmes jaillirent des yeux de Téléclidès.

« C'est moi qui dirigerai la prochaine expédition navale contre le Péloponnèse, déclara Périclès. Sache que je t'aurai à l'œil. Tu viendras à la sortie de notre séance voir le chef des hoplites, Scymnos, que voici. Il verra ce qu'il peut faire pour que tu embarques au plus tôt.

— Tu viens ce soir, mais tu ne partiras pas avant demain, déclara Scymnos. Les trières n'appareillent plus aujourd'hui.

— Va maintenant, ordonna Périclès.

— Un instant, dit Socrate, s'adressant à Ktimenos qui n'avait dit mot pendant ces échanges mais qui avait reconnu le philosophe, puisqu'il avait participé au déplorable banquet. J'ai cru entendre qu'une femme mystérieuse est venue te voir ?

— Hier, oui, répondit Ktimenos.

— Comment était-elle ? Peux-tu la décrire ?

— Dans les quarante ans, un peu plus, un peu moins, je ne sais pas, dit Ktimenos. Le visage carré, massif. Des yeux de feu. Je crois que c'est une prêtresse du temple de Némésis. Elle a... comment dire ? Une autorité surnaturelle. Elle lit dans les âmes. Elle sait tout. Comment aurait-elle su, autrement ? »

Socrate hocha lentement la tête.

« Qui peut bien être cette femme ? demanda Scymnos. L'histoire est étrange. Pourquoi voulait-elle retrouver l'assassin de Philippide ?

— Sans doute pour le faire traduire devant l'Assemblée et l'Aréopage, dit Socrate en mâchonnant une galette.

— Ce serait un scandale effroyable ! s'écria Mycilos. Heureusement que ce garçon prend la mer !

— Et efface ainsi les traces de son crime », dit Socrate d'un ton sec.

Périclès le fixa du regard. Socrate soutint le regard. L'un disait : « Comment oses-tu m'accuser ainsi ? » Et l'autre : « C'est la vérité, je la vois et tu dois aussi l'affronter. » À la fin, Périclès soupira et déclara que le l'heure était venue de retourner au Stratégéion. Il paya et les quatre hommes se levèrent en silence.

15.

La dérobade et l'éclipse

À cause de la foule de réfugiés qui avait presque doublé la population, de la chaleur, de la puanteur des déjections du bétail, des mouches qui proliféraient comme attirées par légions hors de l'enfer, Athènes était devenue invivable. Le jour, la circulation était exaspérante ; peu rompus aux pratiques urbaines, et de surcroît furieux contre une Cité opulente dont les armées s'étaient montrées incapables de les défendre contre les Lacédémoniens, les paysans poussaient leurs troupeaux au travers du trafic des gens et des chariots. Chèvres, moutons et cochons se faisaient fréquemment écraser, encombrant la chaussée de carcasses malencontreuses. Les algarades et les horions proliféraient.

Ce qui n'arrangeait rien était que les campagnards parlaient une langue âpre qui n'avait que de lointains rapports avec l'athénien, des dialectes de Béotie ou de Phtitiodide, d'Arcadie ou d'Argolide. Pas compris ou compris de travers, ils manifestaient leur humeur avec brutalité. Les gens de bien s'entouraient désormais d'escortes pour tenir cette populace à distance.

De surcroît, la chaleur était telle que, la nuit, les gens dormaient sur les toits ou, s'ils ne le pouvaient, fuyaient leurs maisons pour aller dormir par milliers le long des côtes du Pirée, quitte à se faire détrousser par les malandrins. L'eau commença à se faire rare, car le débit des fontaines qu'avait fait construire Périclès souffrait de la baisse des rivières. Les réfugiés sentaient souvent mauvais, alors que les Athéniens les moins fortunés, plus soucieux d'hygiène, allaient au moins se baigner dans la mer. Les autres louaient à prix d'or des maisons dans la périphérie, à Agrylé, à Alopéké, au Phalère, et partaient s'y installer avec leurs domestiques en attendant la fin de la canicule.

Les puces constituèrent bientôt un fléau nouveau. Elles pullulaient ! À cause des troupeaux qui encombraient jusqu'aux parages des temples ? De la chaleur ? De quelque malédiction divine ? Nul ne savait. Toujours était-il qu'elles proliféraient comme jamais auparavant pendant la saison chaude. Dans les maisons fortunées, comme chez Aspasie, on battait les literies deux fois par jour et l'on procédait à des fumigations incessantes.

Les nerfs vibraient à fleur de peau. Ceux de Xanthippe compris.

Le lendemain de l'interrogatoire qu'elle avait fait subir au pugiliste Ktimenos, elle alla s'entretenir avec Agaristê de ce qu'il convenait de faire pour déférer Téléclidès devant les autorités, maintenant qu'elles connaissaient l'identité de l'assassin. Le ciel était bas et lourd et l'air, irrespirable. Un orage menaçait.

« Nous pourrions tout simplement nous emparer de lui, le ligoter et le traîner au tribunal », suggéra Xanthippe en s'éventant avec énergie.

Agaristê se récria et s'éventa avec encore plus d'énergie, scandalisée par l'idée qu'une femme de sa condition allât se colleter avec un jeune homme, fût-il son propre neveu par alliance. Et Xanthippe se demanda si la fortune n'amollissait pas les âmes.

« À nous deux, nous en viendrions aisément à bout, insista-t-elle.

— Non, mais tu me vois, Xanthippe, traîner mon neveu

devant le Conseil des Cinq Cents ? s'exclama Agaristê. Xéniade m'étriperait ! »

Toujours cette peur des hommes !

« Alors, on pourrait payer deux hommes pour le faire, proposa Xanthippe.

— Je te l'ai dit, Xéniade serait tout aussi furieux que je ne l'aie pas consulté auparavant.

— Et si tu consultes Xéniade, il prendra les choses en main, étranglera Téléclidès, et une guerre de clans s'ensuivra. Nous sommes enfermées dans un cercle vicieux.

— Je vais aller faire une offrande au temple de Némésis, dit Agaristê. Je suis sûre qu'elle me portera conseil. »

Xanthippe lança à sa commère un regard sceptique. Puis elle prit congé et rentra chez elle.

Socrate était assis dans le patio et s'éventait. Le spectacle était inhabituel, le philosophe n'étant pas coutumier de l'oisiveté. Mais de plus, il lui adressa un regard déconcertant, à la fois ironique et réprobateur. Nul doute, il préparait une saillie.

« Qu'est-ce que tu veux me dire ? » lui lança-t-elle.

Il posa l'éventail sur ses genoux.

« Je ne savais pas que tu étais une prêtresse de Némésis, dit-il avec un petit sourire.

— Qu'est-ce que tu racontes ? » rétorqua-t-elle, troublée.

Il leva sur elle un regard d'un bleu limpide.

« En tout cas, Téléclidès part demain pour la guerre », déclara-t-il sans détacher d'elle son regard d'enfant farceur.

Elle ne se contint plus, poussa un rugissement de rage et leva les yeux au ciel.

« Vous voilà bien, les hommes ! Vous protégez un assassin au nom de la justice !

— Je ne protège personne, Xanthippe. Je n'ai rien fait, je n'ai dit un mot ni en faveur ni en défaveur de personne. Je t'ai simplement demandé de ne pas t'immiscer dans un jeu de pouvoir alors que tu n'as pas de pouvoir.

— Tu vois bien que je peux en avoir, rétorqua-t-elle.

— Juste par curiosité, je voudrais savoir comment tu t'y es prise.

— J'ai appliqué ta méthode, cher Socrate, répondit-elle, pointue. J'ai écouté certains de tes discours sur les raisonnements et la déduction et j'ai cherché les causes premières.

— Je te félicite, dit-il ironiquement. Je me félicite cependant que ta vindicte soit mise en échec.

— Ah ! Némésis, s'écria Xanthippe, si tu existes, manifeste-toi ! »

À l'instant même, la foudre brilla au-dessus d'eux et le fracas du tonnerre se répercuta sur Athènes. Épouvantée par ce qu'elle prenait pour l'effet immédiat de ses imprécations, Xanthippe courut se réfugier sous l'auvent du gynécée. La pluie tomba, à torrents. De l'autre côté du patio, Socrate, qui s'était également mis à l'abri, la considérait, debout, mystérieux, pareil à une statue. Ils se firent ainsi face pendant un long moment, séparés par un rideau de pluie.

« Vous, les hommes, vous avez dérobé un assassin à la justice et vous croyez sans doute que tout sera oublié quand il se sera couvert de gloire dans votre guerre. Mais je l'aurai, je le jure ! Je l'aurai ! » cria-t-elle avant de disparaître dans sa chambre et d'en claquer la porte.

Ils demeurèrent trois jours sans s'adresser la parole. Puis il parut que les dieux intervenaient dans les affaires de la cité.

Le trente-troisième jour du mois d'Hécatombéion[1], advint un événement prodigieux autant qu'effrayant. À la première heure après midi, alors qu'il n'y avait pas un nuage en vue, le ciel s'obscurcit soudain. Le soleil disparut. Les cadrans solaires pointèrent vers le ciel une aiguille accusatrice et sans ombre. Les chiens hurlèrent. Athènes fut plongée dans une pénombre qui ne ressemblait à rien de connu, de l'aube ni du couchant. Une clameur immense monta de la ville, déchirée çà et là de hurlements et de cris.

Le phénomène fut de courte durée. Quand le soleil reparut, on aurait juré, à la couleur cendrée de maints visages, que cette affreuse lumière s'était accrochée à eux.

Xanthippe, qui pendait du linge dans le patio, porta la

_____

1. La date a été établie astronomiquement : le 3 août 431 avant notre ère.

main à son cœur. Le présage était certain. Un malheur pesait sur Athènes.

Les clergés des divers temples, qui n'étaient pas moins épouvantés, s'empressèrent d'allumer des feux pour des sacrifices à Athéna, à Zeus, à Dionysos, à Apollon et à tous les autres dieux, pour les supplier de calmer leur courroux. Les prêtres du temple d'Athéna firent appel à la phalange pour évacuer le Pélargikon, dont l'occupation scandaleuse par les réfugiés n'avait que trop duré. Il en résulta une empoignade au cours de laquelle plusieurs côtes furent cassées et une chèvre assommée par un phalangiste qu'elle avait tenté d'encorner. Le Pélargikon resta à ses occupants.

Dans les squares, les gens se pressèrent spontanément pour faire des sacrifices de fortune devant les hermès. Dans les maisons, on sacrifiait aux autels des dieux domestiques.

Le Conseil des Dix fut momentanément interrompu, les stratèges s'étant précipités aux fenêtres pour assister au prodige funeste. Seul Périclès demeura tranquillement assis à sa place. Lui seul avait lu attentivement les prévisions de l'astronome Eutychès, pourtant adressées au Conseil tout entier, qui avait indiqué le jour et l'heure de l'éclipse. Quand on l'interrogea sur son apparente indifférence, il répondit qu'il ne voyait pas de raison de s'émouvoir de ce que la lune fût passée quelques minutes devant le soleil.

« Tes propos frisent l'impiété ! grommela Naumarchos.

— L'impiété consiste à ne pas reconnaître la mécanique céleste que les dieux ont montée dans leur dessein d'harmonie universelle.

— Tu méconnais les présages !

— Et toi, l'astronomie, répliqua Périclès, qui se leva enfin pour aller à l'une des fenêtres. »

Il considéra la foule en bas, en proie au désarroi.

« Athéniens ! » cria-t-il. Et les passants s'assemblèrent pour écouter ce que le premier stratège avait à leur dire dans des circonstances aussi funestes.

« Athéniens, je vous vois partagés entre l'anxiété et la surprise par la brève obscurité qui a régné sur Athènes. Mais cette obscurité est aussi naturelle que celle que produit une main qui passe devant une lampe. Car le soleil est un corps céleste qui fait office de lampe, et la main, c'est la lune qui est passée devant quelques instants. L'un et l'autre corps célestes décrivent des orbites en tournant, et nos astronomes nous en avaient dûment prévenus. Telle est la raison pour laquelle, comme vous le voyez, je ne suis nullement ému par ce phénomène. Vous n'avez pas plus de raisons de vous inquiéter de cette obscurité, qui a d'ailleurs cessé, que vous ne vous inquiétez quand la nuit tombe chaque jour. Défiez-vous de ceux qui prétendent voir partout des présages ! »

Puis il quitta la fenêtre et revint s'asseoir, sous les regards furibards de Naumarchos, et déclara :

« Reprenons la séance, mes amis, si vous le voulez bien. »

Certains stratèges riaient, d'autres étaient moins fermes dans leur adhésion à l'astronomie. Quand même, les présages...

Après la séance, Mycilos vint prévenir son maître :

« Naumarchos monte une cabale pour te faire accuser publiquement d'impiété. Il a rallié à sa cause trois stratèges. »

Périclès haussa les épaule.

« Depuis le commencement des temps, il n'est pas un homme juste qui n'ait eu à en découdre avec des hommes injustes », finit-il par dire.

Et se tournant vers Socrate :

« C'est toi le philosophe, mais je vais t'apprendre quelque chose : la justice est une idée qu'il faut sans cesse rénover et qui déplaît aux esprits enchaînés par l'habitude. »

Socrate hocha la tête et se mit à rire. Mais son rire fut bref et ses yeux le démentaient.

16.

Une soirée
du temps de Périclès

Le ciel se cuivra et la mer vira au pourpre, comme l'avait si bien décrit Homère quand il parle de « la mer de vin ». Une brise miséricordieuse souffla sur les hauteurs d'Athènes, pour chasser miasmes et les poussières de la ville. L'été s'éloignait comme les galères ennemies ; la saison des vendanges approchait. C'était l'heure où, la chaleur se dissipant, les gens se retrouvaient pour parler de tout et de rien, ce qui est essentiel à la philosophie, car il est bien connu que les petits propos sont comme le sable à travers lequel la sagesse filtre pour se purifier.

C'était aussi l'heure à laquelle les compères Taki et Demis se retrouvaient au Stoa, devant le débit d'Aristis, avec des amis, pour boire quelques verres de vin en mangeant de petits riens.

« Nous voilà donc en guerre une fois de plus, dit Taki en croquant une grosse olive noire en saumure à la saveur musquée. J'ai quarante ans, ma mère soixante et un, et ni l'un ni l'autre ne nous souvenons d'une année où nous n'ayons mené une guerre ou une autre. D'abord, c'étaient les Mèdes et, quand nous en avons eu fini avec eux, nous avons commencé à nous battre contre nos voisins... »

Il versa une rasade d'eau dans son gobelet de vin blanc au goût âpre et le savoura en balançant une jambe, tandis que mer et ciel viraient ensemble au violet.

« Eh ! observa Demis, moi, j'en ai quarante et un et j'ai tiré une autre leçon de la vie. C'est que, si l'on veut rester en vie, il faut se battre. Je me suis battu contre ma famille qui voulait m'imposer une épouse alors que j'en voulais une autre, puis contre les Mèdes, puis contre mes oncles qui voulaient me gruger de mon héritage et je me bats maintenant contre les puces ! Athènes et moi, c'est la même chose. »

Il venait d'en attraper une dans le pli de sa tunique et l'écrasa entre ses ongles.

« Demis, si tu trempes tes doigts maintenant dans le bol d'olives, je me lève, protesta Taki. Je n'ai aucune intention de manger des olives assaisonnées au sang humain. Tends les mains. »

Demis s'exécuta et Taki lui versa un pot d'eau sur les doigts. Arriva leur ami, Philostephanis. Ils l'accueillirent avec chaleur et l'invitèrent à se joindre à eux.

« Tu embaumes, mon cher Philo ! lui déclara Taki. On dirait une nymphe des bois ! »

Ils se mirent à rire.

« C'est à cause des puces, expliqua Philostephanis. Ma fille m'a trouvé il y a huit jours une liqueur à base de sauge et de citronnelle qui fait merveille. Dès que je suis sorti des bains, je m'en fais frictionner de la tête aux pieds. Pas une piqûre de puce ! Elles me fuient comme la peste !

— Philo, considère que nous sommes brouillés si demain à la première heure tu ne me fais pas parvenir une amphore de ta lotion ! s'écria Demis en croquant un concombre au vinaigre.

— Moi aussi ! s'exclama Taki.

— Elle est chère, dit Philostephanis.

— N'importe. Je vendrais des terres pour ne plus avoir de puces.

— Ce sont tous ces paysans avec leurs chèvres ! ajouta

Philostephanis. Athènes est devenue une ville de chèvres ! Vivement que tous ces gens regagnent leurs campagnes ! Ils sont laids, mal embouchés, leur seul mérite est d'élever le bétail et de cultiver les champs.

— C'est vrai qu'ils sont laids, convint Taki. Laids à faire peur ! On se demande comment les Athéniens sont si bien faits. »

Les insectes grésillaient dans la flamme des torches que le tenancier venait de fixer dans des embrasses de fer sur les poteaux du Stoa. Les trois convives décidèrent qu'il y avait du vrai dans ce que disaient les oligarques, à savoir que seuls les gens riches étaient beaux et bons. Ainsi assurés de leur accord sur les bases de l'existence, ils commandèrent à manger et à boire. De la petite friture, des filets de daurade, une salade de navets cuits aux crevettes et aux poulpes, des boulettes de viande de mouton sur un fond de soupe de blé, des concombres au lait caillé, des pigeons d'élevage grillés...

« Nous ne sommes pas si malheureux, au fond, reprit Philostephanis. Ces misérables Lacédémoniens en sont à envahir nos campagnes pour se nourrir, et nous, nous nous gobergeons à Athènes comme des satrapes...

— N'exagérons rien, coupa Taki. Aucun de nous n'a les moyens de donner des banquets comme ce mirliflore d'Alcibiade.

— Si on parle d'Alcibiade, je m'en vais, prévint Demis. La seule mention de ce type me donne plus de démangeaisons que toutes les puces d'Athènes. Je ne peux pas croire que ce bellâtre fat et arrogant soit le pupille de Périclès...

— Il ne l'est plus, paraît-il, dit Philostephanis. Histoire de dèmes. Périclès est lié aux gens du dème de Cholargos. Alcibiade est son parent. De plus, il n'est pas sot. Ce n'est pas parce que tu n'aimes pas les garçons, Demis, que les amateurs de garçons sont tous idiots. La preuve en est que Socrate en est follement épris. Tiens, mais voilà Cléanthis ! »

La longue silhouette efflanquée du fonctionnaire du Conseil des Magistrats se profilait, en effet, devant eux, dans la lumière des torches. Il cligna de ses yeux mauves aux longs cils devant les hommes attablés, pareil à un lévrier qui regarde une pâtée qu'on ne lui a pas offerte.

« Tu as soif ? lui demanda Taki.

— Je sors des bains, en effet, dit Cléanthis de cet air dolent qui participait à son charme. Et je n'ai plus d'argent parce que je me suis ruiné en lotions contre les puces !

— Assieds-toi, l'invita Demis. Philostephanis a trouvé une lotion qui le préserve des puces !

— Elle est chère, rappela l'intéressé.

— Malheureusement, je n'ai rien à vendre, même pas mes charmes, soupira Cléanthis en s'asseyant. Il faudra que vous vous cotisiez aussi pour la lotion.

— Quelles nouvelles ? demanda Taki.

— Périclès est parti ce soir commander une expédition navale contre le Péloponnèse. Et le Conseil de l'Assemblée a finalement fait voter l'évacuation du Pélargikon.

— Il en était temps, observa Philostephanis. Ça sentait la merde de porc à tourner de l'œil.

— Et l'affaire du meurtre de Philippide ? » demanda Taki au bout d'un moment.

Cléanthis cligna des yeux.

« Quelle affaire ? demanda-t-il.

— Allons, Cléanthis, tout le monde le sait ! C'est Téléclidès qui a poignardé Philippide pour se faire valoir aux yeux d'Alcibiade, dit Demis en lui versant un gobelet de samos. Et il s'est engagé sur les trières comme volontaire hoplite pour échapper à la vengeance de je ne sais quelle furie.

— Le moindre des propos que vous tenez pourrait vous faire traduire devant le Conseil des Magistrats, dit Cléanthis d'une voix nonchalante. Parlons d'autre chose, non ?

— Oui, parlons de la cabale qui se monte contre Périclès.

— Je suis venu me détendre, dit Cléanthis. Vous êtes pires que les mouches, les puces et les moustiques.

— Quelle est donc ta philosophie, Cléanthis ? demanda Philostephanis.

— Justement, de ne pas en avoir. »

Il saisit deux petits poissons frits et les goba d'un coup.

« Cléanthis, ne me dis pas que tu es une crapule dénuée de tout sens civique...

— Moi ? Quelle idée ! Je me conforme scrupuleusement à un précepte défini dans un vers d'Homère.

— Lequel ?

— "Ulysse rusait avec les dieux", répondit Cléanthis d'une voix sentencieuse.

— Impiété ! Impiété ! » s'écria Taki avec une feinte indignation.

Ils se mirent tous à rire.

« Les dieux, c'est comme les hommes, il faut déjouer leurs desseins, reprit Cléanthis en repiquant dans la friture. Qu'est-ce que c'est que ça ?

— Des filets de daurade.

— Dieux, que j'ai faim ! Et encore plus quand je pense que c'est vous qui payez. Mes amis, je vais vous dire : vous êtes mûrs et expérimentés et, moi, je suis jeune et sot. Mais je sais au moins une chose : dans la vie, il faut être du côté des puissants sans jamais leur donner de gages. Comme ça, quand ils ne sont plus puissants, personne ne peut vous reprocher d'avoir eu leur faveur. Qu'on me serve à boire.

— Tu es vraiment une crapule, observa Philostephanis.

— Tu connais bien le sujet, je crois. Disons que je veux vivre vieux, rétorqua Cléanthis. Aujourd'hui, c'est la démocratie, hier, c'était la tyrannie et demain ce sera de nouveau la tyrannie. Je m'en fiche. Nos philosophes sont, paraît-il, célèbres. Pour moi, la philosophie, c'est l'art de s'accommoder de la vie. Les commentaires et les belles idées ne coûtent rien, mais ils ne nourrissent pas. Tout ce que je demande, c'est qu'on me paie mon dîner. »

Ils rirent de nouveau. Lui aussi.

« Et l'amour, ça va ? lui demanda Taki.

— Je suis trop pauvre pour ça, répondit Cléanthis. J'aime la viande fraîche et il y a plus de demande que d'offre. Des veuves m'ont fait des avances, mais je n'aurais pas l'ardeur... Et des éphèbes ou des sportifs se présentent sans lauriers, mais la main pleine de myrtes, me font parfois les yeux doux, mais la bourse qu'ils veulent n'est pas celle que j'ai. »

Ils se tordaient de rire et Cléanthis souriait de son propre cynisme.

« Tu ne crois pas à la politique, tu ne crois pas à l'amour, à quoi crois-tu donc ? demanda Taki.

— Je suis comme vous tous, je crois à moi. Mais moi, je le sais. »

C'était une de ces nuits charmantes du temps de Périclès. Si l'on faisait abstraction des puces et de l'encombrement causé par les réfugiés, on aurait pu entendre les rires des dieux dans l'air exquis, entre l'Hymette et le Lycabette.

17.

L'épidémie, l'apparition

L'automne tira vers l'hiver. Les grappes étaient foulées et le blé engrangé. Les présages étaient oubliés. Xanthippe avait repris le collier de la vie, comme les bœufs et les ânes au matin de chaque jour. Sa haine se flétrissait, comme les feuilles des arbres. On commença à allumer des braseros pour réchauffer les chambres. Le soir, la haute silhouette de la statue d'Athéna, sur l'Acropole, se dédorait bien plus tôt comme faisait le soleil. Périclès était parti suivi d'Alcibiade pour sa campagne navale le long des côtes du Péloponnèse. Il arrivait donc que Socrate passât quelques soirées à la maison, partageant avec Xanthippe et ses enfants le modeste repas du soir, le plus souvent de la friture de poisson, du fromage blanc et des salades. Après quoi, il jouait aux osselets avec les enfants et, quand ceux-ci avaient été mis au lit, il s'asseyait dans le patio et regardait le ciel jusqu'à l'heure du coucher.

Puis, des incidents sinistres se multiplièrent. Au Pirée, trois personnes furent prises d'un mal étrange[1]. Saisies d'une forte fièvre, d'un inflammation cruelle du larynx et des yeux, puis d'une incoercible diarrhée, leur peau s'était mouchetée

---

1. Les symptômes de cette « peste » décrits par Thucydide dans sa *Guerre du Péloponnèse* (II, XLIX) correspondent de l'avis général des historiens à ceux du typhus.

de points rouges et leur état général s'étant détérioré, le cœur avait cédé. Ou les reins, ou la tête. Après ces trois, il en mourut onze autres, du même quartier. Le plus effroyable était la gangrène qui gagnait les extrémités : celles-ci devenaient pourpres, puis noires et se décomposaient dans une puanteur insoutenable sur des corps où le cœur, pourtant, battait encore. Ces malheureux se voyaient eux-mêmes pourrir et les vers envahissaient leurs plaies de leur vivant. Quand la mort arrivait, elle était accueillie comme une délivrance.

On incrimina d'abord un poison dans l'eau des puits, répandu par des espions lacédémoniens. Puis, cent vingt personnes décédèrent dans les mêmes circonstances, mais, cette fois, c'était dans les quartiers proches du Pirée, comme si la maladie avait suivi les Longs Murs pour se répandre au cœur de l'Empire. On tenta tous les remèdes, rien n'y fit. Ceux qui étaient soignés mouraient aussi bien que ceux qui ne l'étaient pas, les jeunes aussi bien que les vieux, et les forts comme les faibles. Les médecins eux-mêmes subirent le sort de leurs patients. Les premiers jours, on ne pouvait plus dormir dans aucun quartier d'Athènes, car le vacarme des pleureuses était incessant. Par la suite, il n'y eut même plus de pleureuses, beaucoup d'entre elles ayant été frappées par le mal.

On n'eut bientôt plus le temps d'enterrer convenablement les morts, ni assez de bras pour cela, car ceux qui n'avaient pas été atteints refusaient de toucher les cadavres. Des bûchers avaient été installés dans tous les quartiers de la ville, y compris dans les lieux sacrés et surtout dans ceux où se pressaient les réfugiés. On y jetait les morts et ils n'étaient pas entièrement consumés qu'on balançait par-dessus d'autres cadavres. Des équipes s'étaient constituées pour alimenter constamment les bûchers en bois. Certains flambaient ainsi sans interruption et des fumées sinistres et puantes s'élevaient dans le ciel de la ville, noircissant le marbre des édifices neufs.

On ne parlait plus de rien d'autre et bientôt l'on ne se parla plus. Mais enfin, on entendit des gens qui répétaient un vers ancien : « On verra arriver la guerre dorienne et, avec elle, l'épidémie. » Socrate s'impatienta de ces superstitions et répliqua à un jeune homme qui tentait de l'en convaincre : « Le vers n'en est pas un : c'est une prédiction de bon sens, et il n'y a jamais été question d'épidémie, *loimos*, mais de disette, *limos* ! Cesse de raconter des balivernes qui ne font qu'accroître la détresse des gens. »

Xanthippe s'interdisait de parler de présages : l'occupation du Pélargikon, l'éclipse, les prédictions de la pythie Antigone... Mais elle devint livide et son visage vieillit en quelques jours de dix ans. Socrate finit par ordonner à Xanthippe et aux enfants de ne plus faire de courses, et même de ne plus quitter la maison : ils subsisteraient avec les réserves de blé, de fromage et de fruits secs qui leur restaient dans la maison. Mais trois jours plus tard, l'épidémie redoublant d'intensité, il éveilla sa femme avant l'aube et lui demanda d'habiller les enfants et d'emballer en urgence quelques effets : il fallait partir sur-le-champ. Elle l'interrogea du regard, effarée :

« *Loimos*. L'épidémie, dit-il.

— Où allons-nous ?

— À Gargettos. J'ai des amis là-bas. Ils nous hébergeront. »

Il avait loué un mulet la veille. Xanthippe ferma les portes et pria sa voisine de surveiller la maison. Les quatre voyageurs se dirigèrent vers le nord et sortirent de la ville par la porte de Marathon. Au bout d'une journée de marche, ils arrivèrent dans un village qui ne payait pas de mine, sur les flancs sud du Pentélique. C'était Gargettos. Quelques fermes éparses, des vergers et des vignes, trois cents âmes. Xanthippe n'en avait jamais entendu parler, n'étant que rarement sortie d'Athènes et n'ayant connu dans son enfance que le Laurion, dans le sud. Leurs hôtes étaient des propriétaires fonciers, amis de Socrate qui leur avait rendu quelques services à Athènes.

« Nous resterons là jusqu'à la fin de l'épidémie, déclarat-il. C'est l'exil voulu par les dieux ».

Mais il ne disait pas ce qu'il entendait par « les dieux ».

D'autres « exilés » leur apportèrent des nouvelles d'Athènes : elles étaient effroyables ! Près d'un tiers des habitants avaient péri. La peste n'avait pas seulement décimé les corps, mais également les esprits. On ne respectait plus ni la décence, ni la loi. Surmontant leur crainte des démons, des gens autrefois honorablement connus pillaient les maisons abandonnées, les voleurs se disant qu'ils n'avaient plus eux-mêmes que quelques jours à vivre, ou bien que leurs juges auraient péri entre-temps et que, l'épidémie passée, personne ne se souviendrait de rien.

« Peut-être faudra-t-il en revenir à la terre, observa l'hôte de Socrate, un jour que celui-ci l'aidait à cueillir les poires de son verger.

— Parce que tu crois que nous l'avions quittée ? demanda Socrate en déposant soigneusement les fruits dans un sac.

— Tout ce marbre dont Athènes se couvrait, tous ces mots qui emplissaient l'air...

— Mais d'où vient le marbre, si ce n'est de la terre ? observa Socrate.

— Et les mots ?

C'est le fumier des esprits », répondit le philosophe en souriant.

Trois semaines après l'arrivée de Socrate et des siens, les habitants de Gargettos se soucièrent de savoir s'il restait à Athènes des gens pour acheter leurs petites récoltes de salades, d'olives et de fruits, ou bien s'ils devraient les consommer eux-mêmes. Ils allèrent donc y voir et revinrent le lendemain : la ville ne comptait plus de malades. La dernière victime était morte quelques jours auparavant. Périclès était sans doute revenu de son expédition navale et les séances du Stratégéion devaient avoir repris comme à l'accoutumée.

Les quatre Athéniens prirent alors congé de leurs hôtes, qui les chargèrent de provisions, et ils se remirent en route, le cœur lourd d'appréhensions. Dès que les voyageurs eurent franchi la porte de Marathon, celles-ci parurent se vérifier : l'animation d'antan avait disparu. Disparus, les marchands qui présentaient leurs denrées aux portes de la ville, et les détaillants qui examinaient les salades, les concombres, les raisins, la volaille, les pesaient et discutaient avec vivacité. C'était à peine si l'on croisait quelques groupes épars, çà et là. D'autres groupes s'activaient à détruire les restes noircis et lugubres des bûchers, les plus pieux jetant les ossements dans des urnes.

Rue du Héron, Xanthippe mit précipitamment pied à terre. La maison avait-elle été pillée ? Mais la voisine s'était apparemment bien acquittée de son rôle de cerbère. Elle fit le tour des lieux. Tout à coup, Socrate et les enfants entendirent un grand cri. Ils accoururent et la trouvèrent dans la cuisine. Elle tenait par les épaules un garçonnet hâve, mais sain.

Presque nu, il évoquait une apparition.

« Philippe ! répétait-elle. Philippe ! »

Le garçon l'enserrait de ses bras maigres. Il parla enfin.

Mais on comprenait à peine ce qu'il disait, la bouche enfouie dans les plis de la robe de Xanthippe.

« Tout le monde est mort, disait-il. Xéniade. Agaristê. Ma tante. Ils sont tous morts. »

Les enfants s'approchèrent du gamin et le dévisagèrent ; d'abord effarouché, il leur sourit, les yeux pleins de larmes. L'aîné, Sophronisque, alla lui mettre le bras autour du cou, d'un geste enjoué.

« Mais comment est-il entré ? De quoi a-t-il vécu ? » demanda Socrate stupéfait.

Ils l'apprirent bientôt. Ne sachant où aller, Philippe s'était mis en quête de la seule personne qui lui eût témoigné de l'affection : Xanthippe. La voisine l'avait aperçu alors qu'il s'obstinait à frapper à la porte ; prise de pitié, elle l'avait laissé entrer, et elle lui avait apporté chaque jour un bol de soupe de blé, parfois des fruits, un filet de poisson, ce qu'elle pouvait distraire du peu qu'elle avait.

« Il reste ici », déclara Xanthippe, les yeux embués, mais avec résolution.

Socrate hocha la tête et ses fils poussèrent des cris d'enthousiasme.

« Mais il faudra aviser, observa Socrate. Ce garçon hérite de toute la fortune de Xéniade. Il lui faudra donc un tuteur.

— Pas Alcibiade en tout cas ! s'écria Xanthippe avec une vivacité qui fit sourire Socrate. »

Une heure plus tard, on toqua à la porte et Xanthippe vit apparaître la servante qu'Agaristê avait débauchée chez Alkyros.

« Léthô ! »

Le visage de la servante s'éclaira et, apercevant Philippe qui se tenait derrière Xanthippe, elle dit :

« Ah ! il est donc ici. Je m'inquiétais.

— Entre, lui dit Xanthippe. Où étais-tu ?

— À Myrrhinonte. Au plus fort de l'épidémie, j'ai pensé que ma mort ne servirait pas à protéger les autres et je suis partie le plus loin possible. J'avais proposé d'emmener Philippe avec moi, mais sa grand-mère n'a pas voulu. C'est un miracle qu'il ait survécu. »

Elle caressa la tête de l'enfant.

« De si beaux yeux, aussi bleus que ceux de son père, murmura-t-elle.

— Que vas-tu faire, maintenant ? demanda Xanthippe.

— Je ne sais pas. Je viens d'arriver. Je vais chercher un emploi. La maison de Xéniade est déserte et je n'ai plus rien à faire. D'ailleurs, de quoi vivrais-je ? »

Xanthippe réfléchit un moment.

« Veux-tu rester ici en attendant ? Je ne suis pas riche ; je ne peux te donner les gages que te donnait Agaristê. Tu partiras quand tu trouveras mieux. »

Léthô hocha la tête.

« Je peux apprendre à lire aux enfants, dit-elle. Ainsi, je me rendrai utile.

— Tu sais lire ? »

Léthô sourit.

« Oui, mon père était sophiste à Corinthe. J'ai été instruite. Puis capturée en mer il y a huit ans et vendue comme esclave. Mais Alkyros m'avait affranchie. »

Elle regarda Xanthippe d'un air tranquille.

« Et maintenant, si tu le veux bien, je vais aux bains me laver de la poussière de la route. »

La vie parut recommencer comme d'habitude, enrichie même par ce gamin pathétique et tendre et par cette nouvelle compagne.

Les heures suivantes devaient toutefois dissiper cette illusion, une de plus.

18.

L'humiliation du héros

Ayant à peine avalé quelques olives et un morceau de pain, Socrate s'empressa d'aller en ville. Un Athénien qui se respectait ne restait chez lui que pour dormir. Il s'enchanta de longer la colline d'Arès et de revoir les monuments familiers. L'esprit humain est ainsi fait qu'il semble que le malheur des mortels doive aussi atteindre les objets inanimés, se dit-il. Mais les temples de l'Acropole étaient-ils vraiment des objets inanimés ?

Il méditait sur cette question quant il parvint au Stratégéion et s'étonna de l'agitation qui y régnait. Il avisa Scymnos, le chef des hoplites qui était parti en expédition avec Périclès et qui avait donc échappé à l'épidémie, et lui fit signe de la main.

Ils se donnèrent une longue accolade, émus de se retrouver, l'un au sortir d'une campagne militaire, l'autre, d'un fléau assassin.

« Tu en as réchappé, grâce aux dieux !

— Tu y as échappé aussi.

— J'étais avec ma famille à la campagne. Et Périclès ? »

Le visage de Scymnos s'assombrit d'un coup.

« Socrate ! Socrate ! s'écria-t-il avec accablement. Ils veulent le démettre !

— Pourquoi ? demanda Socrate alarmé. Vous avez été vaincus ? Votre expédition...

— Non. Elle n'a pas été aussi triomphale que nous pouvions l'espérer, mais elle a quand même été efficace. Nous avons dévasté la région d'Épidaure, dont nous avons fait le siège sans succès, et nous avons alors exercé nos représailles à Trézène, à Haliées, à Hermionê, et nous avons assiégé Prasies, sur la côte. Victorieusement, cette fois.

— Mais Périclès ? demanda Socrate, plus soucieux du sort de son maître que de récits militaires.

— Ils veulent le démettre pour gaspillage et détournements de fonds ! cria Scymnos.

— Le fléau aurait-il atteint aussi les esprits ? demanda Socrate avec indignation.

— Tes mots sont encore plus justes que tu ne le crois. Les Athéniens tiennent rigueur à Périclès de cette guerre, qu'ils appelaient pourtant de leurs vœux, mais qui leur a amené les réfugiés et avec eux, sans doute, la peste. Oui, comme tu le dis, la peste a atteint les esprits.

— Où est-il en ce moment ?

— Il arrivera bientôt, mais le sort en est jeté. Les stratèges sont tous d'accord. Il ne viendra que pour entendre leur décision. Ah ! Socrate, tu ne sais pas ! »

Et la voix de Scymnos, ce guerrier endurci, se brisa.

« Tu ne le reconnaîtrais pas ! Il ressemble à un vieillard !

— Non, ne me dis pas », articula Socrate d'une voix rauque.

Ainsi le destin découronnait le héros à la fin de sa vie ! Non seulement il lui arrachait du front l'olivier sacré et les lauriers pour les fouler aux pieds, mais il lui enlevait encore son honneur ! Mais quel était ce dieu cruel qui punissait Périclès d'avoir contribué plus que tout autre à la splendeur d'Athènes ? Et si puissant qu'il parvenait à contrecarrer les desseins de la protectrice même de la ville, Athéna ? Ces dieux, qui étaient-ils ? Des entités capricieuses et privées de raison ? Sans trop savoir pourquoi, il pensa aux imprécations de Xanthippe contre les hommes.

« Nos interventions tout autour du Péloponnèse et à l'intérieur même des terres ont été efficaces, reprit Scymnos. Elles ont convaincu les Lacédémoniens de se retirer. On prétend cependant qu'ils sont surtout partis parce qu'ils ont appris que la peste sévissait à Athènes et qu'ils en ont eu peur. En tout cas, nos gens peuvent retourner sur leurs terres. »

Il soupira.

« Tiens, le voilà qui arrive. Viens, il sera content de te voir... »

Et les deux hommes se dirigèrent vers leur chef.

Socrate peina à reconnaître dans cet homme voûté, émacié, aux traits creusés, à la démarche lourde, le héros qu'il avait vu pour la dernière fois un mois auparavant. Périclès leva les yeux vers lui et esquissa un sourire.

« Je t'ai envoyé un émissaire ce matin, lui dit-il. Je suis content que tu aies échappé au fléau. Viens, montons : tu vas assister à ma démission. Ils viennent d'achever leurs délibérations et je sais qu'elle est décidée. »

Alcibiade l'escortait, le visage grave. Socrate et lui se donnèrent l'accolade.

Ils gravirent pesamment l'escalier qui menait à l'étage et prirent leurs places comme à l'accoutumée. Un silence de mort régnait dans la salle. Le doyen des stratèges, Naumarchos, qui avait échappé à la peste, se leva[1].

« Le Conseil des Dix a délibéré ce matin, commença-t-il d'une voix lente, accentuant chaque mot, au sujet des accusations portées par le Conseil des Cinq Cents, représentant du peuple, contre le stratège Périclès. Ces accusations portent sur les fonds détournés du trésor de la Cité pendant les quinze dernières années. »

---

1. Ni Thucydide, ni Diodore de Sicile, ni Plutarque, qui sont nos principales sources d'informations sur Périclès et son temps, ne mentionnent cette séance, qui cependant dut nécessairement avoir lieu, ni les raisons pour lesquelles ses collègues décidèrent de démettre Périclès. Nous ne connaissons la gravissime et injuste accusation de « vol » que par Platon : Périclès n'avait apparemment pas jugé nécessaire de justifier par écrit les dépenses engagées pour la construction des bâtiments de l'Acropole et d'autres édifices, y compris les Longs Murs, estimant qu'elles se justifiaient d'elles-mêmes. Par ailleurs, il ne pouvait théoriquement prélever sur le trésor d'Athéna, constitué par les tributs des cités vassales, que la soixantième partie, et il en avait soustrait beaucoup plus pour ses grandioses travaux. Précisons que, né en 427 avant notre ère, donc trois ans après la démission du stratège, Platon ne pouvait connaître l'accusation de vol que par son maître Socrate.

La paupière lourde, Périclès hocha la tête : les quinze années au cours desquelles il avait été régulièrement réélu au Conseil des Dix.

« Vérification faite par les délégués du Conseil de l'Assemblée et ceux du Conseil des Dix, il manque douze mille talents au trésor d'Athéna. Étant donné que le stratège Périclès n'était pas habilité à utiliser le trésor d'Athéna sans l'autorisation expresse du Conseil des Dix, étant donné également qu'il est incapable de fournir les pièces qui justifient les dépenses qu'il prétend avoir consacrées à l'érection de divers bâtiments de cette ville et qu'il s'est comporté comme un monarque, agissant de son propre chef, nous, stratèges du Conseil des Dix élus par la Cité d'Athènes, décidons en ce jour de démettre Périclès de ses fonctions de stratège. En outre, nous le condamnons à payer une amende équivalente à la somme qui manque au trésor d'Athéna. »

Naumarchos se rassit. Personne ne tourna la tête vers Périclès, tous les regards convergeant vers un point infini, au centre du demi-cercle autour duquel ils étaient assis.

« Je demande la parole, dit Périclès.

— La parole t'est accordée », répondit Naumarchos.

Périclès se leva.

« Tous ceux qui sont présents dans cette salle, commença-t-il, savent pertinemment qu'il n'est pas une seule obole du trésor d'Athéna qui m'ait enrichi. Vous me demandez les preuves de l'évidence : avec quel argent ont pu être construits les édifices qui font l'orgueil de cette ville et dont la beauté devrait pourtant rejaillir sur vous ? Je n'en citerai que quelques-uns. Militaires, comme les Longs Murs, religieux sur la Colline sacrée, comme le Parthénon, l'Érechtéion, les Propylées et la statue d'Athéna, civils comme cette maison même où nous siégeons et le Tholos, destiné au Conseil des Cinq Cents, fontaines, drainage de l'Académie... C'était avec l'argent qui nous revenait du fait de notre puissance. Ne revenait-il pas à Athènes de célébrer ainsi sa piété, sa puissance et son souci du bien-être de ses citoyens ? Je vous laisse en décider dans vos consciences, et non dans cette assemblée. L'on m'accuse d'avoir fait procéder à ces constructions de mon propre chef. C'est un mensonge. Les actes enregistrés par notre bureau de greffe montrent que chacune des constructions a été votée par vous tous et approuvée par l'Assemblée. Bonsoir. »

Il se leva et se dirigea vers la porte. Là, neuf paires d'yeux se tournèrent brusquement vers le héros. C'était une part de leur vie, une part de l'histoire de la Cité, qui s'éloignait de ce pas lourd. Quelques visages furent défigurés par l'émotion. Périclès avait déjà ouvert la porte, son secrétaire Alcibiade, Scymnos et Socrate le suivaient, quand un cri jaillit : « Périclès ! » Mais il avait déjà franchi le palier dallé et il descendait l'escalier, muré dans sa dignité blessée.

Un tumulte inattendu emplit alors la salle des délibérations. Il dura jusqu'au soir.

19.

« Le *démos* est-il une femme ivre ? »

S'il avait connu la raison de ce tumulte, Périclès en eût-il été vengé ? L'ingratitude ne s'oublie pas parce qu'elle a été suivie de contrition, pas plus que la grimace quand elle est suivie d'un sourire : elle a révélé la noirceur de la nature qui l'a faite.

Toujours est-il que la dignité du stratège déchu avait rappelé à ses collègues la grandeur du personnage. Des cris éclatèrent :

« Naumarchos, tu nous as fait commettre une infamie !

— Nous portons tous le poids de cette honte, courons le rappeler ! »

On manda, en effet, des secrétaires rappeler Périclès, mais ils ne le trouvèrent pas, car il avait pris un autre chemin que d'habitude.

Naumarchos et ses deux partisans protestaient contre ce retournement et avec d'autant plus de véhémence qu'il était aussi soudain.

« Vous êtes donc des girouettes ! Cet homme a dilapidé le bien de la Cité ! Ressaisissez-vous !

— Ressaisis-toi toi-même ! Tu n'as fait que nous tromper par des arguments fallacieux pour accomplir ta vengeance !

Toi et les oligarques, vous ne pardonnez pas à Périclès d'avoir fait déporter vos congénères de Milet ! Vous êtes ses ennemis depuis qu'il a fait achever les Longs Murs [1] !

— Nous devrions y déporter tous les oligarques, à commencer par Naumarchos ! s'écria un autre stratège.

— Les ennemis de Périclès sont les ennemis de la démocratie et les alliés de nos ennemis ! Nous savons bien que vous êtes les admirateurs des Spartiates !

— Tu es l'ennemi de la démocratie, Naumarchos !

— Mais c'est une infamie ! Je vais en référer au tribunal du Peuple ! » clamait Naumarchos, effrayé par la violence de la réaction.

Un revirement analogue se produisit un peu plus tard de l'autre côté de la rue, au Tholos, où siégeait le Conseil de l'Assemblée, quand un secrétaire du Stratégéion vint annoncer que Périclès avait été démis. On escomptait une explosion de joie, ce fut la consternation.

« Qu'allons-nous devenir sans lui ? demanda d'une voix morne l'un des prytanes [2]. Il nous a guidés pendant quinze ans. Qui est en mesure de lui succéder ?

— Personne, répondit un autre. Pourquoi avons-nous demandé sa démission ?

— Etes-vous devenus fous ? protesta un troisième. Il nous gouvernait comme un autocrate. Il a gaspillé l'argent public ! N'en avons-nous pas convenu ?

— Oui, mais il ne pensait qu'à la Cité...

— Et à Aspasie !

— Il faut lui demander de revenir...

— Folie ! »

Bref, c'était la même pièce qui se jouait avec d'autres acteurs. De retour chez lui, pensif, découragé, Socrate alla s'asseoir dans le patio et se laissa aller à de mornes méditations. Les enfants n'osaient pas l'approcher tant il était triste.

---

1. Les oligarques étaient, en effet, hostiles aux Longs Murs parce que, en faisant d'Athènes une place forte, ils donnaient l'avantage aux soldats, les hoplites, et aux marins-rameurs, les thètes, qui constituaient à leurs yeux des classes « inférieures ». Ils en souhaitaient donc la destruction.

2. Membre du Conseil.

« Qu'as-tu ? demanda Xanthippe.

— Ils ont démis Périclès. »

Elle demeura silencieuse un long moment.

« Pourquoi ? demanda-t-elle enfin.

— Ils l'accusent d'avoir puisé dans le trésor pour construire les temples et d'autres édifices publics.

— Mais il est très riche, observa Xanthippe. Il n'a pas besoin du trésor pour s'enrichir. Ces hommes n'ont donc pas de bon sens ? »

Socrate hocha la tête. Elle lui mit la main sur l'épaule. Il soupira. C'était donc cela aussi, un ménage. La compassion et la solidarité quand les autres sentiments s'étaient éteints.

« J'ai autre chose à te dire, déclara Xanthippe. J'ai appris par la voisine et d'autres femmes que la peste n'a pas complètement déserté la ville. Elle est seulement devenue moins violente, et il semble que des gens en réchappent. »

Mais même la menace du fléau le laissait indifférent. Vers le soir, Xanthippe revint lui annoncer qu'elle avait réussi à se procurer de la petite friture, celle qu'il aimait. Il sourit et elle parvint à le faire asseoir avec elle et les enfants pour partager le repas du soir. Il paraissait avoir retrouvé un peu de sérénité quand il caressa la tête des enfants, s'attardant sur celle de Philippe.

« Demain, lui dit-il, je m'occupe de toi. »

Le lendemain, une surprise l'attendait. Sitôt qu'il apparut sur l'Agora, se dirigeant vers le Conseil de l'Assemblée, les informateurs et secrétaires de Périclès, désormais désœuvrés, se précipitèrent vers lui.

« Tu ne sais pas ! s'écrièrent-ils à l'unisson. Après que le stratège et toi avez quitté le Stratégéion, il s'est produit un revirement extraordinaire au sein des deux Conseils ! »

Ils le lui racontèrent et conclurent :

« Il faut absolument prévenir Périclès. Viens avec nous !

— Non, répondit Socrate, tout cela est trop soudain. Périclès est découragé pour le moment. Si vous allez lui dire que l'humiliation qu'il a subie n'était qu'un mauvais rêve, il vous répondra que sa dignité lui interdit de revenir au Stratégéion et que sa décision est prise. Que l'un de vous aille plutôt prévenir son ancien pupille, Alcibiade. De toute façon, c'est aux Conseils qu'il appartiendra de lui faire part de leur revirement. Qu'ils boivent leur coupe jusqu'à la lie et qu'ils lui adressent deux délégations distinctes. Si vous avez besoin de moi, je serai pour deux ou trois heures à la buvette du Stoa. »

Puis il entra au Conseil, afin d'exposer le cas du petit-fils de Xéniade et demander la nomination d'un tuteur. Les formalités d'enregistrement de sa requête lui prirent la plus grande partie de la matinée. Il en sortit longtemps après midi, et se dirigea vers le Stoa pour y prendre un rafraîchissement comme jadis. Plusieurs des commerces étaient encore fermés, mais la buvette qui lui était coutumière avait rouvert et le tenancier lui fit un accueil enthousiaste. Ceux qui avaient traversé l'épidémie se comportaient, en effet, comme les survivants d'un siège ou d'une bataille, liés par une solidarité nouvelle. Il demanda comme jadis, oui c'était jadis, des galettes au sésame et du fromage, et écouta d'une oreille distraite la chronique des morts et des horreurs que lui dévidait le tenancier. En réalité, la seule chose qui l'intéressait était de savoir si et quand les deux Conseils se décideraient à envoyer des délégations à Périclès et ce qui s'ensuivrait. Et soudain, il cligna des yeux : au milieu d'un groupe de soldats qui se dirigeaient vers la buvette et fanfaronnaient non loin de là, il reconnut Téléclidès, l'assassin de Philippide. Celui-là avait survécu non seulement à la guerre mais à la peste qui, selon le tenancier, avait également frappé de nombreux marins de la flotte.

Les soldats s'attablèrent et Socrate réprima un sursaut d'indignation. Ce n'était rien que Téléclidès, un misérable petit assassin bouffi de vanité et de mensonges, un pantin du destin, une marionnette, et tout à coup il fut saisi par le contraste entre l'ignominie du personnage et la grandeur tragique de Périclès. Comment pouvait-on nier l'évidence ? L'un appartenait à la masse vulgaire et l'autre, à l'aristocratie. Qu'ils le voulussent ou pas, les démocrates avaient été gouvernés par un aristocrate, et c'était à cause de son aristocratie naturelle qu'ils s'apprêtaient à le rappeler après l'avoir chassé. Entre les deux, dans la confusion de ses émotions, Xanthippe lui apparut comme ce qu'elle avait semblé être au pugiliste : une incarnation de la justice, une prêtresse de Némésis, en effet. Il la comprit et souhaita un instant disposer de la force surnaturelle qu'Homère prête aux dieux, pour aller saisir Téléclidès par le cou et le précipiter aux enfers.

Ce fut alors qu'arriva Alcibiade, escorté de trois hommes. Téléclidès s'élança vers lui, le visage et les gestes empreints de chaleur, mais Alcibiade se recula pour éviter l'accolade et lui opposa une froideur hautaine. Puis apercevant Socrate, il repoussa son ancien amoureux en lui déclarant : « J'ai à faire. » Téléclidès regarda Socrate et son idole se donner, eux, l'accolade et rejoignit son groupe, la mine sinistre.

« Conseille-moi, dit Alcibiade en s'asseyant en face de Socrate.

— Il faut battre le fer pendant qu'il est chaud, répondit le philosophe. Va sur-le-champ aux deux Conseils pour leur expliquer que leur repentir les couvre déjà de discrédit, car ils montrent qu'ils agissent sous l'empire des sentiments et non sous celui de la raison et du sens de la Cité. Montre-toi dur et même méprisant, mais pas insultant. Je te fais confiance pour cela. Dis-leur qu'ils n'ont qu'une seule chose à faire pour réparer leur erreur et sauver ce qu'il reste de leur crédit : envoyer chacun le plus rapidement possible une délégation à Périclès avant qu'il s'endurcisse dans son dégoût des hommes et de la Cité. Ce soir serait indiqué ; demain dans la matinée me paraît être le dernier délai. Le temps qu'ils choisissent les membres de leurs délégations, rends-toi le plus rapidement possible chez Périclès et explique-lui que sa grandeur ne saurait être atteinte par la vilenie et les intrigues de quelques jaloux. Si on lui offre de reprendre son poste de stratège, il doit le faire pour le bien de la Cité.

— Viens avec moi, demanda Alcibiade, tu maîtrises l'éloquence mieux que moi.

— Je veux bien t'accompagner chez Périclès, mais pas devant les Conseils. Il faut que l'initiative vienne de toi. Je te soutiendrai auprès du stratège s'il le faut, mais je souhaite que tu t'affirmes auprès de lui comme un homme digne d'avoir été son pupille. »

Alcibiade hocha la tête, puis il adressa un sourire entendu à son maître.

« Tu veux que je montre publiquement mon courage, c'est cela ? »

Socrate sourit à son tour.

« Une demi-heure te suffira pour admonester chacun des Conseils. Je t'attends ici. Nous irons ensuite chez Périclès. »

D'un mouvement du menton, Alcibiade signifia qu'il approuvait ce plan. Puis il se pencha vers Socrate et lui demanda avec une colère contenue :

« Le *démos* est-il une femme ivre ? Quand je vois l'ingratitude de la démocratie à l'égard de Périclès, et puis ces volte-face soudaines, je me dis que les oligarques ont raison ! On ne peut pas laisser le pouvoir à ces gens-là !

— Prends garde, murmura Socrate. De tels propos ne conviennent ni au pupille de Périclès, ni aux circonstances.

— Tu m'en reparleras ? Dis-moi, tu m'en reparleras ?

— Je t'en reparlerai », convint Socrate.

Le jeune homme se leva et rejoignit son escorte. De sa table, Téléclidès le suivit d'un regard ténébreux, puis se tourna vers Socrate, à qui il adressa un sourire misérable. Mais il ne trouva en échange que le bleu glacial des yeux du philosophe.

Xanthippe avait raison, songea Socrate. Elle avait eu raison tout le temps, et elle avait de plus en plus raison. Ce lémure devait être écrasé. Mais il y avait plus urgent.

Les hoplites qui accompagnaient Téléclidès échangeaient sans doute des plaisanteries, car ils éclatèrent soudain de rires bruyants et gras. Mais quel sentiment exprimait le rire ? Celui de la supériorité ? Les dieux, sans doute, pouvaient rire. Chez des humains, ce mouvement de la face exprimait secrètement la cruauté.

20.

Le coup de pied de l'âne

Quand il vit revenir Alcibiade, Socrate comprit à sa démarche, puis à son expression, que l'ancien pupille du stratège n'avait pas remporté le succès espéré. Peut-être, se dit incidemment Socrate, Alcibiade n'était-il pas non plus le héraut idéal pour défendre Périclès, car, en dépit des félicitations qu'il avait obtenues pour sa bravoure au siège de Potidée, sa renommée devait plus à ses excentricités qu'à sa compétence politique. Le jeune homme s'assit et expliqua qu'à son avis les deux Conseils ne voulaient pas perdre la face par un retournement trop rapide. Il reviendrait aux partisans de Périclès d'organiser dans l'opinion le mouvement susceptible de ramener le stratège aux affaires et rendre crédible le revirement de ceux qui l'en avaient chassé.

Périclès, de son côté, n'était guère enclin à entendre les appels, somme toute confus, qui demandaient son retour. Au cours de quelques banquets chez Aspasie et Alcibiade, ainsi que chez certains de ses partisans, il montra un visage las et une humeur lente à la repartie. Et l'eût-on aimé, l'on eût dit qu'à la fin il avait vieilli. À soixante-quatre ans d'une vie remplie à ras bord.

Un soir, chez Aspasie, en présence de ses amis les plus

fidèles, dont Alcibiade et Socrate, Protagoras lui demanda s'il ne craignait pas, en s'abstenant de répondre à ses partisans, de mettre en péril les idées qu'il avait défendues, puisqu'elles se trouvaient désormais sans champion.

« Quelles idées ? demanda négligemment Périclès, en considérant le rhyton vide qu'il tenait à la main.

— La démocratie, précisa Protagoras.

— Quand je vois la manière dont elle traite ses serviteurs, je me dis qu'un tyran montrerait plus de gratitude. »

Socrate s'abstint de relever cette réponse amère et il songea à la question que lui avait posée Alcibiade : « Le *démos* est-il une femme ivre ? » Le stratège et Alcibiade étaient donc à l'unisson. Mais les mots de Périclès furent entendus et Alcibiade se risqua à déclarer :

« En effet, un roi de Sparte ne t'eût pas traité de la sorte. »

Ce que personne ne releva non plus. La réponse était gênante, car elle donnait tacitement raison aux ennemis de Périclès, les oligarques, qui montraient une grande admiration pour le régime de Sparte. Par chance, les domestiques entrèrent à ce moment-là pour changer les tables et apporter les desserts.

Socrate faisait plus ou moins fidèlement la chronique de ces petits événements à Xanthippe. Car, depuis l'affaire de Téléclidès, il s'était pris d'une secrète admiration pour son épouse. Il ne la lui eût jamais avouée, de crainte de lui consentir un avantage redoutable, mais il faisait volontiers son profit des réflexions qu'elle laissait échapper.

« Vous, les hommes d'Athènes, observa-t-elle un jour, vous êtes des hypocrites. Ainsi, les partisans de Périclès se présentent comme les défenseurs du peuple, alors qu'ils sont des aristocrates qui traitent le peuple comme une masse d'enfants attardés. Et les oligarques, pleins du même mépris pour le peuple, s'imaginent qu'ils vont lever des soldats et des marins dévoués parmi des gens qui savent fort bien qu'ils sont l'objet de leur mépris.

— Et quel serait le remède ? demanda-t-il, méditatif.

— Voudrais-tu faire de moi une conseillère politique ? »
demanda-t-elle.

Ils rirent tous les deux.

Ce furent les partisans de Périclès qui, de plus en plus
menacés par l'éclipse de leur chef, organisèrent la campagne
qui devait mener à son rétablissement. L'espoir était fou, et
peut-être fut-ce justement pour cette raison qu'il séduisit ce
démos qu'Alcibiade traitait de femme ivre. L'hiver trouva
Athènes pareille à un bateau sans gouvernail. Les neuf stratèges, qui n'avaient toujours pas remplacé Périclès puisqu'ils
ne pouvaient le faire avant les élections du printemps, avaient
beau plastronner, aucun d'eux ne possédait le charisme du
chef qu'ils avaient chassé. L'Assemblée leur devint de plus
en plus hostile. S'ils s'aventuraient à prendre la parole pour
défendre leurs entreprises militaires, il se trouvait toujours
quelques insolents pour leur lancer :

« Et Périclès, qu'est-ce qu'il en dit ? »

Et dans la rue, les malfrats, qui n'étaient pas plus bêtes
pour être malhonnêtes, leur jetaient :

« Alors, compère, tu sors sans ta maman ? »

Le Conseil de l'Assemblée, qui ne représentait finalement rien de plus que des notables de province inféodés à
leurs clans et qui ne s'encombraient pas de considérations
abstraites, en faisait les frais. Dès qu'un conseiller allait dans
ses terres vérifier les comptes de ses métayers, il se faisait inter-
peller, et souvent sans ménagements :

« Qu'est-ce qu'on apprend ? Que vous avez chassé Périclès ? Vous êtes fous ou quoi ?

— Il avait puisé dans le trésor d'Athéna pour construire
les temples et...

— Où donc vouliez-vous qu'il prenne l'argent nécessaire ? »

Était-ce bien, était-ce mal, mais pour eux, le pouvoir,
c'était Périclès, et les autres étaient au mieux des lieutenants,
des bavards ou des envieux. Dans les campagnes, le sentiment
est aussi tranchant que le verbe, et les gens de la terre ne sont
pas des juristes.

La fin de l'hiver fut donc inconfortable pour ceux qui

avaient cru pouvoir se dispenser de Périclès. Comme le disait la rue, ils avaient montré leur cul. Le printemps, lui, fut franchement acide. Quand il se montrait en public, ce qui était rare, des attroupements se formaient pour suivre Périclès et les Athéniens lui criaient : « Quand reviens-tu aux affaires ? » À juger par la popularité du stratège déchu, il était clair qu'aux prochaines élections Périclès serait réélu avec un majorité si écrasante que son pouvoir dépasserait celui dont il avait disposé auparavant. Il ne serait plus un des dix stratèges, mais un tyran. Mieux valait, se dirent les deux conseils, feindre la magnanimité et se donner l'apparence de l'avoir rétabli eux-mêmes.

Trois semaines avant les élections, ils réunirent en hâte deux délégations et les envoyèrent à celui qu'ils avaient démis. Le stratagème était grossier, mais le réalisme de Périclès s'était affermi dans l'adversité.

« Je vois bien, leur répondit-il finaud, que vous ne pouvez pas faire autrement, et moi non plus. »

Tout penauds, les délégués firent mine d'avoir été entendus et lancèrent des vivats un peu forcés, scellant ainsi l'acceptation de Périclès.

Au cours des mois écoulés, Athènes avait été atteinte dans sa chair, son humeur et son esprit. Dans sa chair par la peste, dans son humeur par la perte de confiance en elle-même, par les crimes que les gens avaient commis dans le désespoir de l'épidémie et le sentiment que les dieux l'avaient abandonnée. Dans son esprit, enfin, par l'indigne rejet de l'homme qui l'avait portée au faîte de la gloire et de la puissance.

Quand Périclès fit savoir, par la bouche d'Alcibiade, qu'il acceptait de reprendre son poste de stratège, quand il fut revenu au Stratégéion et que les Athéniens entourèrent l'édifice et emplirent l'air de leurs ovations, on put croire que l'heure de la convalescence avait sonné pour la Cité et l'Empire.

Le soir même où Périclès reprit son siège, des Athéniens riches (même de ceux qui n'étaient pas ses partisans, car ils espéraient ainsi faire oublier leur trahison) firent servir des banquets pour le peuple sur l'Agora, éclairée par des centaines de torches supplémentaires. Les gens qui se terraient encore chez eux, selon les habitudes prises pendant l'épidémie, affluèrent sur ce vaste espace qui était le centre de leur monde. Des musiciens firent entendre, pour la première fois depuis de longues semaines, des airs charmants dans l'air adouci du printemps. Danseurs et acrobates payés par les mécènes égayèrent les badauds. Le Pirée aussi étincela de lumières jusque tard dans la nuit.

Xanthippe avait demandé à assister à ces festivités, et Socrate l'y emmena donc avec leurs fils et Philippe. Celui-ci ne lâchait pas la manche de sa mère adoptive, et Socrate s'émerveillait à part lui de l'affection qui les liait, aussi forte que si c'était elle qui l'avait porté dans son ventre. On traversait des fumées odorantes, car des restaurateurs avaient improvisé çà et là des abris sous lesquels les uns faisaient cuire du poisson, de la volaille, des brochettes d'agneau, et les autres servaient des salades d'oignons, de raves, de concombres, de fromage. Les buvettes de vin et de bière faisaient florès. Des bouffées de parfums jaillissaient aussi au hasard des déambulations : le jasmin dont des vendeurs à la sauvette avaient tressé des guirlandes ou la saumure des jarres d'olives.

Alors que la nuit répandait ses étoiles sur le monde, Périclès lui-même fit une apparition, entouré d'un groupe de partisans. Mille mains se tendirent pour lui offrir un verre de vin, une brochette d'oiseaux grillés, un quartier de poulet. On faillit l'étouffer. On lui demanda un discours, il promit de le faire le lendemain. Certains crurent reconnaître Aspasie à son côté mais rien n'était moins sûr. En revanche, entouré d'une cour d'athlètes et de séides de son hétairie, Alcibiade, lui, était bien présent, le visage aussi radieux qu'Apollon, même si son sourire était nuancé d'une teinture de sarcasme.

Xanthippe n'avait jamais veillé si tard. Socrate redoutait qu'elle rencontrât par hasard Téléclidès dans la foule ; le sort lui épargna cette épreuve. Car elle n'avait pas oublié sa vengeance et avait interrogé à plusieurs reprises son époux avec une fausse désinvolture :

« Et ce Téléclidès, tu ne l'as pas revu ?

« — Non, et d'ailleurs comment le reconnaîtrais-je ? » avait-il répondu chaque fois, préférant le mensonge à une explosion de colère ou à de nouvelles menées aussi dangereuses que celles qui consistaient à aller effrayer des pugilistes.

Ce ne fut que lorsque les enfants commencèrent à se frotter les yeux qu'elle décida de rentrer. Elle avait vu la fête, elle avait même ri au spectacle des danseuses et surtout des acrobates, mais il n'était pas dans ses habitudes de bambocher.

« Quand tu regardes ces gens, lui dit son époux, on croirait que c'est toi, la mère de la Cité.

— Hier, tu me prenais pour une prêtresse de Némésis, aujourd'hui tu me compares à Athéna ! »

Légèrement pris de vin, ils rirent tous les deux et ce fut l'un de ces soirs trop rares où ils se rappelèrent qu'ils étaient époux. Les enfants étaient débordés par tant de merveilles et ils avaient décidé tous trois qu'ils seraient plus tard acrobates.

Ils s'éveillèrent tard le lendemain, et encore parce qu'un bâton inconnu assénait des coups sonores à la porte principale de la maison. Xanthippe accourut la première, suivie de l'esclave alarmée.

Le ciel était limpide et l'air frais. Le contraste n'en fut que plus saisissant avec le visage convulsé de l'émissaire qui demanda à voir Socrate sur-le-champ.

Il arriva, quelque peu hirsute, et reconnut l'un des deux secrétaires de Périclès.

« Socrate..., haleta l'homme, Xanthippe, le fils de Périclès est mort ce matin... de la peste ! Et Paralos aussi est atteint ! »

Les deux fils légitimes du stratège... Socrate manqua d'air.

« Je suis venu t'informer de ma propre initiative... reprit le secrétaire. Périclès n'ira pas ce matin au Stratégéion. Informe Alcibiade. »

Socrate hocha la tête et referma la porte. Il se retrouva face à face avec Xanthippe.

« Je t'avais dit que le fléau ne s'était pas enfui, dit-elle.

— Pourquoi faut-il que le destin frappe de nouveau Périclès ! murmura Socrate le regard soudain noir au fond des orbites. Xanthippe, Xanthippe ! Je t'en supplie, n'invoque plus jamais Némésis ! »

Quand Socrate la leur porta, la nouvelle répandit la consternation non seulement dans les deux conseils mais dans toute la ville. Les Athéniens venaient tout juste de rappeler leur plus grand stratège après l'avoir humilié, et c'étaient les dieux, cette fois, qui le frappaient ! Athènes allait-elle perdre son plus illustre défenseur alors même qu'elle venait de le récupérer ?

En dépit de l'appréhension que lui causait la peste, non tant pour lui que pour les siens, Socrate se rendit à la demeure où résidaient l'épouse répudiée de Périclès et les deux fils qu'il avait eus d'elle. Une foule s'était amassée devant la porte, comme pour une veillée funèbre, sous le ciel limpide de l'Attique avant l'automne. Des murmures couraient de groupe en groupe. Socrate se fraya un passage. Il parvenait au vestibule intérieur quand des cris retentirent. Il s'arrêta, interrogea un esclave.

« L'autre aussi est mort », murmura le domestique.

Que Xanthippe fût mort, passait encore, pour ainsi dire ; lui et son père étaient brouillés depuis longtemps, le fils reprochant à son père d'avoir écarté sa mère pour une femme galante, et, d'autre part, il jetait l'argent par les fenêtres, au point que son père avait décidé de ne plus payer ses dettes. Mais Paralos ! Le beau Paralos, que la chance avait comblé de dons et de vertus, et qu'une affection sans défaut unissait à son père ! C'en était trop ! Chacun le pensait sans le dire et ressentait la mort du cadet avec autant d'acuité que si le jeune homme avait été son frère ou son fils.

Socrate avança et aperçut Périclès, que soutenaient des amis, des parents, des domestiques. Le héros sanglotait. Socrate tendit les bras vers lui. Aucune parole n'aurait servi à rien. Le philosophe s'avança vers la salle d'où sortait le stratège. Vingt ou trente personnes s'y tenaient autour des cadavres de deux jeunes hommes, le front garni de la couronne funèbre. Quelques sanglots ponctuaient seuls le silence.

Socrate gagna en hâte la sortie. Il croisa Alcibiade, Sophocle et Protagoras, qui venaient d'arriver.

« Ce n'est pas l'histoire d'un homme que celle de Périclès, leur dit Sophocle d'une voix rauque. Je vous le dis, c'est l'histoire d'un duel avec le destin.

— Alors, dit Alcibiade, livide, les dieux sont des ânes, car ce que vient de recevoir cet homme admirable, c'est le coup de pied de l'âne. »

Protagoras baissa les yeux et murmura :

« Peut-être sont-ce des ânes, en effet. S'ils existent. »

21.

Rideau

Deux semaines plus tard, un banquet réunissait chez Callias les amis de Périclès, à l'exception de ce dernier, auquel son chagrin, disait-il, interdisait de sortir de chez lui pour autre chose que pour ses tâches de stratège.

« Il lui reste heureusement le fils qu'il a eu d'Aspasie, observa le maître de céans.

— Mais Aspasie est une métèque, objecta Alcibiade. Et il a lui-même fait voter jadis une loi qui refuse le titre de citoyen à quiconque n'est pas né de deux citoyens.

— Pour être précis, intervint Socrate, cette loi interdit non pas le titre de citoyen, mais les droits politiques afférents. Ce qui revient au même, si vous voulez, mais ce détail pourrait offrir à Périclès la possibilité d'une astuce juridique.

— Il lui reste donc, soit à faire abroger cette loi, observa Protagoras, soit à faire passer un décret d'exception conférant la citoyenneté au jeune Périclès.

— À *tenter* de faire passer, précisa un autre convive. »

Callias fit la moue.

« Un tel décret, s'il était accepté, renforcerait les accusations d'excès de pouvoir qui ont si souvent été portées contre

Périclès. Je ne sais ce que tu en penses, Alcibiade, toi qui le vois souvent... »

Les yeux baissés, Alcibiade considéra son rhyton à moitié vide, le visage empreint d'une gravité dont il n'était pas coutumier, et répondit :

« Il a beaucoup vieilli. Et le jeune Périclès est celui de ses fils qu'il voit le plus souvent. C'est à croire qu'il l'éduque pour le pouvoir. Lui et Aspasie lui font régulièrement rencontrer des hommes d'expérience, comme Protagoras et Socrate, mais aussi des hommes d'influence, et ils encouragent les conversations sérieuses avec eux. De plus, un homme comme Périclès ne peut admettre que sa lignée s'arrête avec lui, surtout pas sa lignée politique.

— Tu veux dire qu'il plaidera pour un décret d'exception, dit Callias. Nous ne sommes donc pas sortis d'affaire, car cela provoquera encore des remous. »

Ils méditèrent quelques instants en silence, puis Callias demanda à Alcibiade s'il se rendrait cette année, aux Grandes Dionysies [1].

« Certes, affirma Alcibiade, j'y vais avec Sophocle. La dernière fois que nous en avons parlé, il m'a dit qu'il y ferait représenter sa dernière tragédie.

— En connais-tu le titre ? demanda Socrate.

— *Œdipe-Roi*. C'est l'histoire d'un homme dans un pays ravagé par un fléau mystérieux, répondit Alcibiade avec un léger sourire. Cet homme, Œdipe, est persécuté par le destin et commet des meurtres dont il n'est pas responsable. Et plus il se révolte, plus il est impuissant. Je n'en sais pas davantage. »

Socrate sourit aussi et parut songeur.

« Mais c'est l'histoire de Périclès ! s'écria Callias. Sophocle l'a sans doute écrite tout récemment [2] !

— En effet, convint Alcibiade. Sophocle a d'ailleurs

---

1. Fêtes religieuses annuelles en l'honneur du dieu Dionysos, qui se déroulaient à divers moments de l'année et en de nombreuses villes de l'Empire grec, mais dont les plus célèbres étaient celles qui étaient organisées fin mars, près d'Athènes, et qui étaient accompagnées de représentations théâtrales. À ces fêtes, auxquelles les cités alliées et vassales étaient tenues d'envoyer des délégations, celles-ci apportaient également les tributs en argent et en céréales convenus par traités.

2. *Œdipe-Roi* date, en effet, de 430 avant notre ère, l'année de la destitution de Périclès.

invité Périclès. N'oublie pas que Sophocle a été stratège lui aussi, il y a dix ans. Il m'a confié, à propos des événements que nous savons, qu'il était heureux de ne pas s'être représenté aux élections.

— Décidément, Périclès semble être l'incarnation de cette ville ! s'écria Protagoras. De quelque sujet que nous parlions, nous en revenons toujours à lui.

— On me dit qu'on voit beaucoup de beautés aux Grandes Dionysies, avança Callias, pour changer de conversation.

— Quelle impiété ! s'écria Alcibiade, faussement indigné. En tout cas, elles ne sauraient faire concurrence à la tienne, mon cher Callias. C'est là, il est vrai, que Sophocle a rencontré, l'an passé, le jeune homme qui occupe désormais son cœur, et qui faisait partie de la délégation de Phrygie. »

Le reste du banquet fut pareillement léger, mais chacun se retira de bonne heure, car depuis l'épidémie les gens semblaient ménager leurs forces. De retour chez lui, Socrate trouva Xanthippe et les enfants qui écoutaient la nouvelle servante leur lire *L'Odyssée* à la lumière d'une lampe.

« Némésis s'instruit, lui dit-elle en l'accueillant. Nous sommes aux Enfers avec Tirésias. »

Il sourit, attendri.

« Philippe nous a demandé si c'était là que se trouve son père. Et moi aussi, je songe aux ombres qui hantent ces Enfers », dit-elle en regardant son époux d'un air entendu.

Il hocha la tête et se retira. Elle n'avait donc pas oublié. Mais comment s'y prendrait-elle donc ?

Quelques jours après le souper chez Callias, l'observation de Protagoras sur l'identification d'Athènes à Périclès se vérifia. Le stratège plaida, en effet, en début de séance de l'Assemblée, pour qu'on accordât la citoyenneté à son fils homonyme. Et quelques heures plus tard, la ville entière le savait et l'affaire de « l'autre Périclès » alimentait toutes les conversations. On invitait même les secrétaires pour leur faire réciter des passages de la plaidoirie du stratège.

Et quand les deux conseils accordèrent au jeune Périclès

le privilège que son père demandait pour lui, les vastes espaces de l'Agora se changèrent en mer humaine, chacun voulant voir le héros sortir du Stratégéion accompagné de son fils tandis que ses aides tentaient de lui frayer un passage.

« C'est étrange et terrifiant que le bruit de cette mer, murmura Sophocle à l'adresse de compagnons parmi lesquels figurait Alcibiade. C'est en vérité la mer sur laquelle nous voguons tous à la recherche d'un havre. »

Les feux du couchant illuminaient la scène, jusqu'à en aveugler les témoins. Mendiants et puissants étaient pareillement vêtus d'or avec une munificence dont Zeus lui-même n'eût peut-être jamais rêvé.

On pouvait respirer. La justice publique était rétablie. Cinq jours plus tard, sur la scène du théâtre de Dionysos, au pied de l'Acropole, le coryphée déclamait les dernières paroles d'*Œdipe-Roi* :

« Gardons-nous de dire jamais un homme heureux, avant qu'il ait franchi le terme de sa vie sans avoir subi un chagrin. »

Au premier rang des gradins était assis le même petit groupe sur lequel régnaient Sophocle, Socrate et Alcibiade. Un émissaire arriva, courbé, et se pressa vers ce dernier pour lui murmurer quelques mots à l'oreille. Alcibiade à son tour se pencha vers Sophocle, alors que les applaudissements éclataient. L'expression du poète s'assombrit tout à coup. Il se leva, se retourna vers les spectateurs et leva les bras pour suspendre leurs ovations. Chacun attendit, surpris, la proclamation qu'il avait à faire. Sophocle monta sur la scène et sans féliciter l'acteur qui tenait le rôle du coryphée, il leva de nouveau les bras.

« Athéniens ! »

Le silence se fit.

« Athéniens, l'heure est douloureuse. Périclès est mort il y a une heure. Sa tragédie est terminée ! Nous avons perdu un héros. Nous sommes tous orphelins de père. »

La tête dans les mains, Alcibiade s'efforçait de dissimuler ses larmes.

II.

LA TRAHISON DU FILS

1.

Un sac de nœuds

Ces événements, que les siècles à venir allaient disséquer sans fin et qui allaient changer le destin du monde, n'avaient guère de rapports au premier regard avec Xanthippe et son projet de vengeance. Et pourtant...

Deux éléments totalement indépendants l'un de l'autre allaient lui démontrer d'une part la malice des dieux dénoncée par Sophocle, et de l'autre, la fragilité de la créature humaine par rapport à ses propres desseins.

La malice des dieux voulut que l'homme qu'elle exécrait le plus au monde après l'assassin de Philippide, c'est-à-dire Alcibiade, devînt après la mort de Périclès l'homme le plus en vue d'Athènes et de l'Empire. Un doigt olympien semblait s'être posé sur lui. Il était jeune, vingt ans, il avait été le pupille du grand stratège disparu. C'était comme lui un Alcméonide, famille apparemment destinée à diriger les affaires de la Cité. Depuis près de deux siècles, les Alcméonides servaient Athènes aux plus hautes fonctions, ce qui n'était pas sans leur valoir, chez certains, une furieuse hostilité. Comme le diraient sentencieusement les vieillards du Stoa, plus un homme a de mérites, plus il est jalousé. De surcroît, Alcibiade était brave, il l'avait montré précocement dans plusieurs entreprises militaires, et il était beau, ce qui indiquait que les dieux lui étaient favorables. Enfin, il était riche ; il devait donc être honnête.

Ce dernier point était toutefois sujet à controverse.

Certes, Alcibiade était riche. Mais si l'on prêtait l'oreille à l'un de ces banquiers qui daignaient aller déguster un doigt de chios allongé d'eau à la buvette du Stoa, durant la pause de midi, quand le Conseil des Cinq Cents interrompait ses discussions sur le financement de telle trirème ou de telle opération édilitaire, on pouvait se demander si la fortune du jeune homme était bien ce qu'il y paraissait.

« Dis-moi, demandait l'un de ces banquiers à son collègue, que penses-tu de la situation financière d'Alcibiade ?

— Je me demande justement ce qu'il faut en penser. Il vient de me prier de lui avancer deux cents statères d'or.

— À toi aussi ?

— Pourquoi, il te les a également demandés ?

— Hé oui, hier ! »

Les deux banquiers échangèrent un regard inquiet.

« Je ne comprends pas pourquoi il a besoin de tant d'argent ! reprit le premier. Ses revenus fermiers s'élèvent à plus de deux mille statères par an !

— Et les chevaux de course ? Ce ne sont pas des chèvres ! Il en a dix, qu'il fait concourir partout. Et les frais d'entretien des écuries, les valets, les écuyers, ça coûte cher, tout ça ! Et je ne te parle pas du train de maison, des cuisiniers, des banquets ! Et les vêtements ! Et les objets d'art ! Et le reste ! Ce n'est pas deux mille statères qu'il lui faudrait, c'est la fortune de tous les Alcméonides.

— Et tu les lui as prêtés ?

— Écoute, il n'a pas fini de me rembourser les cent quatre-vingts statères que je lui avais prêtés l'an dernier, et je me pose la question de savoir si je vais encore lui avancer de l'argent. Je voulais justement t'en parler.

— Ce qu'il faudrait savoir, reprit le premier après un moment de réflexion, c'est auprès de combien d'autres il a contracté des emprunts, et de quel montant.

— Exactement ce que je me disais. »

Ils se regardèrent une fois de plus guère contents.

« Oui, mais c'est Alcibiade. Ça va être difficile de lui refuser. »

Bref, Alcibiade avait besoin d'argent. Et cela commençait à se savoir. Même Xanthippe, désormais pourvue de la riche source d'informations que représentait Léthô, le savait.

Téléclidès aussi apprit les difficultés d'Alcibiade. Il s'était jusque-là prudemment retranché à Zéa, près du Pirée, sur les conseils de Ktimenos qui l'avait prévenu que, en dépit de la peste, de méchantes rumeurs continuaient de courir en ville sur son compte. Téléclidès avait donc pris de modestes quartiers dans ce petit port de pêche, où il se languissait, évoquant ses fastes passés devant deux ou trois camarades de beuverie, par-dessus un pichet de mauvaise piquette. Il eût vendu père et mère pour regagner les faveurs d'Alcibiade. Mais la dernière fois qu'il avait approché son idole et amant d'un soir, il avait failli essuyer l'une de ces paires de gifles dont Alcibiade était coutumier.

Puis Ktimenos, qui lui rendait visite une ou deux fois par semaine et qui était son seul lien avec la grande ville, lui apporta un jour des nouvelles extraordinaires.

« Écoute, j'étais hier au bureau des affaires civiles, au Conseil des Magistrats, et l'on m'a demandé si je savais où tu étais, annonça Ktimenos.

— Et alors ? Qu'as-tu répondu ? demanda Téléclidès, inquiet.

— J'ai demandé prudemment ce qu'on te voulait.

— Et alors ?

— On m'a répondu qu'on te recherchait à deux titres... Non, rassure-toi, ce ne sont pas de mauvaises nouvelles. D'abord, le bureau militaire du Stratégéion voudrait te décerner une citation assortie d'une prime, en raison de ton courage lors de la dernière campagne du Péloponnèse. Comme il ne te trouvait pas, le clerc des affaires militaires s'est adressé à son collègue des affaires civiles. Et le même clerc m'a également informé qu'on te cherchait pour une affaire d'héritage et de tutelle. »

Les yeux de Téléclidès brillèrent.

« D'héritage ?

— Pas direct. Mais attends. Comme Philippide et le reste de sa famille sont morts, à l'exception de Philippe, le fils de Philippide, il faut un tuteur à ce garçon. »

Téléclidès se redressa.

« Xéniade est mort ? demanda-t-il.

— Xéniade, sa femme et sa fille ont péri durant l'épidémie. L'héritage est considérable. »

Ktimenos fit languir un instant son compagnon.

« Cinq mille statères de revenus annuels.

— Cinq mille statères ! souffla Téléclidès, confondu.

— Oui. Principal et intérêts confondus, le jeune Philippe sera à sa majorité l'un des hommes les plus riches de toute la Grèce.

— Quel âge a-t-il ?

— Huit ans. Sa fortune, sans compter les intérêts des intérêts, s'élève à cinquante mille statères.

— Cinquante mille statères ! s'écria Téléclidès. Mais il faut que je retourne tout de suite à Athènes.

— Attends, dit Ktimenos en croquant une olive. Les choses ne sont pas si simples. Tu m'as reproché d'en avoir trop dit à cette mégère du temple de Némésis. Je dois donc te prévenir. D'abord, que la tutelle te déléguera certes la gestion de la fortune du gamin, mais qu'elle ne t'autorisera pas à puiser dedans. Ensuite, tu dois savoir que, à part Alcibiade qui ne te porte pas dans son cœur et la fameuse prêtresse de Némésis, il y a deux ou trois personnes à Athènes qui se doutent que c'est toi qui... bref, tu sais. C'est la raison pour laquelle je t'ai conseillé de disparaître d'Athènes pendant quelque temps. »

Il but une rasade du mauvais vin et reprit :

« Sois conscient du risque que tu cours en allant chercher les papiers de ta citation et de la tutelle : tu pourrais bien trouver une dénonciation qui annule l'une et l'autre, et pis encore, te fasse condamner à mort. »

Les épaules de Téléclidès retombèrent. Si proche de la fortune et du glaive tout à la fois !

« C'est un supplice de Tantale ! » grommela-t-il.

Et, se ravisant :

« Mais peut-être peux-tu aller, toi, vérifier s'il y a une dénonciation...

— Je peux le faire, oui. Mais le temps que je vienne t'en informer, elle peut très bien arriver sur le bureau des affaires civiques.

— Que faire ?

— Je ne sais pas. Je me borne à t'informer. »

Ils regardèrent un moment la mer moutonner. Tout à coup, Téléclidès s'écria :

« Il y a Alcibiade !

— Que veux-tu dire ?

— Écoute, reprit Téléclidès, les yeux brillant d'avidité. Tu me dis qu'Alcibiade a besoin d'argent. Or, si je suis riche, je peux le tirer d'affaire. Ktimenos ! Rentre sur-le-champ à Athènes. Va voir Alcibiade, dis-lui que je peux devenir très riche et lui prêter de l'argent, à la condition...

— À la condition ? demanda Ktimenos.

— Qu'il m'aide. Qu'il me protège.

— Alcibiade ? Mais il te déteste ! Malgré leur querelle, il était très attaché à Philippide. Et comment te protégerait-il ?

— Son hétairie est puissante... Il connaît tous les amis de Périclès... Je sais qu'on le considère déjà comme un homme influent... Il peut faire en sorte que je me présente comme tuteur de ce garçon... »

Ktimenos réfléchit un moment, avant de répondre :

« Je ne veux ni te donner de faux espoirs, ni te décourager, mais songe que tu demandes à Alcibiade de mettre en péril son pouvoir politique tout neuf pour une affaire impardonnable.

— Ktimenos, dit alors Téléclidès d'un ton menaçant, Alcibiade courrait autant de risques à me laisser juger qu'à me tirer d'affaire ! Sa réputation n'est déjà pas immaculée ! »

Ktimenos jeta sur l'autre un regard désapprobateur.

« Il ne me paraît pas très habile de menacer ainsi un homme auquel tu demandes une faveur. Mais je vais voir ce que je peux faire », dit-il en se levant.

Téléclidès l'accompagna à la porte et le suivit longtemps

des yeux, jusqu'à ce que les buissons de genévriers le dérobassent à son regard. Puis il retourna s'asseoir, pareil à un chien battu.

À la même heure, Socrate affrontait l'un des dilemmes les plus effroyables de toute sa vie conjugale.

Il était arrivé d'humeur amène au Conseil des Magistrats ; il gagna le bureau du fonctionnaire chargé des affaires civiles afin d'y retirer l'acte qui le nommerait tuteur du jeune Philippe, fils et seul héritier de Philippide, fils et seul héritier de Xéniade, du dème de Cholargos, et le chargerait de veiller avec sagesse à l'administration des biens laissés par Xéniade et de les faire fructifier dans l'esprit d'un père authentique.

Mais le fonctionnaire lui déclara qu'il n'avait pas rédigé cet acte pour des raisons importantes.

« Je me suis informé au Prytanée et à Cholargos, dème auquel appartenait le prytane Xéniade, dont le jeune Philippe est l'héritier. La disparition de Xéniade et de sa famille a causé là-bas une grande émotion, et l'on suit donc ses affaires de succession avec attention. En effet, les domaines de Xéniade étaient vastes et prospères. On m'a répondu qu'il existe de fait un membre de la famille, encore vivant, et qui est selon la coutume habilité à servir de tuteur à l'enfant.

— Ah ? Et qui est-ce ? demanda évidemment Socrate.

— C'est le cousin de Philippide, père de l'enfant. Il se nomme Téléclidès.

— Téléclidès ? parvint à articuler Socrate.

— Oui. C'est un jeune homme de vingt-deux ans, qui a combattu vaillamment lors de la récente campagne du Péloponnèse, sous les ordres du chef des hoplites Scymnos et, bien entendu, du stratège Périclès. Il s'y est distingué, et je suis d'ailleurs informé par le bureau des affaires militaires qu'il est recherché, afin qu'on lui remette cette citation et la récompense qui y est attachée. »

L'idée qu'on donnât pour tuteur à un enfant l'assassin de son père suffoqua Socrate. Il fut incapable de répondre.

« Ce n'est que dans le cas, reprit le fonctionnaire, où ce

Téléclidès serait disparu ou bien s'il renonçait à la tutelle que nous ferions, bien entendu, appel à toi. »

Et il assortit cette réponse d'un sourire.

Socrate resta un long moment immobile dans le couloir, retournant dans tous les sens cette situation aussi imprévue que désastreuse. Il songea que les colères de Xanthippe avaient été mystérieusement inspirées : si Téléclidès avait été dénoncé à la justice comme elle l'avait toujours réclamé, on n'en serait pas là aujourd'hui. Mais comment le faire ? Et sur quelles preuves ?

Or, le destin semble n'être jamais aussi cruel que lorsqu'il vient d'asséner un premier coup à la créature humaine : il lui en délivre un second, voire un troisième, pour s'assurer qu'on a bien reçu son message. Ce fut alors, en effet, que, comme dans un mauvais rêve, il vit arriver Xanthippe au bout du couloir, suivie de Léthô. Il écarquilla les yeux, songeant que tous les trésors de la rhétorique ne lui seraient cette fois-ci d'aucun secours.

« Qu'as-tu ? demanda-t-elle. Tu es aussi pâle que si tu avais vu un spectre !

— Que... qu'est-ce que tu fais dans cet édifice ? parvint-il seulement à articuler.

— Je viens du bureau des affaires militaires. »

Décontenancé, il se demanda ce qu'elle, Xanthippe, pouvait bien avoir à faire avec les militaires.

« Mais... pourquoi donc ? »

Même Léthô paraissait étonnée par le comportement de son maître.

Xanthippe s'impatienta.

« Mais qu'est-ce que tu as donc aujourd'hui ? Un caillou dans la bouche ? Tu as bu ? Je viens régulièrement à ce bureau dans le but d'obtenir des informations sur cette crapule de Téléclidès.

— Ah...

— Et j'apprends aujourd'hui que cet assassin... — Socrate lui fit signe de modérer sa voix — bénéficie d'une citation. Mais je vais aller voir le chef des hoplites pour lui dire, moi, ce qu'il en est ! »

Socrate fit des yeux ronds, épouvanté par la perspective d'une nouvelle complication.

« Et toi, tu as obtenu l'acte de tutelle ? demanda-t-elle en approchant son visage de celui de son époux, peut-être pour flairer son haleine.

— Non, répondit-il d'une voix étranglée.

— Et pourquoi ?

— Parce qu'il reste un membre de sa famille en vie et que celui-là est habilité à être son tuteur.

— Un membre de sa famille ? Qui donc ? Parle, à la fin !

— Téléclidès », répondit-il en la fixant du regard.

Xanthippe poussa un cri d'indignation si épouvantable que plusieurs fonctionnaires sortirent de leurs bureaux. Aidé de Léthô, et terrorisé à l'idée que sa femme se mît à raconter tout haut ce qu'elle savait, Socrate l'entraîna hors du bâtiment.

Une fois dehors, elle donna libre cours à sa fureur. Elle saisit Socrate par la robe et cria :

« Écoute-moi bien, homme ! Je préfère mourir que de donner cet enfant à l'assassin de son père ! Tu m'entends ? »

Les passants se retournaient.

« J'irai le tuer moi-même de mes mains, et ainsi c'est toi qui seras son tuteur ! Je traînerai son cadavre devant l'Aréopage ! Je le ferai tuer par un tueur à gages ! Et j'irai assassiner Alcibiade, le véritable coupable de tout... »

Socrate la bâillonna de sa main.

« Femme, tu fais du scandale, et il ne servira qu'à alerter ceux qui ne doivent pas l'être ! Reprends tes esprits ! » ordonna-t-il.

Elle s'interrompit, haletante.

« Emmenons-la boire de l'eau à la fontaine, dit Socrate. Il ne manquerait plus qu'elle ait une attaque. »

Quand elle eut bu et se fut calmée, Xanthippe éclata en sanglots répétant que les dieux l'avaient abandonnée.

« Némésis, Némésis ! s'écria-t-elle, le poing tendu vers le ciel. Venge-moi, si tu existes ! Écrase tous les salopards qui entretiennent l'injustice dans ce pays ! »

De nouveau les passants se détournaient pour l'écouter ;

et certains même s'arrêtaient, car ils avaient reconnu Socrate. Enfin, elle ravala ses larmes et demanda à Socrate d'une voix menaçante et caverneuse :

« Et maintenant que vas-tu faire ?

— La situation n'est pas tellement urgente, répondit-il posément. Nul ne sait où se trouve Téléclidès, et il est possible qu'il sache que plusieurs personnes le soupçonnent de meurtre. Je ne crois donc pas qu'il se montrera dans les heures prochaines. De toute façon, s'il venait des gens qui recherchent le jeune Philippe, réponds-leur que tu ne sais pas où il est. Confie-le à Léthô, qu'elle aille le cacher chez les voisins. Moi, je vais m'employer à faire condamner Téléclidès.

— Comment ? Ne fais pas de mystères, je ne le tolérerai pas.

— Je vais chez Alcibiade », dit-il sombrement.

2.

Hercule entre le vice et la vertu

Socrate n'eut pas à attendre longtemps dans le vestibule de la somptueuse demeure. Dès qu'il fut annoncé, Alcibiade vint à sa rencontre.

« Quel rare honneur ! s'écria-t-il après les accolades. Une visite impromptue ! Dis-m'en vite la raison. Et pardonne-moi de garder quelques instants encore un autre visiteur que tu as déjà vu avec moi, lors d'un banquet malheureux. »

Le cœur de Socrate fit un bond dans sa poitrine. Était-ce Télèclidès ? C'était Ktimenos. Les deux visiteurs se firent face un moment, en silence, sans échanger de salut. S'il n'avait écouté que son cœur, Socrate serait parti. Mais il n'était pas seul en cause. Il resta.

Ktimenos lui adressa des paroles de bienvenue d'un air contraint.

La raideur des deux hommes n'avait pas échappé au maître de maison.

« Ainsi, vous vous souvenez l'un de l'autre ? dit-il. Mais vous ne semblez guère enchantés de vous revoir.

— Nous nous sommes déjà revus, dit Socrate en prenant le gobelet d'argent que lui tendait un domestique, tandis qu'un autre le remplissait de vin.

— Vous vous êtes revus ? demanda Alcibiade surpris.

— C'était le lendemain du jour où Ktimenos a avoué à une mystérieuse étrangère, selon lui, une prêtresse du temple de Némésis, qu'il n'avait pu rattraper Téléclidès pour l'empêcher d'assassiner Philippide. L'assassin était en compagnie de Ktimenos et tentait désespérément de se faire engager dans les hoplites le jour même pour échapper à la justice. Afin d'éviter le scandale, Périclès a donné à Scymnos l'ordre de le faire embarquer sur l'un des navires en partance pour le Péloponnèse. »

Alcibiade changea soudain d'expression. Le sourire radieux s'évanouit.

« J'ignorais ces faits. Pourquoi ne me les as-tu pas rapportés, Ktimenos ?

— Ils n'avaient pas de lien avec l'objet de ma démarche.

— Ainsi, dit Alcibiade sombrement, quelqu'un est au courant de la culpabilité de Téléclidès. A-t-on été au temple de Némésis demander à cette prêtresse comment elle en a été informée ?

— Je ne franchirais pour rien au monde le seuil du temple de Némésis ! protesta Ktimenos avec force. Et, de toute façon, je ne crois plus vraiment que cette femme était une prêtresse. Le discours qu'elle m'a tenu...

— Quel discours ? demanda Alcibiade.

— Elle m'a dit que je me souviendrais un jour que j'étais né des entrailles d'une femme. »

Un sourcil de Socrate tressaillit.

« Finissons-en, dit-il avec énergie. Nous sommes désormais cinq à connaître cette culpabilité. Mycilos, le chef des espions de Périclès. Toi, Alcibiade, Ktimenos, moi et cette femme mystérieuse. Un jour ou l'autre, la vérité se saura. Que fais-tu ici, Ktimenos ? Tu es venu plaider la cause de Téléclidès ?

— Comment le sais-tu ? demanda Alcibiade étonné. C'est ton *daimon*[1] qui te l'a soufflé ? »

Il s'assit et soupira.

---

1. Le célèbre génie qui apportait l'inspiration au philosophe, selon ce dernier.

« Oui, Ktimenos est fidèle à ses amis, même dans l'infortune, même quand l'emportement d'un ami a fait de lui un assassin. Il est venu me demander de faire en sorte que Téléclidès puisse se rendre chez les magistrats, pour prendre la récompense qui lui est due en raison de son courage à la guerre...

— ... Et l'acte de tutelle qui ferait de lui le protecteur du fils de sa victime ! tonna Socrate.

— Tu sais donc tout des choses du ciel et de l'enfer ! s'exclama Alcibiade. C'est exact. Parce que la tutelle lui donnera la disposition de l'héritage de Xéniade, qui est considérable.

— Et que Téléclidès pourra te prêter de l'argent », dit sombrement Socrate en posant son gobelet sur un coffre.

C'était l'heure de midi, où la brise marine vient adoucir la terre. Socrate alla à la fenêtre.

« Ta fidélité t'honore, Ktimenos, dit-il lentement. Le bénéficiaire m'est odieux, mais je rends hommage à ta fidélité. Tu la considères comme un serment, et c'est ainsi qu'elle doit être entendue. Mais ce serment est tacitement noué sous la protection de Zeus, et je ne crois pas que les dieux seraient heureux de voir confier un enfant de huit ans à l'assassin de son père. »

Il se retourna. Les deux hommes avaient incliné la tête.

« Alcibiade, je sais que tu as déjà banni Téléclidès de ton cercle. Tu as reconnu son incapacité à résister à ses passions, surtout les moins nobles. Combinant la sottise et l'instinct meurtrier, il a tué Philippide pour te prouver sa dévotion. C'était mal te connaître. De surcroît, je veux te représenter ceci : un homme aussi méprisable pourrait, dans un autre moment de folie, tuer l'enfant dont il serait alors le seul héritier...

— Non ! cria Ktimenos. Donnez-lui une chance... »

Et se tournant vers Alcibiade :

« Il a partagé tes repas, il a partagé ta couche comme moi, il ne voulait que te plaire par un acte de bravoure, après que Philippide t'eut adressé des reproches cinglants...

— Philippide aussi était un ami, dit Alcibiade, levant la main. Et je n'avais pas demandé à Téléclidès de le tuer. Il a agi sous l'empire de l'alcool et de la vanité, et non sous celui de l'amour. »

Socrate hocha la tête. *L'empire de l'amour !* Il le connaissait. Ce n'était pas l'empire de la haine.

« Une seule chance ! plaida Ktimenos.

— Donnerons-nous au serpent la chance de mordre à nouveau ? » répondit Socrate.

Alcibiade se leva et alla serrer Socrate dans ses bras avec une vigueur passionnée.

« Socrate ! Tu es ma conscience ! Non, je ne protégerai pas Téléclidès !

— Bien, dit Socrate. Maintenant, il faut protéger l'enfant, car, se voyant rejeté de toi une fois de plus, Téléclidès montera un stratagème pour devenir tuteur du garçon.

— Veux-tu dire que je dois le dénoncer ? Socrate, je ne le peux pas !

— Dans ce cas, dit Socrate, il faut faire en sorte qu'il se dénonce lui-même.

— Mais comment ? »

Ktimenos les écoutait, consterné. À la fin, il alla vers Alcibiade, lui prit les mains et les baisa en pleurant.

« Tu fais de moi un messager funèbre, mais je te reste fidèle ! » s'écria-t-il.

Et il sortit précipitamment.

« Rattrapez-le ! cria Alcibiade aux domestiques. Ramenez-le !

— Pourquoi faire ? » demanda Socrate, étonné de cette volte-face.

Et il trouva à Alcibiade une expression rusée qu'il ne lui connaissait pas.

« Je viens d'avoir une idée. Il faut faire sortir l'animal de son trou, répondit rapidement Alcibiade. Il faut affronter le danger, autrement, nous n'en finirons pas. Je t'expliquerai. »

Et quand Ktimenos, désemparé, eut été ramené devant lui, Alcibiade lui dit :

« Ktimenos, tu m'as mal compris. Je ne peux pas favoriser le projet de Téléclidès de devenir le tuteur du fils de Philippide, mais je pense qu'il doit sortir de l'ombre. Peut-être pouvons-nous obtenir une peine plus légère. Dis-lui de venir me voir. »

3.

La justice intérieure

Rares, à Athènes, étaient ceux qui connaissaient le nom de Téléclidès. Sortie haletante de l'épreuve de la peste, de la menace des Lacédémoniens, puis des convulsions qui avaient marqué les derniers mois du gouvernement de Périclès et soumis les citoyens à des problèmes de conscience et des querelles sans fin, la Cité n'aspirait qu'à goûter un peu de calme. Les réfugiés rentraient chez eux, les uns après les autres, quittant sans regret une ville où la mort la plus hideuse était venue les traquer et dont les manières, de toute façon, ne convenaient pas à son austérité rustique.

Périclès mort, ses partisans se sentirent orphelins et même ses ennemis éprouvèrent ce vide que cause la disparition d'une passion. Plusieurs ambitieux visaient sa succession. Le plus entreprenant d'entre eux était Cléon, un riche tanneur, une grande gueule qui confondait brutalité et caractère, un démagogue éhonté et capable du pire, bref un homme que les démocrates et les oligarques considéraient avec méfiance. Tels Nicias, un stratège éternellement indécis — « Il se demande chaque fois qu'il a envie de pisser s'il doit ou non y aller », disait de lui Aristophane. Non, Périclès n'avait pas de successeur, et son ombre planait toujours sur la ville.

Athènes évoquait un navire sans capitaine, et quelques membres du Conseil des Cinq Cents se mirent donc en tête, un beau matin, d'aller interroger l'oracle d'Apollon, à Delphes, pour savoir qui était l'homme le plus sage de l'Empire. Cet homme-là servirait peut-être de repère.

Les mauvais esprits se gaussèrent des anxiétés des Cinq Cents et affirmèrent que, l'oracle s'exprimant toujours de façon sybilline, on ne trouverait jamais le trésor de sagesse recherché. Athènes pullulerait de prétendants au titre.

Le peuple, au demeurant, n'avait cure de sagesse et songeait bien plutôt à rattraper les plaisirs perdus avec l'épidémie, et au premier rang de ceux-ci l'amour. Dès que le soleil avait retiré son témoignage, les bosquets de l'Académie, les rives de l'Éridan et les plages et rochers de la baie de Phalère retentissaient de cris d'extase, jeunes filles faussement violées, mais aussi, qu'allaient-elles y faire, jeunes hommes expérimentant l'orgasme dans un corps vierge et ne renâclant certes pas à remettre l'ouvrage sur le métier. Les seins étaient fermes et les reins enflammés. Les marchands d'épigrammes et ceux de colliers de jasmin firent fortune ; les hétaïres aussi : elles recueillaient les ardeurs de ceux que l'âge excluait de ces exploits nocturnes, parce que le cœur et l'orteil leur interdisaient de courir le guilledou sur des sentiers rocailleux.

Ce fut l'époque ou Xanthippe conçut parfois des accès de mélancolie. Elle avait remarqué, depuis quelque temps, que Léthô, d'habitude éveillée à l'aube, se levait tard, l'air à la fois ravie et rêveuse.

« Qui est-ce ? lui demanda-t-elle un matin, de façon abrupte.

— Un athlète », répondit la domestique avec un sourire incertain.

Xanthippe n'avait rien dans la bouche, mais elle mâchonna des mots qu'elle retenait. Elle avait fini par oublier cela, l'autre amour, pas celui de la mère pour ses enfants, qui est immatériel, mais l'autre, celui qui vous corsette le cœur et le corps.

« Qu'est-ce qui le distingue ? » demanda-t-elle.

Le regard de Léthô devint brumeux.

« Son ardeur. Sa main sur mon sein...

— Est-ce qu'il veut t'épouser ? »

Léthô secoua la tête.

« C'est à moi qu'il faudrait poser la question. Pour moi, c'est un amant. Qu'aurais-je à faire d'un époux courant de çà et de là, et prenant son plaisir ailleurs dès que le sien serait garanti à la maison ?... Les noces, c'est avec moi que je les célèbre. Il me reste quelques années pour faire chanter mon corps. Après... j'aurai les souvenirs. »

La réponse parut énigmatique à Xanthippe. Elle révélait une finesse qu'elle n'avait pas devinée jusqu'alors chez l'ancienne servante d'Agaristê.

« Que veux-tu dire ?

— Je veux dire, répondit Léthô en baissant la tête, comme gênée de son indiscrétion à son propre égard, que je veux mon plaisir pour moi-même. Je veux un corps qui exalte le mien. Et c'est le cas avec lui. »

Xanthippe hocha la tête. Elle repensa à ce propos de sa mère qui l'avait jadis déconcertée : les femmes instruites sont condamnées à devenir des putains ou à rester bréhaignes. Léthô, en effet, était instruite, et une femme instruite ne veut pas de l'asservissement à un homme.

« Et si un enfant naissait ? » demanda-t-elle.

Léthô éclata de rire.

« Je ne crois pas. Les éponges ne sont pas faites pour les chiens. »

Les éponges ! Xanthippe en avait entendu parler, toujours par sa mère. De petites éponges trempées dans une décoction d'herbes et qui recueillaient le sperme des hommes. Le temps, pour elle, en était passé. Ses périodes s'étaient achevées. Quant à son époux...

Les fêtes recommencèrent. Les Grandes Dionysies promettaient de revêtir un éclat exceptionnel, à en juger par le nombre de participants que les cités vassales avaient délégués à Athènes. Il s'agissait d'effacer l'échec des quatre-vingt-sixièmes Panathénées, l'année précédente, qui s'étaient déroulées dans une atmosphère funèbre. Les étrangers affluèrent, mais cette fois c'étaient des notables, des prêtres et sur-tout des jeunes gens au regard insolent, au buste de bronze, d'or et d'ivoire, qui ne se faisaient guère prier pour montrer des corps splendides et ne sacrifiaient à la pudeur présumée des femmes que dans les sanctuaires et sur le Stoa. Les gym-nases ne fermaient quasiment plus, non seulement à Athènes, mais également à Delphes et Chalcis, et aussi loin qu'Amphi-polis et même Abydos, Éphèse, Milet en Asie Mineure. Dans toutes les îles, Andros, Délos, Naxos, les éphèbes brûlaient de démontrer leurs capacités à la course, au lancer du disque et du javelot, à la course des chars, au pancrace, à la boxe... Et ceux qui ne le pouvaient pas, faute de mérite, trépignaient de frustration, se promettant d'y parvenir aux prochaines Diony-sies, aux concours delphiques, aux jeux isthmiques... Et rêvant de la couronne de lauriers ou de branches d'oliviers sacrés, leurs orteils frémissaient d'impatience et leurs muscles se ten-daient sous la peau.

La fièvre de ces préparatifs n'épargnait personne, car chacun avait un frère ou un fils qui concourrait aux fêtes. Xanthippe, elle, devait subir la tension de Léthô, dont l'amant, Euménis, était inscrit aux épreuves de lancer du disque, et qui disparaissait le soir après avoir fait la lecture aux enfants. La profusion de fiers-à-bras avec laquelle elle frayait quand elle se rendait en ville pour acheter de l'on-guent à l'écorce de saule contre les rhumatismes était exaspé-rante.

« Orthoxos, peux-tu me préparer un pot de ton baume à l'arnica ? Regarde cette ecchymose, disait un pugiliste mon-trant ses fesses.

— Je le prépare maintenant avec de la racine de prime-vère. C'est plus cher, mais tu en uses moins. Pour l'ecchy-mose, pas d'arnica, je te donne trois compresses de guimauve, que tu changeras toutes les heures. »

Et un autre :

« Orthoxos, fais-tu toujours de ton vin de sureau ? Il m'en faudrait un flacon.

— Oui, mais n'en abuse pas. Un doigt, le matin, avant l'entraînement, pas après. »

Ils venaient en bandes, se montraient l'un l'autre un orteil foulé, un muscle du bras froissé, une épaule douloureuse. Ils se palpaient, se tâtaient, se cajolaient publiquement, et ils occupaient l'espace mental autant que physique de la ville.

Depuis que Socrate lui avait promis de faire arrêter Téléclidès, Xanthippe attendait. Elle attendait comme le chat devant le trou de la souris.

Le philosophe était revenu rasséréné de sa rencontre avec Alcibiade.

« Alcibiade est hostile à ce que Téléclidès devienne le tuteur de Philippe, avait-il annoncé.

— À la bonne heure ! Mais encore ?

— Il a un projet.

— Un projet, fort bien ! Et lequel ?

— Il n'a pas voulu me le confier.

— Encore une dérobade.

— Je ne crois pas.

— Quel est le but de ce projet ?

— Faire en sorte que Téléclidès se rende justice à lui-même. »

Elle cligna des yeux.

« Qu'est-ce que c'est que cette histoire ? Il veut que Téléclidès se suicide ?

— Je n'en sais rien, Xanthippe.

— Et quand mettra-t-il ce projet en œuvre ?

— Prochainement.

— Tout cela est bien vague. Mais sache que ma résolution est plus ancrée que jamais. Je n'attendrai pas indéfiniment et je ne changerai jamais d'avis. »

Il hocha la tête. Il connaissait désormais son épouse.

S'il y avait un citoyen qui participait activement aux préparatifs, c'était bien Alcibiade. Nouvelle étoile dans le ciel politique d'Athènes, encore nimbé de l'éclat de Périclès, il était également célèbre dans le monde sportif pour l'écurie de courses qu'il entretenait à grands frais, et pour ce qu'il appelait ses « banquets olympiques ». Accompagné de deux amis fidèles, il venait d'arriver ce jour-là au Gymnase. Il déambula de salle en piste, de l'éphébion, qui était la grande salle commune, aux thermes, du stade à la salle de pancrace, scrutant les athlètes qui s'entraînaient en commun et ceux qui le faisaient seuls, les uns portant des poids qui faisaient saillir leurs biceps, les autres donnant des coups de leurs poings bandés à des sacs bourrés de cailloux. Il examinait ceux d'Athènes et ceux qui venaient des États alliés. Il semblait s'intéresser surtout aux visages.

« Tu parais chercher quelqu'un, observa un de ses compagnons. C'est ta troisième visite ici en deux jours.

— En effet, je cherche quelqu'un, répondit Alcibiade d'un ton énigmatique. Mais je ne le connais pas.

— C'est donc que tu cherches une image, observa l'autre. Si tu nous disais laquelle, trois paires d'yeux te seraient sans doute plus utiles qu'une seule.

— Juste ! répondit Alcibiade. Je cherche donc un garçon qui soit le sosie d'un ami que vous connaissez tous les deux, puisque vous avez participé à plus d'un repas avec lui. J'ai nommé Philippide. »

Ses deux compagnons suspendirent leurs pas et lui lancèrent un regard incrédule.

« Ne me demandez pas pourquoi, reprit Alcibiade. Vous le saurez en temps opportun. Je veux que le visage de celui que je cherche soit aussi ressemblant que possible. Et le même âge, la même corpulence.

— Que ne l'as-tu dit plus tôt ! s'écria l'un des jeunes gens. J'en ai vu un tout à l'heure qui m'a troublé, car j'aurais juré que c'était Philippide !

— Où ? s'écria Alcibiade.

— Quand nous passions devant les thermes.

— Par Dionysos ! S'il était aux thermes, il aura fini de se laver et il va s'en aller ! Il est peut-être déjà parti ! »

Tous trois s'élancèrent d'un pas rapide vers le bâtiment des thermes et ils y arrivaient à peine que le compagnon d'Alcibiade qui avait vu le sosie s'écria :

« Le voilà ! Il s'en va ! » en indiquant une figure qui s'éloignait entre les cyprès.

Ils le rejoignirent au pas de course.

« Hé toi, là-bas ! Arrête-toi ! »

Le jeune homme se retourna et s'arrêta, surpris et presque sur la défensive. Reprenant son souffle, Alcibiade s'avança vers lui.

« N'aie crainte. Nous sommes des amis. »

L'autre ne disait mot, dévisageant ces inconnus qui l'examinaient avec une attention déconcertante. Il dit seulement :

« Toi, je te connais. Tu es Alcibiade.

— Remarquable, murmura Alcibiade, hochant la tête en guise de réponse. Remarquable ! La taille. Le visage. La couleur des cheveux. Les yeux. Et la bouche ! Un jumeau, j'en jurerais ! »

Et un grand sourire se peignit sur son visage.

« Mais que voulez-vous à la fin ? s'impatienta l'inconnu.

— Rien de mal. Veux-tu gagner de l'argent ? »

Et comme le jeune homme esquissait une moue, Alcibiade précisa :

« Non, rien de cela. Viens, je vais t'expliquer. »

Peu de jours plus tard, la demeure d'Alcibiade étincela de feux, comme toujours à l'occasion des banquets.

Ce n'était toutefois pas un banquet ordinaire, car il comptait un convive admiré de toute la Grèce, Sophocle lui-même, que le maître de maison avait convaincu de répondre à son invitation « pour une raison secrète », avait-il dit et qui était donc venu, accompagné de son amant phrygien. Outre Socrate, il y avait là un personnage que nul ne connaissait. Grand, maigre et la barbe longue, à la différence des Athéniens qui la coupaient court, le teint cuivré, il ressemblait à ces étrangers venus du lointain Orient et qu'on croisait parfois sur les quais du Pirée ou de Lindos. Tous les convives, y compris Sophocle et Socrate, le considérèrent d'un œil intrigué, et quand on lui adressa la parole, ce que firent quelques invités avant le repas, alors que les domestiques distribuaient des rhytons de vin frais, il répondit d'une voix caverneuse, mais dans un grec raffiné. Alcibiade, cependant, feignait de le traiter en commensal pareil aux autres. Il se nommait Baïlour et se disait originaire d'Égypte.

« Je connaissais les caprices de notre hôte, murmura Sophocle à l'oreille de Socrate, mais celui-ci, vraiment, touche à l'excentricité. »

Enfin, il y avait Ktimenos et Téléclidès. Ce dernier rayonnait visiblement de gratitude à l'égard d'Alcibiade au point d'en bégayer les rares fois où il prit la parole. Socrate entendit Alcibiade lui dire en passant qu'il s'entretiendrait avec lui après le repas.

On passa à table. Il y avait cinq lits. Celui à la droite du maître de céans était destiné à Sophocle et à son ami phrygien. Celui de gauche, à Socrate et à un jeune poète, que la rencontre de Sophocle et du philosophe tout à la fois emplissait d'un enthousiasme touchant. Alcibiade prit place au centre avec Baïlour. Téléclidès était installé en bout, avec Ktimenos, du côté de Socrate. Deux athlètes venus de Délion lui faisaient face sur le dernier lit.

La conversation porta d'abord sur la préparation des Dionysies et la ferveur avec laquelle Athènes et ses alliées s'efforçaient de faire oublier la mélancolie qui s'était instaurée à la mort de Périclès. Ceux qui avaient connu le stratège évoquèrent des anecdotes qui rendaient hommage à la générosité, à la perspicacité, au courage ou d'autres vertus du disparu. Socrate appréhenda que Téléclidès y allât aussi de son hommage, car son unique rencontre avec le héros n'avait certes pas été chaleureuse. Mais le jeune homme se tint coi, l'air gêné. Le maître de maison proposa une libation aux mânes de celui qui avait été son tuteur. Chacun porta son rhyton aux lèvres.

« Dis-moi, Sophocle, demanda Alcibiade, crois-tu donc que l'esprit des défunts erre parmi nous ?

— Je l'ignore, répondit le poète, mais, comme vous tous, j'ai lu qu'Ulysse a invoqué les morts... C'est quand il descend aux Enfers et qu'il rencontre le devin Tirésias, puis sa mère, qui lui demande s'il vient seulement de rentrer du siège de Troie...

— Il rencontre aussi les mânes d'Agamemnon, puis de

Patrocle, du bel Antiloque et enfin d'Achille, poursuivit Alcibiade.

— Et celui-ci lui fait les éloges de l'Hadès ! ajouta le
jeune poète. Puis il rencontre les mânes d'Ajax, d'Alcmène,
la mère d'Héraklès, d'Ariane... »

Téléclidès écarquillait les yeux ; il ne lui restait de *L'Odyssée* que le souvenir de coups de baguette sur les doigts. Ce
déluge d'érudition l'éblouissait.

« Mais toi-même, Sophocle, as-tu croisé des mânes de
défunts ? reprit Alcibiade.

— Je ne suis pas descendu aux Enfers ! répondit
Sophocle en riant. Mais j'ai parfois vu de mes yeux des phénomènes singuliers. Ainsi, il n'y a pas longtemps, je rendais visite
au fils d'un ami qui se battait contre les Lacédémoniens. Or,
nous avons tous deux vu le vase favori de cet ami tomber à
terre sans raison et se casser. Quelques jours plus tard, nous
avons appris que le père de ce garçon, mon ami, était mort à
ce moment-là.

— Comment l'expliques-tu ?

— Il faudrait que je sois dans le secret des dieux, ou bien
téméraire, pour avancer une explication ! Ne dit-on pas chez
nous que, lorsque les Perses étaient près d'entrer en Attique,
une poussière mystérieuse s'est soudain élevée pour les aveugler sur la route qui conduit à Éleusis, et qu'on avait entendu
dans les airs la voix même de Iacchos ? Je n'y étais pas. Tout
ce que je peux penser est que si les dieux, qui appartiennent
au monde surnaturel, interviennent dans nos vies, il est possible que les mânes des défunts aient aussi quelque influence
sur la nôtre. »

Socrate vit du coin de l'œil Téléclidès qui s'agitait sur son
lit et redemandait du vin à un domestique.

« Et toi, Socrate, qui observes si attentivement le monde,
que penses-tu ? demanda Alcibiade.

— Je citerai en guise de réponse les derniers vers de la
magnifique tragédie que notre ami Sophocle a fait représenter, par une frappante coïncidence, le soir même où Périclès
mourait. Je suis donc heureux que justice ait été rendue à
Périclès avant sa mort, et qu'il ait été restauré dans ses fonc-

tions de stratège. Et je pense que si des mânes de défunts errent parmi nous, c'est que ceux-ci ont encore quelque chose à faire dans ce monde, parce qu'ils n'y ont pas été heureux.

— Donc, intervint le jeune poète, s'il n'est nul homme heureux, comme l'entend Sophocle, les mânes de tous les défunts errent encore sur la terre. »

Un rhyton roula par terre ; c'était celui de Téléclidès, qu'un serviteur lui rapporta et regarnit de vin, cependant qu'un autre essuyait le sol. Les domestiques emportèrent les tables des viandes et des poissons et apportèrent celles des desserts. Socrate nota que Téléclidès n'avait guère fait honneur aux plats et que sa mine, tout à l'heure radieuse, avait fortement pâli. Sa main se crispait sur le bord du lit.

« Mon ami Baïlour, reprit Alcibiade, assure que l'on peut invoquer les mânes que l'on veut, à la condition qu'ils soient proches et disposés à se montrer.

— Il n'en va pas toujours ainsi, objecta Baïlour, et sa voix résonna sur les murs. Les vivants ne sont pas les maîtres des esprits. Il advient que l'on invoque les mânes d'un défunt et qu'on voie apparaître ceux d'un autre. De plus, une fois apparus, les mânes peuvent se comporter de façon tout à fait imprévisible et agressive. »

Il se pencha pour saisir du bout des doigts une figue fraîche dans un lit de lait caillé battu au miel et s'en régala sans se départir de sa mine lugubre.

« Et quelle apparence ont donc ces mânes ? demanda l'un des athlètes du dernier lit.

— Pâle ! Pâle comme le jour de leur mort ! décréta l'Égyptien sans perdre son appétit.

— Tu parles comme si tu étais un mage qui maîtrise la science de telles invocations, observa Sophocle.

— Il a acquis cette science en Égypte, expliqua Alcibiade.

— As-tu invoqué des dieux ? demanda encore Sophocle.

— Comment me le permettrais-je ? rétorqua Baïlour. La piété exige qu'on ne s'adresse à eux que dans la fumée d'un sacrifice. S'ils se manifestent parfois au célébrant, c'est un honneur extraordinaire et redoutable !

— Je me demande s'ils ont bonne mine, dit Sophocle d'un ton espiègle. »

Quelques rires allégèrent l'atmosphère.

« Et moi, dit Alcibiade, je me demande si les mânes de Périclès sont encore présents dans cette cité à la grandeur de laquelle il a consacré sa vie.

— N'en doute pas ! s'écria Socrate, qui savourait des grains de grenade au vin à l'aide d'une cuiller d'argent. Comment l'esprit de cet homme abandonnerait-il jamais ces paysages inspirés de marbre et de pierre que les architectes et les artistes ont fait jaillir de notre sol ?

— Les mânes disent-ils l'avenir ? demanda le poète.

— Parfois, répondit Baïlour, vidant sombrement son rhyton.

— Songe ! s'écria Alcibiade. Si nous invoquions les mânes de Périclès et qu'il nous annonçait ce que recèle l'avenir ?

— Faudrait-il alors que les mânes soient dans le secret des dieux ? observa le poète.

— Ne le sont-ils pas, demanda Socrate, puisqu'ils sont avec les dieux ? »

Il épiait Téléclidès du coin de l'œil ; celui-ci était désormais figé d'anxiété.

« Baïlour, pourrais-tu invoquer les mânes de Périclès ? s'écria Alcibiade.

— Ici ?

— Ici. Ce soir ! » s'écria Alcibiade avec vivacité.

L'Égyptien se lissa la barbe et se gratta le cou. Sophocle suivait la conversation d'un air ébahi.

« Je ne m'y étais pas préparé. Il eût mieux valu que je fusse à jeûn...

— Tu n'as quasiment rien mangé, insista Alcibiade.

— Je veux bien essayer, dit enfin Baïlour. Mais je vais demander qu'on retire plusieurs lampes, car les mânes n'aiment pas la lumière... »

Sur un geste d'Alcibiade, les domestiques emportèrent les torches et plusieurs luminaires, ne laissant que trois petites lampes qui jetaient une lueur sépulcrale et allongeaient les ombres des convives sur les murs.

« Ce n'est pas assez, dit Baïlour. Il y a trop de lumière dans les autres pièces. »

On fit ce qu'il fallait et la demeure fut plongée dans l'obscurité. Il ne resta plus que les trois lampes qui vacillaient dans la salle à manger. L'obscurité étouffa les conversations.

« C'est mieux, déclara Baïlour. Maintenant, j'aurais besoin d'un bassin contenant des braises, ainsi que de petit bois pour alimenter la flamme qui attire les mânes. »

Comme s'ils n'attendaient que ces mots, les domestiques s'empressèrent. Ils apportèrent un brasero de bronze et un fagot de petit bois et les posèrent au centre du fer à cheval que formaient les tables. Sur quoi Baïlour quitta sa place pour aller se placer devant le brasero, pieds nus, les bras le long du corps, le visage levé, les yeux mi-clos. L'ombre de la longue et maigre silhouette monta jusqu'au plafond. Il étendit les bras et sa voix s'éleva, plus caverneuse que jamais :

« Dieux des enfers, pardonnez aux mortels qui invoquent vos habitants ! Dieux des enfers, permettez que les mânes de Périclès, que nous appelons respectueusement, veuillent se présenter à nous pour nous guider dans nos ténèbres ! »

Il s'agenouilla et jeta du bois sur les braises. C'était sans doute du bois vert car, au bout de quelques instants, une fumée abondante s'éleva du brasero. Baïlour leva les bras et commença à psalmodier une mélodie rocailleuse, sinistre et incompréhensible.

Le poète près de Socrate tendit le cou. On y voyait de moins en moins, et la fumée prenait une alarmante coloration verdâtre.

« Ah ! Ah ! faisait le mage, je vous sens approcher, mânes de Périclès. Je vous sens ! Est-ce bien vous ? Je sens une présence ! Pouvez-vous parler ? »

La fumée, désormais, emplissait toute la pièce ; on distinguait difficilement les formes sur le lit d'en face.

« Alcibiade, ici présent, tonna la voix de Baïlour, supplie que vous l'informiez... Mais oh ! Qu'est-ce cela ? Ce n'est pas Périclès ! »

Et la voix de Baïlour exprima l'angoisse.

À travers les nuages de fumée, Socrate distinguait Téléclidès qui s'était assis sur sa couche, saisi d'épouvante, et que Ktimenos essayait de calmer. Ce fut alors qu'une forme blanche apparut à l'extrémité de la salle, elle paraissait glisser sur le sol. Deux cris jaillirent presque simultanément, l'un poussé par Alcibiade, l'autre par Téléclidès.

« C'est Philippide !

— Divinités infernales, ayez pitié des mortels ! criait Baïlour, à demi invisible dans la fumée qui s'épaississait encore. Inconnu qui viens vers nous, dis-nous ton nom je t'en conjure... »

Socrate aussi tendit le cou, stupéfait ; il aurait juré que c'était Philippide, mais un Philippide spectral qui s'avançait dans une tunique mortuaire souillée de terre. Et ce spectre glissait vers Téléclidès, tendant un bras accusateur. Un autre cri jaillit. Téléclidès bondit de son lit tel un animal et s'élança vers la sortie, suivi par le spectre. On l'entendit encore crier, puis un fracas retentit dans l'escalier. Alcibiade s'empara d'un flambeau pour aller voir ce qui s'était passé, et tous le suivirent

« Une torche ! Apportez-moi une torche ! » ordonna Alcibiade.

Un domestique la lui tendit. Chacun put voir la scène et la comprendre. L'escalier étant plongé dans l'obscurité, le fuyard avait manqué une ou plusieurs marches, puis il avait dévalé les autres jusqu'au mur sur lequel il s'était heurté le crâne. Le flambeau éclaira un mort aux yeux encore emplis d'épouvante, sur lesquels ruisselait le sang de sa blessure.

« Emportez-le ! ordonna Alcibiade aux domestiques qui observaient la scène du haut du palier. Et allumez ! Allumez partout. »

À genoux près du cadavre, Ktimenos murmura :

« Il s'est donc fait justice, finalement. C'est mieux ainsi. »

Les convives remontèrent, les domestiques avaient ouvert les fenêtres et aéraient la salle. Baïlour avait disparu. Sophocle interrogeait son hôte du regard. Alcibiade tendit un rhyton à

Sophocle et le lui remplit, puis il reprit le sien et le leva en hommage.

« C'était une mise en scène, n'est-ce pas ? demanda Sophocle, abasourdi.

— En doutais-tu ?

— Et s'il n'était pas mort aussi vite ? demanda Socrate.

— Il serait devenu fou.

— Mais pourquoi tout cela ? » s'écria Sophocle.

Alcibiade hocha la tête.

« Te souviens-tu d'un discours que tu as tenu devant moi, où tu soutenais que le théâtre est plus vrai que la réalité parce que c'est en nous qu'est la scène ? Je ne l'ai pas oublié, comme tu vois.

— Mais qui était cet homme, pour que tu le persécutes ainsi ?

— Un criminel que seule pouvait atteindre la justice intérieure. »

Socrate écoutait, l'air pensif. *La justice intérieure !* Il lui semblait entendre l'écho de ses propres paroles. Oui, il en avait souvent exposé la réalité à son élève, lui enjoignant d'écouter la voix secrète qui lui indiquerait la conduite la plus vertueuse... Mais il n'avait jamais imaginé que la vérité pût triompher par l'artifice comme ce soir-là. Ni que son élève fût capable de tant de cruauté.

Toujours était-il que Xanthippe, au moins, serait satisfaite.

4.

« L'homme le plus sage de la Grèce »

L'éveillerait-il à cette heure avancée ? Ou bien attendrait-il le matin ? Peut-être ne dormait-elle pas ? Car elle souffrait souvent d'insomnie, qu'elle traitait à l'aide d'une préparation d'Orthoxos, des boulettes noires, roulées dans une pâte d'argile et de suc de pavot. Il hésita dans le patio, sous un ciel où la lune courait comme Hékatê Trioditis, « Celle qu'on rencontre », la folle déesse des carrefours à laquelle Xanthippe avait tenu à élever un petit autel devant la maison. Mais pourquoi donc, se demanda-t-il, cette déesse aux cheveux de serpents, escortée par une bande de chiens furieux et qu'il valait mieux ne pas croiser la nuit, était-elle si populaire à Athènes ?

À la fin, il se déchaussa et avança à pas nus vers la porte du gynécée, de l'autre côté du patio. Il ne se rappelait pas si la porte grinçait ou pas, et l'ouvrit le plus doucement qu'il put. Elle ne fit pas de bruit et il entra dans la chambre, puis se dirigea vers le lit, un simple cadre de chêne sur lequel était posée une paillasse cousue dans un sac et, dessus, sa femme. Presque une morte.

En tunique, couverte jusqu'à l'estomac d'une modeste couverture de laine, elle était légèrement tournée vers la fenêtre, comme pour mieux écouter les murmures nocturnes.

La clarté de la lune sculptait ses traits dans une matière pareille à l'argent, lui prêtant une beauté intemporelle, comme funèbre et presque sacrée. Elle respirait lourdement. Il contempla un moment cet être, le plus proche de lui et pourtant irrémédiablement étranger, et il se prit à songer que toute femme était semblable à un animal enchanté et métamorphosé en humaine. Une pythie, mais animée de sentiments qui n'étaient pas ceux des hommes, il connaissait assez Xanthippe pour l'avoir vérifié à maintes reprises. Quels sentiments ? La protection du foyer, mais non pas au sens civil : de façon chtonienne, dictée par les forces issues des profondeurs de la terre. Ce même sentiment mystérieux que renouvelaient chaque année les Mystères d'Éleusis, dans des noces indicibles avec les puissances souterraines. Cela ressemblait à l'amour, mais ce n'en était pas. Ou bien alors, il fallait changer le sens du mot. Car ce n'était pas l'amour maternel qui avait inspiré à Xanthippe un si tenace désir de vengeance contre le misérable Téléclidès. Un autre sentiment s'ajoutait à celui-là, et il le devinait trop bien : celui d'une patiente supériorité à l'égard des hommes. Xanthippe n'était pas née pour être une amante, mais une mère. Les dieux distribuent ainsi les rôles, une fois pour toutes.

Donc Xanthippe était une vengeresse et une mère, et elle ne croyait ni à la justice ni à la raison raisonnante des hommes, qui leur inspiraient plus de folies qu'aux chevaux sauvages à l'époque du rut.

Elle soupira et ouvrit les yeux. Elle l'aperçut au-dessus de son lit, esquissant un sourire. Elle s'assit et poussa un petit cri, étrangement juvénile.

« Socrate ! balbutia-t-elle. Qu'est-ce qui... »

Elle s'éclaircit la voix, puis le regarda.

« Qu'as-tu à me dire ?

— Téléclidès est mort, annonça-t-il d'une voix calme.

— Qui l'a tué ?

— Personne ne l'a tué. Il s'en est chargé tout seul. »

Et il lui fit le récit de la soirée. Elle l'écouta, stupéfaite. Puis elle se leva pour aller faire chauffer du lait.

« Quelle effroyable machination ! s'écria-t-elle en revenant, un bol de lait chaud dans chaque main. Cet Alcibiade est un démon !

— Il a réalisé ton vœu le plus cher et tu le traites de démon ? lui reprocha doucement Socrate, tandis qu'elle buvait son lait à petites lappées, comme un chat.

— Pourquoi ne l'a-t-il pas dénoncé à l'Aréopage, lui qui le pouvait et qui connaissait toute la vérité ? » demanda-t-elle.

Ce dénouement favorable ne l'inclinait donc pas à l'indulgence envers Alcibiade.

« Parce qu'il aurait alors dû révéler la raison pour laquelle Téléclidès avait commis son forfait, admit-il à regret.

— À savoir que ce misérable aspirait à lui plaire par un acte d'audace.

— Tu le savais ? » s'étonna Socrate.

Il s'avisa qu'en matière de raisonnement, elle était sans doute son égale.

« Considérons les faits, reprit-elle. Dans un premier temps, Alcibiade séduit Téléclidès par sa beauté, son étalage de faste, cette manière de se comporter comme un demi-dieu. Un soir, pris de boisson, Téléclidès pense faire une forte impression sur Alcibiade par son intrépidité et son dévouement, et pour cela, il va commettre un meurtre. Je ne connais rien à vos histoires d'hommes, mais apparemment Alcibiade ne lui en sait aucun gré et j'en devine la raison : si le coupable était découvert et qu'on apprenait qu'il était lié à Alcibiade, ce meurtre attirerait l'attention publique sur l'immoralité de celui-ci. De plus, Alcibiade venait à peine d'être affranchi de la tutelle de Périclès et le scandale risquait non seulement de réduire son propre crédit, mais encore de rejaillir sur Périclès lui-même. C'est alors que tu me conseilles de ne pas me mêler de cette affaire, parce qu'elle met en jeu des intérêts élevés.

— C'est exact, reconnut Socrate.

— Mais je n'ai eu cure de tes avertissements. J'ai poursuivi mes recherches avec le concours d'Agaristê, la grand-mère de Philippe. J'ai finalement appris le nom de l'assassin et j'ai pu reconstituer ce qui s'était passé quand Téléclidès a quitté le banquet chez Alkyros et que, sur l'injonction d'Alcibiade, Ktimenos est parti à sa poursuite pour l'empêcher de commettre un crime. J'ai été voir Ktimenos au Gymnase...

— Tu m'as dit que tu avais suivi ma méthode. Sans doute. Mais comment as-tu appris le nom de Téléclidès, au départ ? Qui t'a donné toutes ces informations ? » demanda Socrate.

Xanthippe regarda par la fenêtre, vers le ciel qui pâlissait imperceptiblement à l'est.

« Maintenant, je peux te le dire : c'est Léthô.

— Léthô ?

— C'est elle qui était chargée du vestiaire chez Alkyros. Elle a vu partir Téléclidès. Puis Ktimenos après lui. Elle a rendu sa dague à Téléclidès.

— La solidarité des femmes ! soupira Socrate avec un sourire entendu.

— La solidarité des femmes, oui, contre la solidarité des hommes. Car toi, Socrate, n'étais-tu pas prêt à étouffer le scandale et à laisser le meurtrier impuni ? »

Il baissa la tête.

« Était-ce par fidélité à Périclès ? Ou par amour pour Alcibiade ?

— Les deux, répondit-il. J'ai toujours tenté d'indiquer à Alcibiade le chemin de la vertu, et le scandale ne pouvait qu'être dommageable à Périclès. Xéniade aurait déclenché une cabale contre lui. Cela ne pouvait que nuire à Athènes.

— La vertu ! s'écria-t-elle. Je crains que tes leçons n'aient pas été entendues ! Quant à l'intérêt public, il sera toujours bafoué tant qu'Alcibiade sera à Athènes.

— Qu'entends-tu par là ? demanda-t-il, contrarié.

— Il se moque éperdument de l'intérêt public. Il ne pense qu'à briller. C'est une tête brûlée, Socrate, ne le vois-tu pas ? »

Elle se leva et se drapa dans sa couverture, contre le froid du petit matin.

« Regarde ce qui s'est passé. Deux hommes sont morts à cause de cette vanité : Philippide, qui avait exhorté Alcibiade à un comportement plus retenu, et ce misérable Téléclidès.

Crois-tu que le comportement d'Alcibiade ait été courageux avec l'un ou l'autre ?

— Je te l'ai dit, Xanthippe, je vais un jour proposer qu'on t'élise au Conseil des Cinq Cents, répondit Socrate avec un sourire contraint.

— ... Non, écoute au lieu de dire des bêtises. Et regarde ton Alcibiade. Plutôt que d'écouter les remontrances de Philippide, il l'injurie publiquement et plus tard, au lieu de dénoncer courageusement Téléclidès, il recourt à des stratagèmes d'intrigant pour le pousser au suicide ou à la folie. Reconnais-tu là ton enseignement ?

— Non, admit Socrate.

— Alors, crois-moi, tiens-toi à distance de ce garçon, car nous n'en avons pas fini avec lui. Je te le dis, Socrate, cet homme est dangereux ! Il sera la ruine d'Athènes ! Maintenant, je vais dormir un peu. Va dormir aussi, car demain, tu retournes demander la tutelle de Philippe. »

Socrate regagna pensivement sa chambre. Les paroles de Xanthippe résonnaient encore dans sa tête quand il se mit au lit : *Je te le dis, Socrate, cet homme est dangereux ! Il sera la ruine d'Athènes !* Il avait appris à ne pas prendre à la légère les propos de sa femme. Ni ses sentiments, car il était désormais patent qu'elle vouait à Alcibiade une haine tenace.

Il fut réveillé en sursaut par un vacarme infernal de flûtes, de cistres et de tambourins dans la rue. Il supposa d'abord que c'était un cortège, mais des clameurs assourdissantes retentissaient à présent devant la maison même, et, s'étant hâtivement drapé dans sa couverture, il courut pieds nus à la porte. Il y trouva Xanthippe, Léthô, l'esclave et les enfants ébaubis.

« Socrate ! O vase de sagesse divine ! » clamaient ces gens.

Il crut à une farce, mais changea d'avis quand il reconnut dans cet attroupement deux douzaines de membres du Conseil des Cinq Cents, l'air solennel. Tout le quartier s'était massé derrière eux. Le doyen des conseillers s'avança, une couronne de feuilles d'olivier à la main, à coup sûr de l'olivier sacré.

« Socrate, déclara-t-il, une délégation de la Cité est allée, comme tu le sais, interroger l'oracle du dieu Apollon à Delphes. J'en étais le chef. Nous sommes de retour, car l'oracle a répondu clairement : "L'homme le plus sage de la Grèce est Socrate." Accepte ici l'hommage respectueux de la Cité, qui donne ce soir un banquet en ton honneur ! »

Et il posa la couronne sur la tête de Socrate ahuri :

« Mes amis, bredouilla le philosophe, l'honneur... de l'oracle divin... me confond... Je veux vous assurer que la sagesse... que l'oracle veut bien me reconnaître... est au service de la Cité. »

Il s'inclina respectueusement et la fanfare retentit de plus belle. Puis la porte fut refermée et la rue se vida. Socrate se retrouva face à Xanthippe.

« C'est très bien tout ça, dit-elle, mais ça ne change rien à ce que je pense, moi. D'ailleurs, il faudrait vérifier qu'il n'y a pas un autre Socrate à Athènes. »

Il éclata de rire.

Une récompense imprévue s'ajouta aux honneurs. Quand il rentra chez lui le lendemain soir, Socrate trouva Léthô allongée, nue, sur son lit. La faible lumière d'une petite lampe sculptait un corps à la fois mince et plein. Il s'arrêta, surpris.

« Je voudrais connaître les vertus physiques de la sagesse », dit-elle, sans bouger.

Il fut secoué d'un rire silencieux. La conspiratrice qui avait enclenché la punition de Téléclidès ! Puis il accrocha son manteau à la vieille patère, dégrafa et laissa tomber sa tunique. Elle s'écarta un peu pour lui laisser de la place et accoudé, tourné vers elle, il lui passa lentement la main sur le front, le nez, la bouche et s'attarda pour caresser le menton. Elle gardait un regard fixe, comme les yeux d'agate que les sculpteurs fixent dans les orbites des statues. La main descendit entre les seins, les soupesa, flatta alternativement les aréoles jusqu'à ce qu'ils prissent à leur tour la dureté des statues. Elle entrouvrit à peine les lèvres. Puis la main descendit sur le ventre et flatta le nombril jusqu'à émouvoir tous les muscles de l'abdomen. Elle boucla les orteils et sa respiration s'accéléra. La main glissa vers le sexe et l'explora, comme celle d'un aveugle incrédule qui découvre une femme. Elle caressa une cuisse, puis l'autre, privilégiant les faces internes, et la statue nommée Léthô s'anima ; elle s'amollit, écarta les jambes et renversa la tête en arrière. La main retourna au sexe et l'un de ses doigts changea de nature : il devint un membre indiscret, se glissant entre les lèvres avec lenteur, se recourbant vers le haut pour agacer le sexe de l'intérieur, feignant de se retirer pour revenir plus profondément, tandis que le pouce flattait les lèvres.

Pendant ce temps-là, le corps de Léthô se tendait et s'arquait par moments, pareil à un arc renversé. Elle tendit une main vers le membre de la sagesse, explorant à son tour cette forme étonnamment simple, un concombre sommé d'un abricot.

« Maintenant », souffla-t-elle.

Alors, ce fut comme s'ils devenaient aveugles ou comme si toute conscience s'était déplacée vers le centre de leurs corps, pareils aux rameaux de bois qu'on frotte l'un contre l'autre jusqu'à ce qu'ils s'enflamment. Leurs sexes commandaient leurs mouvements. Socrate devinait confusément les genoux repliés sur ses épaules, regardant les seins gonflés et la bouche aspirant la nuit, désormais incapable d'intervenir sur lui-même, tout son art amoureux se réduisant alors à limiter son mouvement à mi-hauteur du membre. Les bras tendus derrière la tête, elle agrippa le dosseret du lit, et puis ses sourcils se levèrent au-dessus de sa bouche grande ouverte, comme un masque tragique. Elle laissa échapper des halètements saccadés. Il s'enfonça alors entièrement dans le corps de Léthô, au son des battements de tambours qui résonnaient à ses oreilles, saisi comme chaque fois par la puissance et par l'étrangeté de cette sorte d'hémorragie qui lui vidait l'esprit.

Puis la nuit retomba. Les murs reprirent leur place et les respirations, leur rythme. Les corps se séparèrent. Il s'allongea, posa la main sur le corps de Léthô et la glissa vers le sexe, encore exalté.

« La sagesse, murmura-t-elle, est donc une stratégie.

— Ton amant n'a-t-il pas de stratégie ? demanda-t-il.

— Euménis est comme un hoplite, dit-elle en se levant. Il ne connaît que le glaive ! »

Il sourit, elle remit sa tunique et se glissa à pas feutrés hors de la chambre, pour ne pas alerter Xanthippe. Avant de s'endormir, il se demanda confusément si les seules formes de rapports entre deux êtres humains n'étaient pas les mots, les coups et le sperme.

5.

Une soirée chez le Frisé

Le printemps ramena avec lui ses ciels lavés de frais et ses nuages mutins. Et, de quelque direction que le vent soufflât, des parfums de champs en fleurs. S'il venait de la mer, c'étaient les senteurs de la colline des Nymphes et de celle des Muses, et si c'était de l'est, de l'Hymette et du Lycabette, toutes collines tellement fleuries que les abeilles, disait-on, s'y épuisaient à la tâche. Mais à vrai dire, quand on se trouvait sur le Stoa (et au Pirée aussi bien), on pouvait douter que ces parfums agrestes voyageassent si loin, car depuis un ou deux ans des marchands de fleurs odorantes y abondaient. C'étaient le plus souvent des fillettes, parfois des garçons ou bien des vieillards qui posaient par terre une caisse de fleurs en vrac, à l'aide desquelles ils tressaient une guirlande de jasmin ou composaient un bouquet de réséda (une demi-obole liés avec un brin, une obole avec un ruban, deux oboles la guirlande ouverte ou fermée en forme de couronne). Depuis quelque temps, les gens riches ornaient régulièrement leurs salles de banquets de vases de fleurs et, le soir, de jeunes gandins se promenaient un narcisse à la main ou impudemment coiffés d'une couronne de myosotis.

Voilà maintenant treize ans que Périclès était mort. Taki

et Demis étaient fidèles au poste, devant la buvette du Stoa qui s'était agrandie et avait changé de tenancier. Une crise cardiaque l'avait emporté un an après Périclès, et c'était son neveu, surnommé « le Frisé », qui lui avait succédé. Le Frisé était moins généreux que son oncle et ne pratiquait plus « le petit verre de Dionysos » quand on réglait l'addition. En revanche, il avait enrichi la liste de ses boissons. Outre deux sortes de bière, il servait désormais du vin des flancs du Vésuve, presque noir, au fumet de violette, et du vin de Sardes, jaune d'or et si chaleureux qu'on ne le buvait qu'à petites gorgées. Mais le Frisé avait également introduit deux nouveautés. La première consistait à rafraîchir les boissons de qualité en les versant préalablement dans des cruchons bouchés qu'il enfouissait jusqu'au goulot dans un baquet de saumure ; l'évaporation du sel abaissait sensiblement la température, ce qui permettait d'étancher la soif plus délicieusement que jamais auparavant. La seconde, réservée aux vins de qualité, résidait dans l'usage de gobelets en verre à fond plat que l'on pouvait poser sur la table, le temps de les déguster. On n'était donc plus obligé de tenir son rhyton en main ou de le vider d'un coup. C'est lui qui en avait recommandé l'usage à Alcibiade, lequel s'était empressé de commander deux douzaines de gobelets de verre, décorés d'or évidemment. Le Frisé se piquait aussi de raffinement et déconseillait d'ajouter de l'eau aux vins de qualité, en revanche, il convenait de les boire à petites gorgées. Il avait aussi fait fabriquer par un potier des lampes à quatre becs qui se posaient sur les tables et qui éclairaient agréablement les mets autant que les convives. Du coup, la clientèle affluait chez lui jusque tard dans la soirée, sans doute parce que les gens sont pareils aux papillons et sont attirés par ce qui brille. Ainsi naissent les modes.

Ajoutons que pour conférer du prestige à son établissement, le Frisé avait fait l'acquisition d'une clepsydre en bronze. Ce coûteux instrument, qui trônait sur un trépied devant son établissement, lui permettait de déterminer exactement l'heure de fermeture quand les cadrans solaires étaient rendus inutiles par la nuit. Que nul n'ignore, dès le premier jour de l'automne, c'est la neuvième après le midi et dès le premier jour de printemps, la onzième.

Nos deux compères Taki et Demi avaient maintenant près de soixante ans. Ils avaient perdu quelques dents et pas mal de souplesse dans la démarche, mais ils avaient gagné en alacrité mentale. Depuis trois ans, ils s'étaient adjoint comme compagnon ordinaire Cléanthis, le fonctionnaire du Conseil de la Magistrature, qui avait épousé une riche veuve (il s'en était trouvé plusieurs après l'épidémie) et qui était monté en grade : en raison de sa fortune et de son expérience, il avait été nommé chef du bureau des affaires civiles. Il répugnait aux banquets, car il était à la fois paresseux et ménager de ses sous, mais non à entretenir sans façon deux ou trois amis au Stoa. On commandait quelques plats près de la buvette, on achetait aux marchands ambulants, qui portaient des plateaux à bout de bras, des pâtés à la viande ou des friandises, et le tour était joué pour quelques drachmes. Point de cuisinier ruineux, ni de domestiques savants à entretenir ; pas d'acrobates, ni de danseuses à payer.

« Es-tu allé voir l'avancement de l'Érechtéion ? lui demanda Taki, qui ne se déplaçait plus volontiers.

— J'y suis allé avec une délégation du Conseil des Cinq Cents, répondit Cléanthis en croquant un concombre au vinaigre, quand les terrassiers ont découvert la fameuse tombe. Tout le monde se perd en conjectures sur l'identité de celui qui est enterré là.

— Un roi, à coup sûr.

— Oui, un roi, sûrement. Mais lequel ?

— Un roi mycénien, avança Demis.

— Et voilà tout ce qui reste de son royaume ! Mais le bâtiment est joli.

— Ça traîne, dit Taki. Il y a cinq ans qu'ils ont commencé et on dit qu'ils ne sont pas près de finir.

— Voilà toujours un monument dont on ne dira pas qu'il a enrichi Périclès, en tout cas, observa Cléanthis.

— Il en enrichira d'autres, n'aie crainte.

— Par exemple ? demanda Cléanthis, l'œil sourcilleux.

— Par exemple, Alcibiade. Il vient de se faire élire stratège, et il manque toujours d'argent.

— C'est tout de même extravagant que ce garçon ait réussi à se faire élire stratège ! renchérit Taki. L'autre après-midi, j'achetais chez Orthoxos un baume contre les rhumatismes, et qu'est-ce que je vois ? Notre Alcibiade qui se pavane au beau milieu de l'Agora, en plein soleil, en robe pourpre ! Comme un empereur ! Et suivi d'une cour d'athlètes qui chantaient et riaient autour de lui comme s'il était vraiment un monarque ! Pour qui se prend-il donc ? Est-ce qu'il veut se faire couronner roi ? Et où trouve-t-il tout cet argent ? Non, Cléanthis, je suis de l'avis de Demis : s'il peut puiser dans l'argent public, il ne s'en privera pas.

— N'ayez crainte, mes amis, nous sommes là, à la magistrature, pour surveiller les dépenses publiques. Alcibiade a ses banquiers. Et il a d'autres chats à fouetter en ce moment avec Sparte et Argos.

— Qu'est-ce qui se passe vraiment avec Sparte et Argos ? demanda Taki. J'ai vu hier passer des Lacédémoniens en ville. Des Lacédémoniens à Athènes, et personne n'a pu m'expliquer ce qu'ils faisaient là, en toute impunité... Tout le monde a sa petite idée, mais personne ne sait rien.

— Comme la plupart du temps », dit Cléanthis.

Les deux autres se penchèrent pour écouter : Cléanthis avait ses entrées au Stratégéion et comptait désormais parmi les hommes les mieux informés de la ville.

« Le fait est, commença-t-il, que tout le monde voudrait la paix : Athènes et Sparte aussi bien. Maintenant, il y a le cas de la cité d'Argos. Argos avait conclu un traité de paix avec Sparte ; ce traité arrive à sa fin. Argos va-t-elle le renouveler, ou bien va-t-elle en conclure un autre avec nous ? Nul ne le sait. Corinthe se méfie de nous et voudrait qu'Argos reste avec Sparte. Nous, nous nous méfions des uns et des autres, et nous serions bien contents de signer ce traité avec Argos. Mais voilà, si nous établissons un tel traité, Sparte nous accusera d'intentions malhonnêtes, et cela d'autant plus qu'Argos pourrait entraîner Corinthe, Élis et Mantinée dans son alliance avec nous. Et si Sparte renouvelle son traité, c'est nous qui l'accuserons des mêmes desseins. Voilà où nous en sommes.

— Et quel rôle joue Alcibiade dans tout ça ? interrogea Taki, posant délicatement un filet de poisson en saumure sur un morceau de pain au sésame.

— Il représente le courant hostile à Sparte et il penche pour la conclusion d'un traité avec Argos. Mais il doit compter avec son adversaire, Nicias, qui estime que cette guerre a assez duré. Nicias a d'ailleurs rendu aux Spartiates, en témoignage de bonne volonté, les prisonniers que nous avions capturés à Pylos. Les Spartiates tenaient beaucoup à les récupérer parce que c'étaient des soldats d'élite, pas des Béotiens ou des hilotes.

— C'est-à-dire qu'Alcibiade est opposé à la paix, observa Demis.

— Je ne lis pas dans les pensées d'Alcibiade, répondit Cléanthis en haussant les épaules.

— Et maintenant ? demanda Taki. Qu'est-ce que c'est que ces Lacédémoniens que j'ai vus ?

— Ce n'est pas clair, répondit évasivement Cléanthis. Alcibiade a secrètement demandé aux Argives d'envoyer une ambassade à Athènes pour proposer une alliance. Sparte en a sans doute eu vent, parce qu'elle nous a aussitôt envoyé, elle aussi, une délégation demandant de mettre fin à la guerre et à toutes les entreprises hostiles. Ce sont les Lacédémoniens que tu as vus. Personne ne sait ce qui en résultera. Ni Alcibiade, ni Nicias, ni personne.

— Quel embrouillamini ! s'écria Taki. On n'en sortira jamais ! Dis-moi, Cléanthis, pourquoi ne te fais-tu pas nommer stratège, toi aussi ? Tu en sais assez pour l'être. »

L'intéressé savoura une gorgée de son vin du Vésuve et reposa le gobelet sur la table, contemplant les rubis que la lumière de la chandelle y remuait.

« Parce que mon ambition n'est pas si grande, finit-il par répondre. Pour être stratège, il faut savoir se faire des ennemis, et c'est une situation qui ne me tente pas. Il faut également aller à la guerre, c'est-à-dire risquer sa vie ou en tout cas de mauvaises blessures, dormir par terre, mal manger, être crotté de l'aube au crépuscule, entendre des conversations de soldats et attraper toutes sortes de maladies. Je n'aime pas assez Athènes pour cela. Je projette d'arriver à mon grand âge en un seul morceau, avec mes quatre membres et mes deux yeux, sans dysenterie, ni cicatrices de lances ou de furoncles. »

Et il adressa à ses interlocuteurs un grand sourire faussement candide.

Les deux autres pouffèrent de rire.

« Alors, tu devrais être philosophe ! s'écria Demis.

— Métier également dangereux, du moins à Athènes, laissa tomber Cléanthis en commandant un autre cruchon de vin. »

Parler donne faim. Cléanthis héla un marchand ambulant de desserts et lui acheta trois petits pains circulaires fourrés de raisins secs à la crème de lait, et les posa sur la table. Puis il reprit :

« En dépit de la vigoureuse défense de Périclès, Anagaxoras a été chassé d'Athènes et son disciple Protagoras ne tardera sans doute pas à l'être, car j'entends de toutes parts qu'on l'accuse, lui aussi, d'impiété. Ne reste que l'ancien conseiller de Périclès, Socrate. Et du menu fretin.

— Ah ! Socrate ! releva Demis dans un bref ricanement. L'homme le plus sage de la Grèce ! Et l'amant d'Alcibiade... »

Cléanthis leva les sourcils.

« L'est-il encore ? J'en doute. Alcibiade passe ses nuits chez les hétaïres. Il lui faut de la variété, n'est-ce pas... »

Il se reprit, s'avisant de l'impertinence du propos qui venait de lui échapper et, ses deux convives ayant éclaté de rire, il retint un sourire.

« Il a quand même vingt-neuf ans, rappela Demis, C'est un peu vieux pour plaire à Socrate.

— Oh ! ça, déclara Taki d'un ton sceptique, Socrate n'est pas regardant sur l'âge ! Il s'approvisionne dans la cour des jeunes gens auxquels il donne maintenant des leçons, et qui le paient par-dessus le marché. Tiens, le propre fils d'Orthoxos ! Le garçon veut apprendre la philosophie, et comme Orthoxos est riche, il paie Socrate. Or, qu'est-ce que m'ap-

prend ce pharmacien ? Que son fils a pris la succession d'Alcibiade !

— Mais il est marié maintenant, Alcibiade, non ?
demande Taki. Je veux dire, marié pour de bon ?

— Qu'est-ce que ça veut dire, pour de bon ?

— Tu ne te rappelles pas ce mariage de fantaisie que
lui et son oncle avaient contracté avec la même femme, en
Chalcidique, il y a une dizaine d'années ? »

Cléanthis leva les bras au ciel.

« Pas en Chalcidique, à Abydos, dans l'Hellespont. Il faut
bien que jeunesse se passe !

— Voilà bien de l'indulgence protesta Demis. Ce qu'il
est allé apprendre à Abydos, tout le monde le sait, c'est l'art
d'organiser des partouzes ! Il a couché avec tellement de
monde à Athènes que cela se sait. Tout le monde n'observe
pas ta discrétion, Cléanthis. Alcibiade est incapable de faire
l'amour avec une seule personne. Il paraît qu'il s'ennuie en
tête-à-tête ! Sa combinaison préférée, c'est une fille devant et
un garçon derrière. Et le spectacle de gens qui baisent devant
lui. Voilà pourquoi il passe son temps dans les lupanars. »

Cléanthis écoutait ces ragots d'un air affligé. Il mâchait
consciencieusement une boulette d'agneau haché aux herbes.

« Et alors ? finit-il par dire.

— Alors, rien. Voilà le beau stratège que nous avons.

— La tempérance en amour n'est pas indispensable aux
compétences politiques, objecta-t-il. Si on l'a élu stratège, c'est
qu'il doit posséder ces compétences.

— Tout ça ne nous dit pas s'il est marié ou non, reprit
Taki.

— Oui, il est vraiment marié depuis un an.

— Avec qui ?

— Une jolie fille, sérieuse et raffinée. Une fille d'Hipponicos, tu sais, le premier mari de la femme de Périclès.

— Ah ! oui, s'esclaffa Taki. Il paraît même que, le lendemain des noces, il a giflé Hipponicos ! Il avait fait un pari et
il l'a gagné ! »

Et Taki se tordait de rire cependant que Cléanthis tentait
de garder son sérieux.

« Le comble, reprit Taki en s'essuyant la bouche, est qu'il a invité le lendemain son beau-père à le fouetter et que Hipponicos a préféré arrêter ces excentricités en lui pardonnant. Quel pitre ! »

Cléanthis tenait toujours sa langue.

« En tout cas, on reste en famille, observa Demis. Cette fille est donc la sœur de ce Callias qui est, paraît-il, très riche.

— C'est exact », fit Cléanthis.

Une jeune fille étroitement drapée dans son manteau, si étroitement qu'on devinait l'essentiel de son anatomie, s'approcha de la tablée d'un pas ondulant. Les regards des trois hommes la détaillèrent des pieds à la tête. Le Frisé aussi l'avait remarquée. Il la chassa d'un geste de la main.

« Ce n'est plus de mon âge, murmura Demis d'un ton plein de regrets.

— Quinze ans et déjà une éponge dans la fente, observa Cléanthis, réprobateur.

— Bref. Personne ne soutiendra en tout cas que tous ces gens soient étouffés par le sentiment, déclara Taki. Argent et ambition, c'est tout ce qu'ils connaissent. Après avoir empli l'air de ses clameurs de désespoir éternel quand Périclès est mort, Aspasie s'est trouvé un nouveau compagnon quelques mois plus tard. Je suppose que les mânes de Périclès doivent emplir l'Hadès de leurs ricanements : son successeur est un marchand de moutons ! Il est vrai qu'il est très riche !

— Elle a même assuré qu'elle en ferait l'homme le plus spirituel d'Athènes ! commenta Cléanthis.

— Peut-être qu'il prêtera de l'argent à Alcibiade ? suggéra Demis.

— D'autant que le jeune Périclès fait maintenant partie de la bande d'Alcibiade, ajouta Taki.

— Vous n'êtes pas fatigués de parler tout le temps d'Alcibiade ? s'impatienta Cléanthis.

— Et toi, rétorqua Taki, tu n'es pas fatigué de tenir tout le temps ta langue quand on parle de lui ? »

Les trois compères sourirent d'un air entendu puis, comme le Frisé examinait ostensiblement sa clepsydre, ils levèrent le camp en se souhaitant mutuellement bonne nuit.

6.

Une scène de ménage publique

Il en va des opinions les plus flatteuses comme du vin oublié dans un verre : une fois le bouquet évaporé, il tourne à la piquette et finit par s'aigrir. Dans les semaines qui suivirent la déclaration de la pythie de Delphes sur la sagesse de Socrate, éloges et flatteries jaillirent comme champignons après la pluie. Puis on se lassa d'admirer un homme, fût-il désigné par un dieu, et la distinction tourna au sujet de plaisanterie. Ceux qui respectaient le moins la décence avancèrent que, pour avoir si solennellement honoré le philosophe, la pythie avait sans doute été elle-même vigoureusement honorée par son lauréat...

En tout cas, la proclamation de la pythie n'avait valu à Socrate qu'une couronne de feuilles d'olivier sacré, une demi-douzaine de banquets, une amphore de vin et une somme d'argent offerte par Alcibiade. Or, il devait entretenir une épouse et deux fils et, les générosités d'Alcibiade étant épisodiques, Socrate avait décidé, l'année de la quatre-vingt-huitième Olympiade[1] et sur le conseil de Xanthippe, de réunir les jeunes hommes auxquels il prodiguait jusqu'alors son enseignement séparément et de manière irrégulière, à la

---

1. 428 avant notre ère.

façon d'un maître d'école. Xanthippe espérait secrètement que, s'ils étaient groupés, les disciples témoigneraient de la renommée du philosophe et en attireraient d'autres. Espérances vérifiées, car de trois ou quatre élèves au début, le nombre passa à sept ou huit et dépassa même la dizaine, à certaines époques.

Parmi les plus assidus, on trouvait le jeune Callias ; un jeune homme du parti de l'oligarchie, Xénophon ; un aristocrate nommé Critias, qui entraîna son cousin et son beau-frère. L'un, un jeune gaillard nommé Platon, brillait dans l'art de la boxe ; l'autre était un homme fait, mais encore jeune, Charmidès. Venaient aussi divers jeunes gens qui se destinaient, les uns au métier d'avocat, les autres à la politique ou à la poésie ; Calliclès, Chéréphon, Polos, Échécrate... Socrate avait jadis espéré y adjoindre le jeune Philippe, pour lequel il s'était pris d'affection. Mais sur les instances de Xanthippe, une fois qu'il était entré en possession de sa fortune et des intérêts sagement accumulés par son tuteur, Philippe était parti s'installer à Cholargos. « Défie-toi d'Athènes, tu es beau et riche et l'on t'y mangera tout cru sans aucun bénéfice pour toi, lui avait-elle dit. Garde ton bien et marie-toi avant de prendre l'habitude des nuits blanches et des vins noirs. » Sans doute l'avait-elle bien élevé, car il suivit son conseil.

Il y avait là aussi un jeune Phrygien, dont Socrate n'était pas loin de penser que c'était le plus doué de tous, bien qu'il fût le plus rebelle. Âgé de dix-huit ans, blond et d'une carrure herculéenne, la mèche raide et taillée court, le visage carré et malin, marqué d'une balafre que la barbe cachait mal, il s'était rendu célèbre par son extraordinaire bravoure à la bataille de Tanagra, trois ans plus tôt, à l'âge de quinze ans. Il se nommait Antisthène, fils d'Antisthène, et il avait été le disciple du sophiste Gorgias, qu'il avait quitté pour Socrate. Un après-midi, alors qu'il se rendait au Stratégéion, le stratège Nicias aperçut Antisthène en compagnie de Socrate et des autres et il se dirigea vers eux. Il salua Antisthène avec une chaleur particulière, puis se tournant vers Socrate, il lui demanda :

« C'est ton disciple, maintenant ? »

Et comme Socrate souriant hochait la tête, le stratège reprit :

« Écoute-moi bien, ce garçon devrait ouvrir une école de hoplites. À lui seul, il a tenu en respect dix Béotiens, il en a tué la moitié et fait fuir les autres ! Et il n'avait que quinze ans !

— Nomme-le donc stratège, plaisanta Socrate.

— Je l'aurais gardé près de moi, répondit Nicias, mais il ne veut plus entendre parler des armes. Il a décidé de se consacrer à ton art. Méfie-toi, cependant, il a la langue bien pendue et aussi rapide que son glaive. Un jour, sur le chemin du retour, des Athéniens lui ont fait observer qu'il n'était pas citoyen de naissance et il leur a répondu qu'eux-mêmes n'étaient pas plus nobles que les escargots et les sauterelles du pays ! »

Nicias en riait encore et son rire se communiqua à tout le groupe.

Antisthène avait d'autres exploits à son compte. Invité à un banquet qui s'était achevé, comme si souvent, par des plaisirs sexuels, il s'était levé et avait quitté les convives. Ceux-ci lui en tinrent rigueur et s'en plaignirent le lendemain à Socrate.

« Se croit-il plus vertueux que nous ? »

Antisthène était présent et répondit calmement :

« Je ne me crois pas plus vertueux, mais je préfère la folie aux sensations que vous recherchez.

— Pourquoi ?

— Parce que, le lendemain, vous vous levez flapis, les idées confuses, la langue pâteuse et la bourse vide à cause d'excès dont vous n'aviez aucun besoin. À la guerre, on n'a aucun besoin d'alcool ni de stupre et ils ne vous manquent pas. Quand ils se présentent, on n'y cède que par entraînement. »

Les autres disciples écoutèrent surpris.

« De quoi parle-t-il ? »

Socrate souriait et hochait la tête.

« De la liberté. »

Mais il fut encore plus frappé quand il aborda la nécessité

de distinguer entre l'éthique, d'une part, et la morale de la Cité et celle du peuple, de l'autre. Antisthène semblait presque devancer ses propositions, et c'était lui qu'il interrogeait le plus souvent. Mais l'estime évidente qu'il portait à Antisthène pour sa vivacité intellectuelle se doublait d'un secret attachement : non seulement ce garçon avait vendu l'essentiel de ses biens pour payer son enseignement, mais encore parcourait-il tous les matins les quarante stades[1] qui séparaient Le Pirée, où il habitait, d'Athènes, rien que pour entendre Socrate.

Parfois Alcibiade se joignait aux disciples, mais outre qu'il était célèbre et stratège, sans parler de sa liaison présumée avec son maître, nul ne l'eût considéré comme égal aux autres. C'était encore Antisthène qui avait ainsi résumé son attitude à l'égard de Socrate : « Alcibiade n'aspire pas à développer son esprit grâce à l'enseignement de Socrate. Il veut être Socrate. » Le philosophe eut vent de la réflexion et en sourit. Oui, telle était probablement la clef de la fascination qu'il exerçait sur Alcibiade. Dans son avidité, Alcibiade voulait, en plus de la beauté, de la richesse et de la notoriété, le cerveau de son maître. Cependant, si elles n'avaient pas atténué l'aversion de Xanthippe pour le jeune homme, « le véritable assassin de Philippide », s'obstinait-elle à dire, les années avaient quelque peu refroidi la passion que lui avait portée le philosophe.

« Tout ce désordre... se disait-il à part soi, quand on lui rapportait les excentricités d'Alcibiade. Et cette vanité ! » Il lui venait comme un goût de cendres quand il songeait aux conseils qu'il avait prodigués au jeune homme.

Les lieux où Socrate tenait ses réunions variaient selon la saison et le temps. Au printemps et en été, c'était soit au grand Gymnase, près de l'Académie, dont les ombrages étaient frais, soit au petit Gymnase, sur la rive de l'Éridan. Mais dès l'automne et quand le temps était à la pluie, c'était sur l'Agora, non loin de la voie des Panathénées et du grand

---

1. Un peu plus de sept kilomètres.

Stoa ; cela permettait de s'abriter le cas échéant et de boire une tasse de lait chaud.

Un jour qu'ils s'étaient justement abrités de la sorte, il dut s'interrompre en raison des cris véhéments qu'une femme poussait près du Bouleuthérion. Impossible de ne pas entendre, comme les gens attroupés devant elle, ce qu'elle disait :

« ...Tu n'es pas un époux, tu es un bourdon ! Je ne t'ai pas vu une semaine en un an de mariage ! »

Les Athéniennes n'avaient pas coutume d'étaler leurs déboires conjugaux sur la place publique, mais ce qui rendait la scène extraordinaire était que l'homme ainsi invectivé n'était autre qu'Alcibiade. Il tentait de saisir le bras de la jeune femme pour l'entraîner à l'écart, mais elle se débattait avec vigueur.

« ... Tu passes tes nuits chez les putes, auxquelles tu distribues l'argent que mon père t'a donné pour ma dot ! Et pis encore, avec des putes des deux sexes ! Non, laisse-moi, j'ai le droit de demander le divorce ! Laisse-moi ! Je veux divorcer ! »

Les badauds s'esclaffaient : « Voilà donc la vie conjugale de notre stratège ! » Socrate et ses élèves observaient la querelle, incrédules.

« Rendons grâce au ciel que Callias soit absent », murmura Socrate.

Car si le frère avait été témoin des mauvais traitements qu'Alcibiade infligeait à sa sœur, il eût été contraint de défendre l'honneur familial et le scandale eût pris des proportions encore plus effrayantes.

En effet, la fille d'Hipponicos poursuivait ses reproches en termes de plus en plus insultants :

« Tout ce que tu veux, c'est jouer avec Athènes comme avec une pute, stratège de mes fesses ! Je veux divorcer et je divorcerai ! »

C'en fut trop. Alcibiade administra une paire de gifle à l'épouse rebelle et l'entraîna de force. Ils traversèrent ainsi la place sous les lazzis, tandis que l'épouse protestait, mais personne n'osa intervenir. Le philosophe et ses disciples en restèrent pantois un long moment. Socrate allait reprendre son discours quand il avisa parmi les badauds, à une douzaine de pas, une femme qui le regardait fixement. C'était Xanthippe. Elle secoua la tête avec accablement, puis elle disparut en direction du Stoa. Rien au monde n'eût pu la conforter davantage dans le mépris qu'elle avait d'Alcibiade et, une fois de plus, Socrate s'interrogea sur la prescience de son épouse.

« Où en étions-nous ? demanda-t-il, troublé.

— Au fait que tout discours réflète la subjectivité de celui qui le tient, dit Calliclès. Et que moi, Calliclès, je ne peux en aucune manière tenir le même discours que Criton.

— Et comment cela se fait-il ?

— Du fait que chacun interprète le monde selon son expérience et qu'aucune expérience n'est semblable à celle d'un autre.

— Fort bien. Crois-tu que toutes les interprétations du monde soient fausses ?

— Non.

— Tu crois donc que, même si ce que Calliclès dit est différent de ce que tu dis, il ne saurait être entièrement dans l'erreur ?

— C'est cela.

— Mais tu penses également que, si le discours de Calliclès comporte une part de vérité, il doit comporter également une part d'erreur ?

— C'est bien ce que je pense.

— Mais dans ce cas, tu estimes sans doute que, si ton discours à toi aussi comporte une part d'erreur et une part de vérité, il est utile pour toi de trouver la part commune de vérité dans ce que toi et Calliclès dites ?

— Je le pense.

— Eh bien, dit Socrate, c'est l'utilité du dialogue. »

Calliclès intervint alors pour demander d'un ton moqueur :

« Il aurait donc été utile pour Alcibiade de chercher à savoir quelle était la part de vérité dans les propos de sa femme ? »

Les autres s'amusaient de voir l'élève soumettre son professeur à sa propre méthode.

« Certes, convint Socrate, souriant lui aussi du piège qu'on lui tendait.

— Alcibiade a été ton élève. Pourquoi ne l'a-t-il pas fait ? reprit Calliclès.

— Parce qu'il était en proie à la passion, répondit Socrate en consultant Antisthène du regard.

— Tu penses donc que sa passion a obscurci son raisonnement ?

— Je le pense.

— Que crois-tu qu'il faille développer chez tes disciples, le raisonnement ou la maîtrise des passions ? »

Socrate leva son regard bleu sur son interlocuteur.

« J'enseigne le raisonnement. Mais je ne connais que deux maîtres qui enseignent la maîtrise des passions.

— Lesquels ? demanda Calliclès.

— L'âge et l'échec. À la condition que l'échec n'abrège pas la vie. »

Le lendemain, il apprit que les entretiens avaient repris entre les stratèges et les Lacédémoniens, puis entre eux et les Argives. Il se restaurait frugalement chez le Frisé quand un bruit de cent crécelles accompagna un grondement sourd mais effroyable, et le sol parut danser sous ses pas. On avait beau en connaître la cause, il était impossible de ne pas avoir peur. Le Frisé et ses clients devinrent livides. Des chiens aboyèrent. Les passants se mirent à courir sur l'Agora, comme s'il y avait un lieu plus sûr qu'un autre. Le séisme passé, chacun tourna les yeux vers le Kollytos, où s'élevait l'Acropole. Mais le secousse avait passé sans ébranler les augustes édifices, ni la statue d'Athéna protectrice. En revanche, elle effaça en quelques instants l'impression pénible créée par la scène conjugale publique d'Alcibiade, sinon son souvenir.

Mais la conséquence la plus importante fut que cette secousse, traditionnellement considérée comme un présage, à l'instar des éclipses, interrompit les pourparlers avec les

Lacédémoniens, sans idée de reprise. Un membre du Conseil des Cinq Cents l'en informa dans l'après-midi.

« C'est donc l'alliance avec les Argives qui triomphe ? » demanda Socrate.

L'autre hocha la tête.

Socrate se dit que la chance souriait donc une fois de plus à Alcibiade.

« Tu n'en as pas l'air content, observa le prytane. Avais-tu une préférence ? Un parti ?

— Je ne saurais avoir d'autre parti que celui d'Athènes, répondit Socrate. Je me désole au contraire que deux partis s'opposent dans ces circonstances.

— Celui de Nicias et celui d'Alcibiade, tu veux dire ? Mais n'est-il pas normal que deux opinions s'opposent dans une démocratie ?

— Notre démocratie est fragile comme le blé qui sort de terre, répondit Socrate. Le séisme peut être interprété comme un symbole. Argos aussi est fragile. Mais Sparte est forte. Je pense que nous devrions renforcer notre sécurité au lieu de nous lancer dans des aventures périlleuses.

— L'oracle avait donc raison, observa le prytane en le quittant. »

7.

Une mise à mort théâtrale

« Socrate est un homme mesuré et, si la mesure est l'aune de la sagesse, l'oracle de Delphes a reflété la clairvoyance divine, déclara au stratège Lomachos le prytane qui avait consulté Socrate. Je pense que nous devrions l'écouter davantage. »

C'était à la faveur d'un de ces entretiens qui se tenaient au débotté, entre deux portes, chez le marchand de parchemin, ou au hasard d'une rencontre de rue. Or, ces petits riens modifiaient parfois les opinions à la façon de ce coup de ciseau que donne le maître sculpteur à l'ouvrage d'un élève, doué mais scolaire, et qui prête l'accent du génie à une œuvre jusqu'alors sans éclat.

« Que ne parle-t-il davantage ! répliqua le stratège.

— Conseille à Alcibiade de l'écouter. »

Ainsi se forma un courant, et plus d'un stratège invita Alcibiade à écouter son maître ; cela ne coûtait rien. Mais Alcibiade ne demandait plus conseil à personne. On ne fait pas de politique avec de la philosophie, rétorquait-il, encore moins de la stratégie. Et puis, ajoutait-il avec insolence, à chaque âge ses plaisirs, Socrate avait celui de philosopher et Alcibiade, celui de faire de la stratégie.

Quant à Xanthippe, elle surveillait Alcibiade depuis plus de vingt ans d'un œil de plus en plus torve.

« Quand je pense que cet imbécile doublé d'un vaurien se targue d'avoir été le disciple de Socrate ! déclarait-elle à Léthô. Si mon mari avait du sens commun, il lui intenterait un procès en diffamation ! »

Socrate eut vent de cette repartie, car Xanthippe avait généralement le verbe haut.

« Un citoyen de l'Assemblée pourrait te prendre au mot, lui dit-il. Et l'on me tiendrait pour responsable des décisions d'Alcibiade. Ce que je ne suis pas. Regarde ce qui est arrivé à Protagoras. »

Quelques semaines plus tôt, en effet, un fâcheux avait pris connaissance du traité le plus réputé de Protagoras, *Sur l'Être*, et s'était indigné devant le Conseil que ce philosophe, métèque de surcroît, demandât la somme exorbitante de dix mille drachmes pour enseigner à la jeunesse des choses impies.

« Quelles choses impies ? » demandèrent les prytanes.

Et l'autre de lire à haute voix :

« "Des dieux, je ne puis dire s'ils sont ou s'ils ne sont pas, ni quelle forme est la leur. Beaucoup de choses empêchent qu'on le sache : et l'absence de choses sensibles et la brièveté de la vie humaine." »

Les prytanes observèrent que cela pouvait s'entendre dans les deux sens : Protagoras ne disait pas que les dieux n'existaient pas, mais qu'il ignorait s'ils existaient, puisqu'il ne les avait pas vus.

« Demande-t-on à un pédagogue d'enseigner ce qu'il pense, ou bien ce qu'il faut penser ? insista le plaignant. Voilà un homme qui dit encore qu'il n'y a pas de vérité, mais qu'il n'y a que des opinions ! Et que les astres sont des pierres, alors que nous savons que ce sont des dieux ! N'avons-nous pas publié un décret qui punit l'impiété ? »

Cet homme embarrassa les prytanes, car Protagoras était un philosophe célèbre et le bannissement d'un autre philosophe, Anaxagoras, quelques années plus tôt, avait suscité des critiques tenaces. Ils enregistrèrent donc sa plainte, espérant que l'Assemblée le débouterait. Or, l'Assemblée, qui n'avait pas envie de débattre de philosophie, parce que de tels débats donnaient à trop de bavards l'occasion de dégoiser sans fin, le déféra à l'Aréopage. Celui-ci, qui n'avait pas grand-chose à se mettre sous la dent, jugea que Protagoras enseignait, en effet, des choses impies, le condamna au bannissement et ordonna que ses livres fussent brûlés. Et l'on vit des abrutis qui n'avaient jamais touché un livre depuis qu'ils avaient quitté les bancs du grammatiste danser de joie devant le bûcher, spectacle qui affligea Socrate tout autant que le bannissement lui-même.

Ce fut ainsi que Protagoras quitta Athènes deux ans après la quatre-vingt-huitième Olympiade. C'eût été la pire des peines pour Socrate, qui répugnait même à sortir des murs de la ville. Il pria donc Xanthippe de tenir sa langue.

On oublia Protagoras. Pour un peuple occupé de guerre, les doutes superfétatoires d'un philosophe et les agacements de ceux qui avaient la bonté de les prendre en considération ne pesaient pas lourd. Les sycophantes, ces bandes d'espions qui parcouraient inlassablement la ville et surtout l'Agora pour glaner des ragots, n'allaient pas y perdre leur temps ! Le vent passa, la poussière du temps recouvrit l'incident.

Les entrailles de l'Empire battaient aux chantiers navals, les arsenaux, dans les fonderies qui coulaient les pointes de lances et les glaives, chez les tanneurs qui préparaient le cuir des boucliers. La pénurie de bois séché pour la construction des trières et la solde des rameurs pesaient d'un autre poids que les impiétés de vieux saliveurs. On ne parlait plus que de la fortune réalisée en quelques semaines par un marchand de bois qui avait fait venir d'Ionie des quantités énormes de bois sec, ou de cet esclave qui avait été affranchi par le maître des chantiers navals parce qu'il avait trouvé une manière d'épaissir la poix de Thrace et de Macédoine, qui servait au calfatage des navires, en y ajoutant du sable fin.

Puis vint le temps des Grandes Dionysies, et particulièrement la nuit du 12 au 13 du mois d'Elaphébolion[1] consacrée

---

1. Entre mars et avril 423. Il faut rappeler qu'on ne donnait pas à son gré des représentations théâtrales : elles étaient réservées à des fêtes religieuses.

à la représentation d'une nouvelle comédie. On afficha son titre au portique des arènes de Dionysos, au pied de l'Acropole : *Les Nuées*, d'Aristophane, auteur déjà réputé pour ses précédentes pièces, *Les Acharniens* et *Les Cavaliers*.

À l'heure de la représentation, Socrate se trouvait au Stoa, s'entretenant avec Critias, cousin d'Alcibiade, sur les périls de la politique. Il assistait toujours aux pièces de Sophocle, étant expressément invité par le poète, mais ne goûtait pas la comédie qu'il jugeait grossière, avec ses acteurs difformes, généralement affublés de gros ventres pour les rendre plus risibles, et ses plaisanteries de caniveau.

La conversation se prolongea, car l'air était doux pour la saison.

« Dans le meilleur des cas, Critias, ton action s'inspirera de la morale publique ; dans les autres, de ton ambition, disait le philosophe. La morale publique n'est pas l'éthique, c'est celle de la Cité, et tu te trouveras peut-être poussé à des actes contraires à l'éthique, même s'ils te paraissent conformes à la morale publique. Si tu obéis à l'ambition, tu risqueras d'être poussé à des actes qui sont à la fois contraires à la morale publique et à l'éthique.

— Il faut bien que la Cité soit dirigée, pourtant, objecta Critias.

— Il le faut, en effet, admit Socrate. »

Il but une gorgée de vin et ajouta :

« Mais c'est une tâche devant laquelle Héraklès lui-même hésiterait.

— Désapprouverais-tu ce qu'a fait Périclès ?

— Ah ! non ! Mais c'était Périclès. »

Soudain, un groupe de connaissances se précipita vers eux. Tous ces gens étaient excités au point d'en haleter.

« Ah ! Socrate ! Si tu savais !

— Que dois-je savoir ?

— Aristophane... sa comédie, *Les Nuées*... c'est une attaque en règle contre toi !

— Contre moi ? »

Il écouta. Il était représenté dans la pièce comme un vieux fou malhonnête retranché dans un domaine intitulé La

Gambergerie et enseignant des folies et des impiétés à ses disciples. Ainsi, il prétendait qu'il n'y avait pas de dieux, mais seulement « le Chaos, la Respiration et l'Air ». Un imbécile nommé Strepsiadis le consultait pour savoir comment utiliser la « Nouvelle Sagesse de Socrate » pour duper ses créanciers. Et quand Socrate lui enseignait que Zeus n'existait pas, Strepsiadis demandait alors d'où venait la pluie...

Socrate et Critias fronçaient les sourcils. Trois cohortes de sycophantes n'auraient pu faire pire.

« Et Strepsiadis d'expliquer qu'il avait toujours cru que la pluie, c'était l'urine de Zeus qui passait à travers un grand tamis !

— Et les gens s'amusent de ces choses ? s'étonna Critias.

— Ils sont pliés de rire, oui.

— Et comment finit la comédie ? demanda Socrate.

— Strepsiadis, à la tête d'une bande d'enragés, t'enferme dans La Gambergerie avec tes disciples et y met le feu ! Tu cries : "Je suffoque !" Et Strepsiadis te répond : "Pourquoi insultais-tu les dieux et rôdais-tu dans les parages de la Lune ?" »

Socrate but une gorgée de vin.

« C'est très violent, poursuivit l'autre. Pendant que toi et tes disciples vous vous débattez dans les flammes, Strepsiadis encourage ses complices : "Frappez, frappez-les et pour plus d'une raison, mais surtout parce qu'ils ont blasphémé contre les dieux !" Là, je ne riais plus.

— Mais c'est un appel au meurtre ! s'écria Critias. Socrate, veux-tu que nous intentions un procès en diffamation contre Aristophane ? »

Socrate, le regard fixe, resta un long moment silencieux.

« Ce serait lui donner trop d'importance, dit-il enfin. Et, de toute façon, je ne vois pas quelle loi il aurait enfreint. Bonne nuit. »

Il se leva pour rentrer chez lui, s'interrogeant en chemin sur la nature de cette attaque. Reflétait-elle un sentiment populaire dont il ne s'était pas avisé jusqu'alors ? Ou bien n'était-ce qu'une foucade d'auteur en mal de sujet et recourant à la pire démagogie ? Mais plusieurs milliers d'Athéniens avaient assisté en riant à la mise en scène de son meurtre. Ce n'était pas un événement enthousiasmant.

Xanthippe en fut informée par les voisins dès le matin. Alors que Socrate quittait la maison, elle cria qu'elle allait payer quelqu'un pour planter un poignard dans le ventre de cet Aristophane. Il se retourna calmement pour répondre :

« Voilà qui apaisera les esprits, je n'en doute pas. »

Sur l'Agora, tous le montraient du doigt. On venait lui offrir des consolations, on l'interrogeait sur sa réaction, on lui proposait d'aller bastonner Aristophane...

« Et pourquoi pas les mouettes qui crient au Pirée ? » répondit-il.

L'effet de l'oracle de Delphes était dissipé.

8.

L'affaire des phallus de pierre

« Comme si nous n'avions pas assez d'une guerre à l'extérieur, nous en avons déclenché une autre à l'intérieur, bougonna un vieux prytane qui cultivait parfois la compagnie de Socrate. L'opposition entre les oligarques et les démocrates prend la tournure d'une guerre civile. »

Il était vrai que les bandes de sycophantes proliféraient comme de la vermine. Oligarques et démocrates recrutaient chacun les leurs parmi les bons à rien de la ville et du Pirée, ravis de gagner la pièce rien qu'en exerçant leur malveillance. On finissait par les reconnaître de loin ; dès qu'ils avisaient deux ou trois personnes en conversation, ils se plantaient à portée d'oreille, feignant d'être là par hasard. De temps en temps, ils se retrouvaient à plusieurs à épier la même conversation et ils en venaient aux mains. Un jour qu'ils écoutaient un entretien entre Socrate et ses disciples, deux de ces espions échangèrent rapidement insultes puis horions. Antisthène excédé alla les saisir par la nuque, leur administra une correction et les envoya bouler au loin.

Un climat de soupçon généralisé pesait donc sur la ville. À la fin, les divisions politiques à Athènes et à Argos s'embourbèrent dans des retournements et des intrigues inextricables, avec pour tout résultat la construction de quelques places fortes en Attique, qu'on plaça sous le commandement d'Alcibiade. Les manœuvres suspectes et emberlificotées des Athéniens, et principalement d'Alcibiade, avaient renforcé la méfiance des Lacédémoniens à leur égard. La guerre du Péloponnèse n'était pas achevée.

Alcibiade décida alors un grand coup : prendre les Lacédémoniens à revers en allant s'emparer de la Sicile, pour l'arracher à la tutelle de Syracuse et priver de blé les Lacédémoniens.

Le jour où il exposa son projet devant l'Assemblée du Peuple, il y eut une telle affluence à la buvette du Frisé que ce dernier dut engager trois aides pour servir tous les représentants de l'Empire en chaleur.

« C'est une histoire de fou ! Et ce ne sont pas les quelques colonies que nous y avons fondées qui nous seront d'un secours militaire quelconque ! Périclès visait à maintenir l'Empire, pas à l'accroître indéfiniment. Nous ne pouvons pas nous étendre jusqu'aux Colonnes d'Hercule ! »

Socrate écoutait ces propos et bien d'autres en s'efforçant de pratiquer le détachement à l'égard de ces émotions qui font le lit des passions et donc du désordre. Mais comment être indifférent aux initiatives d'Alcibiade ?

« Et Nicias ? Que fait donc Nicias ? demanda à l'un des prytanes un auditeur exaspéré par les délibérations de l'Assemblée.

— Il s'est égosillé à expliquer qu'il n'y a aucune raison de se lancer dans pareille expédition, répondit le prytane, parce que Syracuse est loin et ne menace aucunement Athènes. D'autre part, Syracuse, Sélinonte et Agrigente, les grandes villes de Sicile, ne sont pas des clérouques[1], mais des villes bien équipées et fortifiées capables de résister longtemps aux assauts de nos troupes. Enfin, le maître de Syracuse, Hermocrate, ne nous est pas du tout favorable et

---

1. Fractions de la cité prélevées sur des territoires alliés et confiées pour l'exploitation agricole à des citoyens qui conservent leur citoyenneté athénienne et votent avec le rang de hoplites, c'est-à-dire de soldats. C'étaient ce que nous appellerions de nos jours des colonies.

s'efforce depuis près de dix ans d'unir la Sicile contre la menace athénienne. Nicias a aussi rappelé que rien ne réussit plus rarement que la passion, ni plus souvent que la prévoyance. Mais rien n'y fait. À vouloir faire entendre la voix de la raison, il ne parvient qu'à passer pour un timoré. Plus il détaille les difficultés, et plus le peuple les considère comme un défi et s'enthousiasme pour le projet d'Alcibiade. Or, je pense que celui-ci a perdu la raison. Après la Sicile, il propose de conquérir Carthage, afin que la Méditerranée tout entière devienne une mer athénienne ! Il semble ignorer qu'une telle entreprise suscitera contre nous une alliance de toutes les cités soucieuses de rester neutres, et que nous n'avons pas les moyens de vaincre le monde ! "Nous avons vaincu les Perses, dit-il, nous vaincrons les Spartiates." Selon lui, nous n'avons pas le choix : nous perdrions notre empire si nous ne l'imposions aux autres. De plus, si nous n'étendons pas l'Empire, Athènes s'amollira dans l'oisiveté. »

Socrate baissa la tête.

« Mais quels arguments Alcibiade oppose-t-il aux objections spécifiques de Nicias ? » demanda l'auditeur.

Le prytane ne répondit pas ; il se tourna vers Socrate :

« Et toi, que penses-tu de tout cela ? »

Socrate réfléchit un instant. Désavouerait-il publiquement son disciple ?

« Je pense que la témérité d'Alcibiade ne serait rien sans celle des gens qu'il enflamme, dit-il enfin.

— Veux-tu dire que le peuple d'Athènes tout entier est devenu fou et qu'Alcibiade n'est que le porte-parole de cette folie ? »

Socrate s'efforça de sourire.

« Si tu estimes que la passion de conquête est folie, alors, oui, je pense que nous risquons la proie pour l'ombre, ce qui est déraisonnable.

— Va donc le dire à ton disciple ! s'écria le prytane. N'es-tu pas membre de l'Assemblée[1] ? N'as-tu pas, de surcroît été

---

1. L'Assemblée réunissait tous les Athéniens majeurs ; Socrate en faisait donc partie.

désigné par l'oracle comme l'homme le plus sage de la Grèce ?

— As-tu déjà tenté de parler à un homme passionné ? objecta Socrate avec douceur. Il te répondra que tu manques de courage. Tu as bien vu l'accueil qui a été réservé à Nicias. »

La moitié d'Athènes était sur l'Agora. Montés sur les fontaines, sur les piédestaux des statues ou sur de simples chaises, les gens criaient dans un sens ou dans l'autre. Les marchands ambulants continuaient de proposer placidement leurs galettes et leurs pâtés. Socrate eut du mal à se frayer un passage dans cette foule ; il rentra chez lui consterné et, une fois dans les murs de sa maison, il fut incapable de contenir son découragement. En exposant son projet, Alcibiade avait déchaîné les passions, attisé les conflits qui déchiraient déjà les Athéniens et sûrement défié les dieux. L'histoire était digne de Sophocle, et Socrate n'en doutait plus : elle était tragique.

Mais quelle était donc cette gigantesque mécanique qui régissait le destin des hommes ? Quel nom devait-on lui donner ? Les dieux ? Les dieux, vraiment ?

Xanthippe le trouva assis dans le patio, comme il le faisait quand il voulait réfléchir. Elle n'eut même pas besoin de l'interroger : Léthô lui avait tenu la chronique des événements et Xanthippe n'avait aucune peine à en deviner l'effet sur son époux. Elle se limita à lui dire :

« Je suis heureuse que les affaires de la Cité aient éloigné cet homme de toi. Il aurait entraîné ta perte avant celle d'Athènes. »

Il l'interrogea du regard.

« Ne vois-tu pas, reprit-elle, qu'il perdra Athènes ? »

Il s'efforça de discerner un fil dans la passion froide qui animait cette femme contre Alcibiade, depuis la découverte du cadavre de Philippide dans la rue du Héron. Après quoi en avait-elle donc ? À l'empire des hommes ? Ou bien à la nature humaine ?

Le lendemain, il apprit par Calliclès que la campagne de Sicile avait été votée avec enthousiasme par l'Assemblée et même au-delà de toutes les espérances d'Alcibiade. Ainsi, au lieu des vingt navires demandés, les stratèges en obtenaient cent ! Et des crédits jamais atteints ! Paradoxe : le commandement de l'expédition avait été confié à celui qui y était le plus opposé, Nicias !

Tous ces événements attisaient la fougue de la jeunesse et deux ou trois des disciples de Socrate avouèrent qu'ils éprouvaient de la gêne à étudier la philosophie alors que les jeunes gens de leurs familles et leurs amis allaient porter à gloire d'Athènes au-delà des mers. Que pouvait-il leur objecter ? N'avait-il pas lui-même pris les armes à plusieurs reprises pour défendre Athènes ? Quelle différence entre cela et ceci ? Comment l'expliquer ? Quelle vanité que d'enseigner ! La première émotion venue balaie tous les fragiles édifices édifiés par le savoir ! Il se borna donc à demander :

« Le but de la vie est-il donc de bâtir des empires ? Ou bien d'étendre son empire sur soi-même ? »

Les préparatifs de l'expédition exigèrent plusieurs jours ; et un matin, Léthô, qui était sortie de bonne heure acheter des melons, du lait et du pain, auprès des marchands ambulants, revint toute agitée. Elle posa les denrées sur la table et s'écria :

« Xanthippe ! Il est arrivé quelque chose ! Quelque chose de terrible ! »

Socrate l'entendit de sa chambre et sortit.

« Cette nuit, on a castré tous les hermès ! »

Xanthippe s'arrêta de frotter le linge dans un baquet.

« Quoi ?

— Je te le dis : des hommes, on ne sait qui, ont castré tous les hermès ! »

Les hermès étaient ces piliers surmontés de bustes du dieu si populaire à Athènes, qu'on trouvait partout en ville et dans les environs, à l'entrée des maisons et des propriétés, aux croisements des rues. Hermès Psychopompe, le bon berger qui guidait les âmes des morts, dirigeait aussi les vivants et les protégeait contre le danger. Les piliers qui soutenaient son buste portaient à mi-hauteur ses organes sexuels et il était coutumier qu'en passant on les flattât pour s'attirer ses bonnes grâces. Castrer un hermès équivalait donc à le rendre impuissant, sacrilège insupportable pour tout Athénien.

L'un de ces hermès s'élevait à l'angle de la rue du Héron, à quelques pas de la maison de Socrate.

« Le nôtre aussi ? s'écria Xanthippe.

— Oui, même le nôtre ! »

Incrédule, Socrate sortit pour le vérifier. Un petit attroupement s'était formé devant le pilier. Le dieu avait été, en effet, émasculé. Quelques morceaux de pierre gisant par terre étaient tout ce qui restait du phallus divin.

« C'est un grand malheur ! s'écria une femme. Quelque chose de terrible va arriver ! »

D'autres contemplaient les traces de l'iconoclasme, les sourcils froncés.

« C'est un ennemi d'Athènes qui a fait cela ! » murmuraient les uns. « Un complot se prépare », disaient d'autres. Et quand un jeune homme arriva, essoufflé, pour annoncer que tous les hermès d'Athènes avaient été mutilés, un souffle de catastrophe déferla sur les gens. Plusieurs s'empressèrent de rentrer chez eux pour s'y claquemurer.

Socrate se représenta l'agitation que le sacrilège avait à coup sûr causé en ville. Il rentra chez lui boire un bol de lait chaud et prendre son manteau, et se dirigea vers l'Agora, non sans avoir relevé que, dès son retour, Xanthippe et Léthô, qui semblaient poursuivre une conversation animée, s'étaient soudain tues. Chemin faisant, il trouva sur son passage d'autres attroupements devant d'autres hermès. Mêmes commentaires, mêmes sombres interprétations, mêmes soupçons. Il cueillit au passage quelques mots épars : « ... Alcibiade... avant son départ... les oligarques. » Il se demanda si la conversation entre sa femme et Léthô n'avait pas porté, justement, sur Alcibiade.

Il fut surpris qu'il y eût si peu de monde sur l'Agora. Au Tholos, au Bouleuthérion, il avait cru trouver les représentants arrivant pour la séance de la matinée, mais les portes étaient closes. Un concierge lui expliqua que tout le monde était au Pirée.

« Au Pirée ?

— Oui, pour le départ de la flotte ! »

Avait-il mal entendu ? C'était donc le jour du départ de l'expédition contre la Sicile ! Et ce scandale qui éclatait le même jour ! Il résolut d'aller lui aussi au Pirée. Pour quoi ? Pour assister à la mise en scène de la tragédie ? Mais la curiosité et l'inquiétude l'avaient déjà poussé sur le chemin. En descendant sur la route du Pirée, entre la colline des Nymphes et celle des Muses, il aperçut plus bas une foule extraordinaire qui se dirigeait en effet vers la porte du port. Il la rejoignit en même temps que quelques centaines de retardataires, hommes, femmes, enfants, car tout le monde voulait assister au départ de la glorieuse expédition de Sicile. C'était comme une fête dont personne ne semblait imaginer qu'elle s'achèverait dans le sang, comme toute entreprise militaire. Des marchands ambulants, le cruchon accroché au flanc ou portant un panier de melons sur la tête, participaient à cette procession ; car c'était presque cela, une fête religieuse.

Un ciel parfaitement pur et bientôt chaleureux[1] fit d'ailleurs la fortune de ces derniers. On avançait au pas entre les Longs Murs, l'affluence ayant provoqué un embouteillage sur la petite place du Pirée d'où partaient les avenues vers les quartiers du Kantaros, d'Akté, de Zéa et de Mounychia. En effet les Athéniens n'étaient pas les seuls à vouloir être témoins du premier jour de la glorieuse entreprise de conquête : outre les gens du Pirée et de Phalère, il fallait compter ceux des villages voisins d'Agrylé, Alopéké, Halimous et même plus loin. Cette foule énorme convergeait vers la baie de Phalère, la seule assez grande pour accueillir cent navires.

À l'évidence, tout le monde ne pourrait pas trouver place sur les quais. L'on encombra donc les toits des maisons et tous les édifices publics de Phalère et même de Zéa. Impossible de trouver une seule chaise, une seule table : elles étaient toutes louées aux badauds qui voulaient dominer le spectacle. Plusieurs tables, d'ailleurs s'écroulèrent même sous le poids de leurs occupants.

---

1. C'était, selon certains calculs, le 8 juillet 415 avant notre ère.

Socrate désespérait d'arriver à la mer quand il fut reconnu en chemin par le prytane qui était venu jadis lui annoncer l'oracle flatteur d'Apollon. Le dignitaire se pressait, tenant en main un rouleau de parchemin, le texte d'un discours à n'en pas douter.

« Tu ne verras rien si tu restes dans la foule, lui dit-il. Suis-moi. Le Conseil et l'Assemblée ont réservé un espace sur le quai. »

Ils y parvinrent difficilement. Tous les corps constitués d'Athènes étaient présents, prytanes et magistrats, ainsi que les stratèges qui demeuraient à la garde militaire de la ville. Socrate se trouva ainsi pressé contre un partisan de Nicias, qui le reconnut et le salua sans chaleur excessive : n'était-ce pas un disciple de Socrate, le redoutable fou de la Gambergerie dénoncé par Aristophane, qui déclenchait cette expédition insensée ? Mais il n'eut pas le loisir de manifester son ressentiment, car un violent mouvement se produisit dans la foule, faisant perdre l'équilibre à plus d'un dignitaire : il était causé par l'arrivée d'un corps de hoplites mécontents ; ces volontaires s'étaient, en effet armés avec enthousiasme, de bon matin, à l'annonce de l'expédition, mais quand ils s'étaient présentés aux stratèges, on leur avait répondu qu'on n'avait pas de place pour eux. Huit cents hoplites fumant de frustration restaient donc en rade, si l'on pouvait dire, et seraient affectés à la défense de la Cité.

Plusieurs personnes, visiblement excitées, s'adressaient à Socrate, à la fois sage et maître d'Alcibiade, mêlant questions, commentaires, exclamations, mais il ne les écoutait que d'une oreille, saisi par le spectacle. Sous un soleil sans défaut, cent trirèmes d'un plèthre et demi de long chacune[1], se balançaient bord à bord dans la baie de Phalère, scintillant des boucliers neufs et des armes des hoplites debout sur les ponts derrière les cuirs des cataphractes[2].

Tout à coup, des ovations éclatèrent, l'encombrement tourna à la bousculade et deux ou trois douzaines de dignitaires, prêtres d'Athéna, de Poséidon, d'Apollon, de Dionysos

---

1. Environ 45 m.
2. Blindages du pont supérieur contre les flèches ennemies.

et de Zeus compris, faillirent une fois de plus perdre l'équilibre et tomber à l'eau. Les gardes civils intervinrent à la trique pour repousser les enthousiastes. Socrate se demandait quel était l'objet des ovations quand il aperçut Alcibiade, Nicias et plusieurs généraux qui s'engageaient sur un ponton, afin de prendre congé des autorités de la ville.

L'armure et le casque rutilants semblaient concentrer sur le visage d'Alcibiade toute la lumière du monde. Encadré par la visière et la jugulaire du casque, les traits aimés n'étaient plus qu'un masque aux yeux étincelants. Alcibiade n'était plus un mortel, mais un demi-dieu. Le cœur de Socrate battit douloureusement. Ce visage l'avait jadis convaincu de la nature céleste de l'amour, une vision qui échappe aux autres humains... Et maintenant la vision réapparaissait, mais entachée du soupçon que les dieux se jouaient peut-être de leurs créatures. À l'instar de Nicias et des autres généraux, Alcibiade pressait des mains quand il reconnut Socrate aux premiers rangs. Son expression changea d'un coup. Il ouvrit les bras et Socrate se trouva pressé contre une cuirasse.

« Que les dieux te protègent, murmura le philosophe.

— Fallait-il que cette affaire éclate aujourd'hui même », dit Alcibiade sur le même ton.

Socrate le tint à bout de bras et plongea son regard dans ces yeux bleus qui l'avaient autrefois enivré. Alcibiade soutint son regard et Socrate se dit qu'il était étranger à la castration des statues.

« Qu'Hermès et les dieux te protègent ! » répéta-t-il.

Nicias tout proche entendit cette bénédiction et dans un geste qui en disait long, se passa la main sur le visage. Un instant plus tard, Alcibiade n'était plus là, d'autres bras se l'étaient arraché. Socrate tendait toujours la main, mais c'étaient maintenant des généraux qui la pressaient.

Les discours suivirent : « ... Mânes de nos pères : Vertu des enfants... Volonté du peuple athénien... Bienveillance de Zeus, Athéna, Poséidon... » Socrate n'écoutait plus.

On approchait de midi quand Alcibiade, Nicias et les généraux franchirent le ponton en sens inverse pour gagner leurs navires. De nouvelles ovations s'élevèrent, mêlées aux

trompettes qui sonnaient le départ et aux orchestrions improvisés qui faisaient retentir cistres et cymbales. Alcibiade bon-
dissait de trière en trière pour rejoindre la sienne, la plus
éloignée. Les généraux en faisaient de même pour gagner les
leurs. Les ordres des capitaines retentirent, relayés par ceux
des maîtres d'équipage. La première trière, celle d'Alcibiade,
à l'extrémité extérieure de la flotte, se détacha lentement des
autres et dériva quelques instants avant que les cent-quatre-
vingts rames de neuf coudées de long chacune [1] puissent bras-
ser librement l'eau. Elle s'avança vers la haute mer, sa voile
se déploya dans un claquement et le vent la gonfla. Sa proue
de bronze, en forme de cornes, se tourna vers l'ouest et l'on
ne vit bientôt plus que la haute poupe, dont dépassait tout
juste la tête du pilote tenant ses deux longues rames de direction [2]. Des bras sans nombre se levèrent dans la foule, des
femmes pleurèrent, des vœux de succès jaillirent. Le vaisseau
suivant se détacha, puis le troisième, le quatrième... Une
heure plus tard, le spectacle n'était pas moins émouvant : une
centaine de voiles, pareilles à des colombes, couraient sur une
mer d'argent. Le cœur serré, Socrate se retourna pour rentrer
en ville. La main de Nicias se posa alors sur son bras :

« Comprends-moi, dit-il, la victoire sera aussi périlleuse
que le serait l'échec. »

Et il ajouta, avec l'ombre d'un sourire :

« Qu'Hermès aussi nous protège ! »

---

1. 18 m exactement.
2. Les gouvernails n'existaient pas encore ; on dirigeait le bateau « à la goupille ».

9.

Les « affaires » et la folie

Les premiers mots que Socrate adressa à Xanthippe quand il rentra chez lui, au crépuscule, la mémoire encore irradiée par la dernière image qu'il gardait d'Alcibiade, furent :

« Les hermès, ce n'est pas Alcibiade. »

Mais elle avait apparemment arrêté son opinion, car elle répondit aussi sec :

« Pas lui tout seul, je veux bien le croire.

— Pas lui du tout », insista-t-il, le regard droit.

Elle soupira.

« Cet homme bénéficiera donc éternellement de ton indulgence ! Ce n'était pas lui qui avait plongé le poignard dans le corps de Philippide, mais un de ses amis. Nous avons vu la suite.

— Je lui ai parlé ce midi, dit-il. Si c'était lui, il aurait trouvé d'autres mots pour dissimuler ce sacrilège.

— Et bien, tu essaieras d'en convaincre Athènes... »

Ces propos n'étaient pas faits pour rassurer Socrate. Il décida de laisser la nuit lui porter conseil. En vain. Le lendemain, il espéra sans trop y croire que l'émotion provoquée par le départ de la flotte aurait atténué celle du sacrilège[1]. Il déchanta peu après son arrivée sur l'Agora. À la deuxième heure qui suivait le midi, il y rencontra, en effet, le même prytane qui lui avait, la veille, frayé un chemin jusqu'aux quais de Phalère, et ce dignitaire le prit à part.

« Socrate, nous avons besoin de ton conseil dans cette affaire. Nous allons en débattre ce soir. L'offense faite à l'un des dieux d'Athènes rejaillit sur les autres dieux. Elle témoigne d'un dessein ténébreux. Je te prie d'appliquer ta sagesse à son analyse et je te préviens que je rapporterai ton opinion aux autres. Je te dis cela, parce que la rumeur publique incrimine ton ami et disciple Alcibiade. »

Socrate tressaillit, mais il se maîtrisa assez pour paraître serein.

« L'affaire me semble, en effet, témoigner d'un dessein, répondit-il. Combien de statues d'Hermès y a-t-il dans la ville ?

— Cent sept, répondit le prytane.

— Elles ont toutes été mutilées ?

— À l'exception d'une seule semble-t-il, qui se trouve près de la porte de Marathon, d'après les délégués chargés de constater les dégâts.

— Dis-moi, combien de temps ont-ils mis pour effectuer le tour de la ville ? »

Le prytane parut surpris par la question.

« Écoute, ils sont partis ce matin très tôt... On était venu me réveiller à l'aube pour m'informer du saccage perpétré sur deux hermès de mon quartier, près de l'Héphaistéon, et j'ai alerté un collègue voisin... Il a envoyé tout de suite ses deux fils afin d'établir la liste des statues mutilées... Bref. Je dirais qu'ils ont mis six heures. »

Socrate hocha la tête et réfléchit un moment.

« Bien. Crois-tu qu'un criminel qui aurait projeté un acte aussi répréhensible prendrait le risque de le commettre à une heure où il pourrait être surpris, arrêté et condamné à mort par l'Aréopage ?

— Certes non !

---

1. L'« affaire des hermès » ainsi que ce des « Mystères » ont eu effectivement un grand retentissement sur la vie politique d'Athènes.

— Il a donc dû commencer à une heure où il était assuré que tout le monde dormait assez profondément pour ne pas l'entendre. La ville se couche tard. Disons : après minuit. Et le jour en ce moment, se lève vers six heures. Cet homme a donc disposé de cinq ou six heures c'est-à-dire, le même temps que les délégués dont tu me parles. »

Le prytane opina du chef.

« Il en ressort qu'un seul homme n'a pu accomplir ces forfaits, poursuivit Socrate. La tâche a été partagée entre deux ou trois hommes au moins. À ton avis, combien de temps faudrait-il pour mutiler ainsi une statue ?

— Je ne sais pas... Je dirais une dizaine de minutes.

— C'est également mon avis. Certaines statues sont neuves et leur pierre résiste bien mieux que d'autres aux déprédations. Mais dans ce cas, en une heure, un criminel n'aurait mutilé que cinq ou six statues au plus, sans compter le temps du trajet de l'une à l'autre. En cinq heures, il n'aurait pu en mutiler que vingt-cinq ou trente.

— C'est vrai ! s'écria le prytane. Comment n'y avais-je pas pensé !

— S'il en est ainsi, les criminels devaient être au moins quatre ou cinq pour mener leur projet à bien. C'est entre eux qu'il faudra partager le poids du sacrilège.

— L'oracle d'Apollon était vraiment bien inspiré quand il te désigna ! » dit le prytane.

Un de ses collègues était venu le rejoindre ; il lui résuma fébrilement les raisonnements de Socrate et l'autre hochait abondamment la tête, ponctuant son audition de grands gestes de la main. Socrate essuya une nouvelle salve de compliments.

« Maintenant, reprit-il, ce qui nous intéresse est de savoir qui sont les coupables. Quand tu m'as abordé tout à l'heure, tu m'as dit que les soupçons se portaient sur Alcibiade. Je ne sais pas le motif de tels soupçons. Je veux simplement vous demander ceci : croyez-vous qu'un chef militaire qui s'apprête à démarrer l'une des plus grandes expéditions maritimes de notre histoire, une expédition à laquelle participe sa propre trière, aurait l'esprit suffisamment disponible pour se lancer nuitamment dans une entreprise entièrement étrangère à cette expédition ? Ne pensez-vous pas que, harassé par des préparatifs innombrables qui exigent toute son attention, il aurait plutôt consacré ses derniers loisirs à terre à prendre quelques heures de sommeil ? »

Les deux prytanes se consultèrent du regard.

« Je pense qu'en effet, il aurait préféré dormir, finit, par concéder l'un d'eux.

— Mais ce pourrait être des hommes agissant sur ses ordres, observa l'autre prytane.

— C'est possible, admit Socrate. Toutefois, vous savez que les amis les plus proches d'Alcibiade se sont embarqués avec lui sur sa propre trière afin de partager sa gloire future ; vous les avez vus hier. Chacun a pu les compter : ils étaient quatorze. Pour fomenter une entreprise aussi criminelle, ne pensez-vous pas qu'il lui eût fallu des hommes encore plus dévoués que des esclaves ? »

Les prytanes considérèrent la question. Socrate leur en posa une autre :

« Croyez-vous que ces hommes, qui risquent la plus dure punition s'ils sont arrêtés et dont les noms demeureront à jamais infâmes, acceptent d'affronter ainsi l'ignominie, alors que leurs camarades, quand ils reviendront, seront, nous l'espérons ardemment, couverts de gloire ? »

Les deux prytanes parurent déconcertés. Ils s'étaient sans doute accrochés aux rumeurs qui dénonçaient Alcibiade, car, dans l'ignorance, une rumeur est plus rassurante que rien ; et il venait de les en dépouiller. Socrate goûta brièvement l'ironie de la situation : il avait appliqué à la défense d'Alcibiade la méthode que Xanthippe avait utilisée pour vérifier ses soupçons.

« Soit, dit enfin l'un. Maintenant, peux-tu nous aider à découvrir le motif de cette infamie ? Peut-être nous permettra-t-il de retrouver celui ou ceux auxquels elle profite. »

Et ils l'entraînèrent vers le Stoa, afin de s'y rafraîchir d'une bière ou deux.

« Le trait le plus saillant de ce sacrilège, observa Socrate quand ils se furent installés et qu'ils eurent trempé leurs lèvres dans une grande timbale de bière fraîche, c'est sa folie. Il n'exprime aucune opinion, puisque ses auteurs ont agi dans l'obscurité, afin de rester inconnus. Ils ont voulu porter un grand coup, afin de frapper l'esprit du peuple qui était presque entièrement acquis à l'entreprise d'Alcibiade. Leur audace n'était donc pas spontanée : elle visait plutôt à donner l'image de l'audace.

— Et alors ? demanda un prytane.

— Et alors, il me semble que ces gens avaient l'espoir qu'on attribuât leur forfait à quelqu'un qui s'est justement distingué à Athènes par son audace.

— Alcibiade donc. Selon toi, ce serait donc ses ennemis qui auraient fait ce coup ?

— N'ont-ils pas atteint leur but ? Tes premières paroles, tout à l'heure, me disaient que les soupçons s'étaient tout de suite portés sur lui.

— En effet.

— Un autre trait évident du sacrilège est le moment où il a été commis : non pas il y a huit jours, mais juste la veille du départ d'Alcibiade à la tête de la flotte.

— Qu'en déduis-tu ?

— Que cet outrage veut indiquer qu'Alcibiade est animé des pires intentions : non seulement, il veut conquérir la Sicile, mais il entendrait se rendre maître d'Athènes même à son retour et la dépouiller de ses croyances.

— Crois-tu cela possible ?

— Non, puisque je vous ai indiqué qu'Alcibiade ne pouvait être pour rien dans ce complot. De surcroît, du point de vue des comploteurs, un tel sacrilège ne pouvait en aucune manière servir ses desseins ; il ne pouvait que gâcher l'enthousiasme qui a entouré son départ, en donnant à croire au peuple que des présages sinistres se manifestaient la veille même de l'expédition qu'il avait lui-même si ardemment demandée.

— Encore juste ! fit l'un des prytanes qui avala d'un trait la moitié de sa timbale.

— Un troisième aspect de ce sacrilège, reprit Socrate, est qu'il a été organisé de façon presque militaire. Ce n'est pas le geste de deux ou trois jeunes gens ivres qui, passant devant la statue d'un dieu, l'ont déshonorée par bravade. Non, nous avons là plusieurs hommes déterminés qui sont délibérément partis dans la nuit pour casser les parties génitales de toutes les statues d'Hermès.

— Qu'en déduis-tu ?

— Qu'il s'agit d'une faction politique décidée à offenser la Cité et à la terroriser en même temps. Hermès est un de nos dieux protecteurs. »

Tous vidèrent leur timbale et l'on commanda une autre tournée.

« Le geste avertit symboliquement Athènes qu'elle n'est plus protégée et qu'elle va être l'objet d'une subversion politique violente », reprit Socrate après un silence.

Le Frisé vint resservir ses clients.

« Mais comment concilier cela avec le fait que ces gens voulaient compromettre Alcibiade ? demanda un prytane.

— Ce n'est pas contradictoire. Ces conspirateurs voulaient indiquer que la même audace qui a présidé à l'organisation de l'expédition navale pouvait inspirer une action violente. Et qu'elle pourrait être menée par Alcibiade.

— Mais pourquoi le compromettre, lui, s'il n'a rien à faire avec ces menées ?

— Peut-être Alcibiade les gêne-t-il, répondit Socrate. Peut-être leur paraît-il trop encombrant et pas assez docile. En tout cas, le scandale, si l'on persistait à le lui attribuer ne pourrait que le discréditer et le forcer à l'exil.

— Ce que tu dis est extrêmement grave ! s'écria un prytane. Et comme tu l'expliques avec beaucoup de sagesse, ne veux-tu pas venir tout à l'heure présenter tes réflexions à l'Assemblée ?

— Non, répondit Socrate. Je m'enorgueillis de l'amitié d'Alcibiade, et l'on ne verra dans ce que je dirais que les propos d'un partisan. Il vaut mieux que vous rapportiez, vous, mes réflexions comme il vous convient.

— Tu n'as pas désigné les coupables, observa un des deux prytanes.

« — Non, mais je vous ai donné les moyens de les reconnaître », répondit Socrate en souriant.

L'heure de la séance approchait. Ils se levèrent et se dirigèrent vers l'Assemblée. Socrate resta seul. Non, il n'avait pas désigné les coupables : c'étaient ceux qui voulaient renverser la démocratie. Et aussi brillamment qu'il eût défendu Alcibiade, il se demandait dans quelle mesure celui-ci était hostile à leurs projets. Et, s'il l'était, dans quelle mesure il le leur avait fait comprendre.

À la différence de la passion, pareille à un feu de broussailles qui court en sifflant, la pensée suit l'allure du ramasseur de plantes thérapeutiques dans la montagne : elle chemine, regarde à droite et à gauche, à la recherche de l'achillée aux mille fleurs en ombelle, de l'agripaume aux tiges violettes et aux feuilles rêches ou bien de la tussilage aux fleurs jaunes, dont il tirera sa thériaque, sa décoction ou son baume. Socrate n'était donc pas préparé à l'incendie qui l'environna soudain.

En trois ou quatre jours, une véritable épidémie de soupçons, d'arrestations et d'accusations plus folles les unes que les autres se déclencha et dévasta Athènes. On se demanda laquelle des deux variétés d'épidémies, la physique ou la mentale, était préférable.

Cela commença par la déposition d'un certain Diocleidès au Conseil de la Magistrature à propos de l'affaire des hermès. Cet homme, dont le visage paraissait bizarrement mal agencé (les yeux démentaient la bouche), raconta qu'il avait vu, ce fameux soir, au clair de lune, quelque trois cents personnes qui s'étaient partagées en trois groupes, au nord de la ville. Il assurait en avoir reconnu quarante-deux et les nomma : deux membres du Conseil des Cinq Cents, des gens appartenant à des familles aristocratiques, un frère de Nicias, Critias, Léogoras, son fils Andocide... Nulle mention d'Alcibiade, toutefois.

Les magistrats s'émerveillèrent qu'on pût reconnaître, à distance et la nuit, quarante-deux visages. Étaient-ce ces gens qui avaient émasculé les hermès ? Et dans quel but ? Et comment expliquer l'imprudence qui les avait réunis par un soir de pleine lune, alors que leur nombre, sinon leurs identités, les exposaient particulièrement aux regards ? Le récit de ce Dioclcidès parut d'autant plus suspect que l'attentat contre les hermès avait eu lieu un soir de nouvelle lune ! Les magistrats pressèrent le délateur de questions de plus en plus pointues et il finit par avouer qu'il avait inventé tout son récit. Pour quelle raison ? Parce que « quelqu'un » le lui avait demandé en échange d'une somme d'argent. Quelqu'un ? Qui ? Les magistrats n'étaient guère d'humeur à se contenter d'échappatoires. Ce « quelqu'un » était en fait deux personnes. Qui ? Il les nomma et le scandale supplémentaire fut que parmi eux figurait un cousin... d'Alcibiade, lui aussi prénommé Alcibiade, mais originaire de Phlégonte ! Les magistrats jetèrent l'affabulateur en prison et mandèrent les deux autres, qui l'y rejoignirent.

Or, le Conseil des Cinq Cents se trouvait de l'autre côté de la rue et, pour mensongères qu'elles fussent, les révélations de Dioclcidès la traversèrent en un rien de temps, portées d'abord par les huissiers et les clercs et, pour finir, par ceux qui avaient entendu les huissiers, les portiers et les clercs. Évidemment, ces colporteurs n'avaient retenu que la première partie de l'histoire, celle qui leur paraissait la plus croustillante. Une heure plus tard, l'histoire se répandait dans Athènes et les membres des deux Conseils furent assiégés par des essaims de citoyens. Il faisait chaud, et pour saliver il fallait se réapprovisionner en liquide : la buvette du Frisé fut quasiment investie. Tout le monde voulait la liste des noms cités par Dioclcidès ! L'alcool enflamma davantage encore plus les esprits.

« C'est un complot de l'oligarchie ! s'écria quelqu'un.

— Oui, approuva un autre, les oligarques ont attendu que la flotte soit partie pour ouvrir les portes aux Lacédémoniens ! La démocratie est en danger ! »

On eut beau lui faire observer que les quinze mille hoplites assignés à la défense d'Athènes et des Longs Murs étaient toujours à leur poste, rien n'y fit, il continuait de crier que la démocratie était en danger, accusant son contradicteur d'être un sycophante, un espion des Lacédémoniens ou un oligarque ou les trois à la fois. Toutefois, s'il était le plus visible des excités, il n'était pas le seul. Vers les huit heures, plusieurs autres affichèrent un masque de mâle résolution et tout imprégnés ou imbibés d'une détermination à défendre la Cité, ils constituèrent des milices pour monter le guet contre les ennemis de la démocratie. Une bande des plus exaltés courut à l'Arsenal pour s'emparer des armes, mais se heurta au commandant de la place, qui les envoya paître et qui, s'étant fait traiter d'oligarque et d'ennemi de la démocratie, menaça de les arrêter sur-le-champ en vertu de la pratique athénienne de l'*eisaggelie* qui permettait d'arrêter immédiatement tout ennemi présumé de la démocratie afin de le déférer devant le Tribunal du Peuple. L'apparition d'une vingtaine de hoplites en armes derrière leur commandant dissuada ces meneurs de pousser plus loin leurs prétentions belliqueuses.

Mais non patriotiques. En effet, ces milices coururent aux domiciles des gens cités sur la liste inventée de Diocleidès et les arrêtèrent pendant la nuit. L'affaire devint grave quand les miliciens allèrent également arrêter non seulement les deux membres du Conseil des Cinq Cents cités par Diocleidès, mais des parents, des amis et d'autres membres de ces derniers qui n'avaient même pas été cités, mais avec lesquels les justiciers improvisés avaient maille à partir. Or, ces gens-là jouaient de la dague et, affolés, les parents des gens qu'on arrêtait ainsi envoyèrent des émissaires à la garnison des hoplites, demandant du secours. Une phalange de hoplites arriva donc et s'empoigna avec les miliciens, lesquels menacèrent de les arrêter, sous prétexte qu'ils faisaient le jeu de l'oligarchie. « C'est vous qui faites le jeu des oligarques ! » répliqua le commandant des hoplites. Et à la fin impatienté, il mit d'autorité la main sur les plus furieux de ces gens et décida de les tenir ligotés jusqu'au matin, en attendant qu'on y vît plus clair, avec les yeux et avec l'esprit.

Inquiet de la tournure des événements, le Frisé résolut de mettre les rideaux de bois sur son commerce. Socrate, stupéfait par cette vague de folie, jugea plus sage de rentrer chez lui. Il était trop clair que l'exaltation suscitée par le départ de la flotte avait fermenté dans la chaleur et qu'elle avait tourné à l'ivresse furieuse. Et dire que cette ville s'était placée sous l'égide de la déesse de la raison !

Mais en refermant la porte derrière lui, il dut convenir en son for intérieur que, si Alcibiade était probablement innocent dans l'affaire des hermès, ses propos conquérants et fous avaient eu le même effet qu'une étincelle de silex tombant sur de la poix chaude.

10.

« ... Un discours de riches ! »

Socrate, assoiffé, se leva tôt le matin pour aller chercher un melon à la cuisine. Il fut étonné d'y trouver Léthô en compagnie d'un jeune et solide inconnu. Il leur sourit aimablement et leur souhaita le bonjour, relevant à quelques signes, une coiffure décidément dépeignée, une certaine odeur, que les deux jeunes gens semblaient avoir passé la nuit ensemble, puis il alla prendre un des melons sur l'étagère où Xanthippe les rangeait et se mit en quête d'un couteau.

« Maître, dit timidement Léthô, Euménis que voici était sur l'Agora hier soir, tard. Il a appris que les Béotiens ont envahi l'Attique. »

Socrate leva les sourcils et plongea le couteau dans le melon.

« Hier soir ? Vers quelle heure ? Le Stoa était-il ouvert ?

— Non, je n'y ai pas vu de lumières. Mais il y avait plein de monde sur la place. Et la nouvelle a couru que les Béotiens envahissaient l'Attique. »

Cela ne contribuerait certes pas à calmer les esprits.

« Je ne crois pas que beaucoup de monde ait dormi la nuit dernière », ajouta Euménis.

« Et certainement pas ces deux-là », songea Socrate. Il

sortit manger son melon dans le patio. Xanthippe, qui venait de se réveiller, l'y rejoignit. Elle observa que la maisonnée s'était levée bien tôt.

« C'est qu'apparemment elle a fait comme le reste d'Athènes, elle s'est couchée bien tard. Ou pas du tout », laissa tomber Socrate.

Il lui résuma la soirée de la veille et les nouvelles que venait d'apporter Euménis.

Quand il sortit, peu avant midi, il remarqua des hommes qui, l'œil cerné et méfiant et le poil hérissé, patrouillaient dans le quartier ; il supposa que c'étaient des coupe-jarrets de l'une des milices qui s'étaient formées spontanément la veille.

Une grande confusion régnait sur l'Agora. Des groupes de gens qui n'avaient pas non plus beaucoup dormi discutaient avec véhémence. Il prêta l'oreille. D'abord, le Conseil de la Magistrature et l'Assemblée avaient donné l'ordre de retrouver celui ou ceux qui, dans la nuit, avaient répandu la nouvelle de l'invasion des Béotiens, afin de savoir d'où ils tenaient ces informations. Si la chose avait été vraie, les avant-postes fortifiés installés par Périclès, puis Alcibiade, eussent dépêché vers Athènes des émissaires à cheval pour l'informer de l'agression. Quatre heures y eussent suffi. Or, il était midi et l'on n'avait pas vu l'ombre d'un émissaire, ce qui rendait bien douteuses les nouvelles de l'invasion. D'ailleurs, le Conseil des Stratèges, ou ce qu'il en restait, avait dès le matin expédié trois émissaires en Attique avec l'ordre exprès de revenir immédiatement pour les informer de la situation.

Ensuite, plusieurs notabilités, on ne savait combien, avaient été arrêtées et se trouvaient sous la garde des miliciens, et ces derniers trépignaient d'impatience, attendant de les traduire en justice et d'affirmer leur autorité toute neuve. D'autres avaient pris la fuite. Les trois Conseils délibéraient depuis la huitième heure après minuit, et la foule massée sur la place attendait le résultat des délibérations.

Ce fut l'Assemblée qui, la première, fit savoir sa décision.

Son doyen apparut sur le péristyle du bâtiment, entouré de dix autres chefs.

« Athéniens, déclara-t-il, nous apprenons que, cette nuit,

des groupes se sont constitués pour défendre la Cité contre un complot. Nous les remercions pour leur vigilance et leur patriotisme, mais nous estimons toutefois qu'ils se sont manifestés précipitamment et sur la base de fausses informations. Athènes possède tous les corps constitués et élus nécessaires à sa défense et ne saurait en tolérer d'autres. Nous donnons donc à ces milices l'ordre de se dissoudre immédiatement et de libérer les prisonniers qu'elles ont faits. »

Une vague de protestations s'éleva de la foule, parsemées de sifflets. L'un des chefs des milices qui avaient attendu ce moment pour voir consacrer leur pouvoir interpella le doyen.

« Et les coupables que nous avons arrêtés ? Les traîtres à la démocratie ? Nous demandez-vous de les relâcher, eux aussi ?

— La démocratie exige que vous vous conformiez à ses lois, répondit le doyen avec fermeté. Si vous êtes convaincus de la culpabilité de ces gens, allez déposer vos plaintes au Conseil de la Magistrature. Mais relâchez d'abord vos prisonniers.

— Êtes-vous donc des oligarques ? Nous ne les relâcherons pas !

— Dans ce cas, c'est vous que nous faisons arrêter sur-le-champ pour défi aux lois d'Athènes ! rétorqua le doyen. »

Socrate frémit. Les brandons de la guerre civile grésillaient à cet instant devant lui. La foule pouvait se jeter sur les représentants de l'Assemblée et les tailler en pièces.

Mais l'Assemblée avait pris sa décision, de concert avec les magistrats. Une phalange de hoplites venait d'apparaître derrière la foule, venant de la voie des Panathénées. Son lieutenant se dirigea d'un pas ferme vers le chef milicien qui avait défié le doyen et lui mit la main sur l'épaule. L'autre se débattit et décocha un coup de poing au phalangiste. Trois hommes le maîtrisèrent sans ménagements et l'emmenèrent après lui avoir lié les mains. D'autres miliciens voulurent s'esquiver, mais furent immédiatement dénoncés par leurs complices de la veille ou par des sycophantes des oligarques, allez savoir. Ils furent également arrêtés. Ce fut alors que leurs prisonniers, deux membres du Conseil de l'Assemblée, un charcutier, l'aristocrate Critias, le cousin d'Alcibiade, un marchand de blé, Léogoras, son fils Andocide et une vingtaine d'autres, s'avancèrent devant le doyen et demandèrent qu'on leur déliât les mains. Ce qui fut fait, mais non sans que leurs identités eussent été enregistrées et qu'ils eussent reçu des sommations à comparaître pour savoir ce qu'il pouvait y avoir de vrai dans ces rumeurs. Jusque-là, ils iraient tous en prison.

Saisie par la manifestation d'autorité de l'Assemblée, la foule qui, quelques moments auparavant criait sa désapprobation, se tint coite. Socrate évoqua la question que lui avait jadis posée Alcibiade : *Le* démos *est-il une femme ?* Sans doute. Restait à se demander ce qu'est une femme. Et plus difficile encore : à répondre à la question.

Socrate ne voulait pas quitter la scène, dans l'attente des autres décisions. Il accepta l'invitation de deux prytanes à se restaurer chez le Frisé, qui avait rouvert mais n'accueillait que ses habitués.

On le mesurait aux mouvements des Athéniens sur l'Agora : les esprits paraissaient se calmer. La violence avait déserté les gestes et les regards, les démarches étaient plus paisibles ou en tout cas plus mesurées. Une petite marchande de fleurs réapparut même à l'extrémité du Stoa, devant la boutique de Zopyris, le facteur de lyres de cithares et de flûtes.

Puis, peu après quatre heures, le Conseil des Stratèges, constitué des cinq stratèges demeurés à Athènes et des suppléants des autres, fit une proclamation par la voix de son chef :

« Athéniens ! déclara-t-il d'une voix forte. Des rumeurs ont été propagées hier dans la nuit selon laquelle des Béotiens auraient envahi l'Attique, présageant une attaque des Spartiates. Nos propres émissaires sont partis ce matin pour les vérifier. Il n'en est rien. Toutefois, ces rumeurs se sont ajoutées à la confusion suscitée hier soir par d'autres mensonges sur un complot contre notre démocratie. Nous considérons ceux qui ont propagé l'une ou l'autre de ces rumeurs comme les véritables ennemis de la paix publique, et nous demandons qu'ils se rendent à notre justice. S'ils ne le font pas, qu'ils soient dénoncés par leurs victimes ! »

La foule écouta en silence, pareille à des écoliers dont un maître d'école vient tancer les turbulences. Socrate et d'autres prytanes avaient également écouté le stratège, et l'un de ceux-ci s'écria : « Enfin, un peu de calme ! » Un badaud lui adressa un regard ironique. Le prytane le prit de travers et lui déclara :

« Vous avez élu des représentants, ils ont voté vos lois. Tenez-le-vous pour dit !

— Ça, mon gros, rétorqua l'autre, c'est un discours de riche ! »

Néanmoins, Socrate put espérer reprendre ses leçons. L'orage était passé. Il ne restait plus qu'à souhaiter le succès à Alcibiade. Trois jours plus tard, il retrouvait ses disciples, mais il ne pouvait s'empêcher de songer à la repartie du badaud : *Ça, mon gros, c'est un discours de riches !* Tous ses disciples étaient des garçons qui pouvaient s'offrir le luxe de payer pour apprendre à raisonner. L'éducation était-elle donc réservée aux riches ? Et la sagesse ? Qu'était-ce donc qu'une démocratie où des jeunes gens fortunés comme Alcibiade pouvaient se permettre mille folies, tandis que les autres étaient trop heureux d'être acceptés comme rameurs sur les galères ?

Trois jours plus tard, quand il se fut remis des émotions de son arrestation injustifiée, Critias l'interrogea sur un sujet voisin : fallait-il interdire la richesse ? Et la démocratie ne devait-elle être constituée que de manants ?

Socrate perçut bien l'ironie dans la voix du jeune aristocrate.

« Pour moi, Critias, répondit-il, j'ai toujours été hostile à ceux qui pensent qu'il ne pourrait y avoir de belle démocratie sans la participation au pouvoir des esclaves et de ceux qui vendraient par misère la cité pour une drachme ; d'un autre côté, je me suis toujours opposé à ceux qui ne pensent pas qu'une oligarchie puisse se former sans que la cité soit soumise à la tyrannie d'une minorité ; mais gouvernée avec ceux qui ont les moyens d'intervenir avec chevaux et boucliers ; je pense depuis longtemps que c'est la meilleure solution, et je le pense toujours [1]. »

---

1. Xénophon, *Hélléniques*, II, III, 47-48.

11.

L'homme qui s'était dupé lui-même

Le goût des rumeurs est commun. Il est même l'un des traits du commun. Il reflète la malveillance spontanée des âmes mal nées, celles qui considèrent comme une offense personnelle la supériorité d'un destin ou d'un caractère et qui n'auront rien de plus pressant que de les ruiner. Et quel instrument plus efficace que la rumeur ? Ténébreuse, invérifiable, omniprésente, elle est pareille à la mauvaise odeur qui emplit la maison et dont nul ne sait l'origine.

Vous avez prêté une somme à Alexios ? Il n'aura rien de plus urgent que de s'en offenser. Si vous prêtez, c'est que vous le pouvez, donc que vous êtes riche, et donc que vous gagnez votre argent facilement, sinon malhonnêtement. Vous vouliez rendre service, votre réputation de voleur et de dépensier est faite.

La rumeur est habile : son objet est toujours vraisemblable, sans quoi elle ne peut prendre corps, mais il est présenté de façon à donner de la gravité à des affaires anodines, voire insignifiantes. Elle prolifère particulièrement dans les époques troublées, qui sont celles où les médiocres espèrent asseoir enfin une autorité que les époques de paix et de sérénité leur ont déniée. Tout cela part de sentiments généralement définis sous le nom de jalousie, mais que les Grecs, eux, nomment *phtonos*, c'est-à-dire « mauvais œil » et pour lesquels ils éprouvent une terreur quasi sacrée. Car la *phtonos* est active, hélas !

Socrate le vérifia peu de jours après que les rumeurs de coup d'État contre la démocratie et d'invasion des Béotiens furent réduites à néant. Les malveillants se demandèrent alors si leurs espoirs de triompher dans une Cité qui cultivait le mérite étaient également évanouis. Voyant que la démocratie était défendue et que les militaires étaient vigilants, ils jugèrent que leur cible parfaite était l'homme qui, à son départ, avait laissé un sillage éclatant, scintillant de courage et plein de promesses de gloire : Alcibiade. Les ragots repartirent de plus belle, à l'instar des rats que la nuit rend si diligents.

L'atmosphère y était propice. En effet, quand les gens arrêtés par les milices furent tirés de leurs geôles pour passer devant les magistrats, il s'avéra que, si Diocleidès avait menti en prétendant avoir assisté aux préparatifs de la castration des hermès, ses allégations comportaient quand même un fond de vérité. En effet, l'un des prisonniers, Andocide, le fils de Léogoras, céda aux injonctions de sa conscience pour sauver des gens qui avaient été injustement emprisonnés avec lui et risquaient la mort ; il innocenta son père, emprisonné avec lui, et avoua que c'était son hétairie qui avait commis ces déprédations sacrilèges. Il se déclara lui-même innocent, mais l'Aréopage le condamna quand même à l'exil. Qu'est-ce qui avait poussé ces jeunes gens bien nés à une entreprise séditieuse autant qu'extravagante ? Quand on voulut les interroger, on apprit qu'ils étaient tous partis avec Alcibiade, sur sa trirème.

« Quoi qu'il en soit, l'affaire des hermès est donc close », déclara Socrate avec soulagement, et il rapporta à Xanthippe qu'Andocide n'avait jamais cité Alcibiade. Elle objecta qu'il y avait souvent un fond de vérité dans les rumeurs et, comme elle se tenait informée par Léthô, assura qu'on avait bien incriminé Alcibiade. « Ce n'est pas le même, observa-t-il, mais son cousin, Alcibiade de Phlégonte. »

Son répit fut éphémère. Ce retournement de situation

avait, en effet, conforté les semeurs de rumeurs dans leur détestable pratique. Les délations insensées reprirent de plus belle, et cette fois elles visèrent directement Alcibiade. Un matin qu'il se rendait au Metrôon pour faire enregistrer un modeste héritage que sa femme avait reçu d'un parent, un lopin de terres maraîchères du côté de Paiania, Socrate fut hélé par un prytane.

C'était un homme massif et jeune, du dème de Ionidai, lui et Socrate avaient déjà échangé quelques propos sur les lieux les plus propices à la réflexion. Car cet homme, qui avait gardé des manières rustiques, s'émerveillait qu'on pût cultiver la sagesse dans un lieu aussi dissolu et agité qu'Athènes, et Socrate en avait souri. Il avait également confié au philosophe qu'il n'avait pas été favorable à l'expédition de Sicile, car son frère, qui s'y était rendu, lui avait remis un rapport sur l'étendue et la richesse de cette île que les Athéniens mésestimaient. Ils firent quelques pas ensemble et s'arrêtèrent sous les statues jumelles de Zeus et d'Athéna. Là, le prytane demanda :

« Serais-tu au fait des moqueries d'Alcibiade à l'égard de la religion ? »

Socrate stupéfait répondit qu'il ne l'était pas et que, s'il l'avait été, il eût sévèrement tancé son ancien disciple. Mais de quoi s'agissait-il donc ?

« Voilà, reprit le prytane. Nous avons appris par une dénonciation qu'une parodie des mystères que nous célébrons à Éleusis[1] s'est faite chez le cousin de ce misérable Andocide, un certain Charmidès, et qu'Alcibiade y participait, ainsi que son oncle Axiochos. Connais-tu ce Charmidès ?

— Bien sûr, c'est un parent d'Alcibiade et l'un de mes disciples. Si nous parlons bien du même.

— Ce qui prête de la véracité à cette dénonciation, car

---

1. Les mystères d'Éleusis, qui tenaient une grande place dans la vie religieuse d'Athènes, se partageaient en petits et en grands mystères, les premiers célébrés au printemps, les seconds à l'automne. Des seconds, l'on ne sait quasiment rien, car leur secret fut bien gardé, sinon qu'ils initiaient le célébrant à la communication avec les grandes déesses de la Terre, Déméter et Koré, ainsi qu'avec le dieu des enfers, Pluton. La béatitude extatique à laquelle atteignaient les initiés évoque l'usage d'une drogue ; il semble également que ces grands mystères aient comporté des rites sexuels, d'où l'altération tardive du mot *orgia.* « rites ».

tu sais combien nous nous en méfions, c'est que ce Charmidès fait partie de l'hétairie d'Alcibiade.

— Mais à quand remonterait cette parodie ?

— À quelques semaines ou quelques mois, nous l'ignorons pour le moment. »

Socrate resta un moment muet de consternation. Cette nouvelle affaire prolongeait en quelque sorte la précédente, puisqu'on y retrouvait des gens de la même hétairie, celle qui gravitait autour d'Alcibiade, et le même esprit de dérision de la religion.

« Est-on sûr, demanda-t-il, qu'il s'agissait bien d'une parodie, et non pas d'une récitation de poète qui aurait été mal comprise par un témoin malveillant ? »

Mais, tout en parlant, il s'avisait de la vanité de ses efforts. Son *daïmon* lui soufflait qu'il plaidait dans le vent. Une telle parodie correspondait bien au tempérament insolent et provocateur d'Alcibiade. La fausse invocation des esprits machinée avec la complicité de ce prétendu devin de Baïlour ne l'avait-elle pas déjà montré ? Alcibiade se moquait de tout, d'Athènes et de la démocratie. Il n'avait que mépris pour tout ce qui ne servait pas sa vanité. Sa manie des gifles trahissait le mépris.

« Ce n'était pas une récitation, répondit le prytane. Alcibiade tenait dans cette farce sacrilège le rôle de l'hiérophante. On lui présentait les néophytes, jeunes hommes et jeunes filles, qu'il fallait initier et... tu devines la suite ! »

Il la devinait trop bien ! La farce avait tourné à l'orgie.

« Ce serait là un grave crime d'impiété, reprit le prytane. Nous ne pouvons en tout cas laisser cette rumeur se répandre, sous peine de faire croire que les fondements de notre Cité peuvent ainsi être foulés aux pieds, fût-ce par des citoyens éminents. Il nous faut interroger Alcibiade lui-même, ainsi que son oncle et les jeunes gens de son hétairie qui sont partis avec lui sur sa trirème. Il est étrange, sinon suspect, que tous ces gens soient partis de concert !

— Mais comment ferez-vous ? demanda Socrate. Il est en Sicile !

— Nous l'en ferons revenir », répondit simplement le prytane.

De fait, le lendemain, sur ordre exprès des magistrats, la galère rapide *La Salaminienne*, réservée aux missions officielles, appareilla pour la Sicile avec ordre de ramener Alcibiade, son cousin Alcibiade de Phlégonte, Charmidès et trois autres jeunes hommes de son hétairie dont la liste était dûment établie. Quant à Axiochos, il avait disparu, on ne savait où.

La douleur du paysan qui voit son champ prêt à moissonner incendié par la foudre est celle d'un homme qui assiste à la ruine des efforts d'une année ; ses pertes sont matérielles. Socrate, lui, voyait sombrer les efforts de plusieurs années d'enseignement, de patience et d'amour, spirituel et charnel. En y réfléchissant, ce qu'il fit longuement, ce n'était pas l'impiété qu'il reprochait le plus à Alcibiade, mais la pratique forcenée de l'artifice et de la parodie. Ceux-ci trahissent le mépris des autres, et ce mépris-là n'est que celui de soi-même. Ce jeune homme splendide avait été son fils désiré, il l'avait poussé vers les cimes de l'ambition, et aujourd'hui le masque tombait, mais, ô tristesse, en tombant il ne révélait qu'un autre masque. Alcibiade avait toujours été un poseur, et ce qu'il avait aimé chez Socrate, sans doute sincèrement, c'était le cerveau, instrument suprême qui eût assuré le succès de ses entreprises. Il n'était plus qu'un fils indigne. Point n'était besoin d'attendre les conclusions de l'interrogatoire auquel le jeune stratège serait soumis à son retour, Socrate en était sûr.

Il en conçut l'amertume de ceux qui se sont laissé duper par la beauté. C'est la pire, parce qu'elle signifie qu'on s'est dupé soi-même. Et c'était bien ce qu'il avait fait pendant les quelque quinze années qu'il avait connu Alcibiade et que tout son être avait vibré chaque fois qu'il s'était trouvé en présence du jeune homme. Le souvenir des caresses échangées le faisait encore vibrer. Une aussi longue méprise ne peut, se dit-il, que trahir une profonde erreur du jugement. Il songea alors à l'affirmation de Protagoras : « Il n'y a pas de faits, il n'y a que des opinions. » Avait-il pris la beauté d'Alcibiade pour une vertu ? « Dans ce cas, se dit-il, perplexe, j'ai cédé au préjugé de l'aristocratie qui veut que les gens beaux soient aussi des gens vertueux, les *kaloi kagatoi*. »

La question que lui avait jadis posée le bel Éristée, chez Alcibiade lui-même, lui revint en mémoire : « Dis-moi, Socrate, comment concilies-tu la démocratie avec ton amour de ce qu'il y a de plus beau, de plus noble, de plus courageux ? Car tu conviendras que le *démos* n'est pas beau, rarement noble et presque jamais courageux ? » Éristée avait eu l'intuition fine : oui, aimer la beauté, la beauté physique s'entend, celle de ces jeunes gens riches au teint frais, qui passaient la journée à développer leurs muscles et à s'enduire de parfums, était, à la fin, un choix politique. « Aimer les beaux garçons est donc une attitude favorable à l'oligarchie », se dit-il songeur. Comment n'y avait-il pas pensé ? Mais d'autres y avaient-ils pensé ? Xanthippe, par exemple ? Car les dieux pouvaient en témoigner, elle n'avait jamais pris, elle, la beauté pour le signe de la vertu.

La grâce de Xanthippe fut qu'elle s'abstint de triompher. Elle resta silencieuse. Mieux, elle partagea la tristesse de son mari.

12.

La fuite ! L'aveu !

Près d'un mois s'était écoulé depuis le départ de la flotte et trois jours depuis celui de *La Salaminienne*. Athènes attendait une proclamation des stratèges commis à la défense de la ville : l'annonce de quelque victoire éclatante, des informations, n'importe quoi qu'on pût se mettre sous la dent. Elle dut se contenter des mines des membres du Conseil et de l'Assemblée, qui s'allongeaient chaque jour. Athènes commença à s'inquiéter.

Ils étaient cinq, ce soir-là, chez le Frisé.

« Eh bien, s'écria Taki à l'adresse de Cléanthis, et notre expédition ? Où en sommes-nous ? Il paraît qu'Alcibiade va être ramené à Athènes, sur décision des magistrats, pour être jugé d'un crime d'impiété. Un de plus. Nous nous fichons d'Alcibiade ! La Sicile ? Nous sommes tous ici membres de l'Assemblée du Peuple, et nous avons peine à croire qu'il n'y ait personne dans cette cité qui soit informé de ce qui se passe là-bas depuis que la flotte est partie !

— Je suis membre de l'Assemblée comme vous : comment en saurais-je plus que vous ? répondit Cléanthis d'un ton placide.

— Parce que tu es aussi membre du Conseil de la Magistrature... N'étions-nous pas convenus avec Alcibiade, Nicias et les généraux, qu'une galère viendrait nous informer du déroulement des opérations ?

— Si une galère était revenue au Pirée porteuse d'informations, vous le sauriez aussi bien que moi.

— N'est-il pas vrai, pourtant, intervint Anasthasis d'un ton doucereux, qu'un navire marchand du port neutre de Patrai est revenu de Syracuse il y a quelques jours avec certaines informations secrètes ?

— Secrètes pour qui ?

— Elles auraient été communiquées au Stratégéion qui aurait décidé de ne pas les diffuser, précisa Anasthasis. Pourquoi ?

— Parce qu'il serait imprudent de tenir compte de ce que croient savoir des marchands de peaux tannées, dit Cléanthis.

— Donc, tu es au courant de ces informations, insista Taki.

— Je suis, comme tout le monde, au fait de rumeurs et de prétendues informations qui restent à vérifier. Il n'y a là rien de très secret.

— Et quelles sont ces informations non vérifiées et non secrètes, mais que personne ne connaît ? demanda Taki d'un ton sarcastique.

— Rien de bien surprenant. Sparte aurait tenté de contrecarrer notre intervention en Sicile.

— Mais encore ? s'impatienta Demi. Cesse donc d'être aussi laconique !

— Selon ce marchand, Sparte se serait portée au secours de Syracuse, lâcha Cléanthis à regret. Les nôtres, dirigés par Euphémos, ont rencontré à Camarine, le chef de Syracuse, Hermocrate...

— Camarine, où est-ce ?

— C'est une cité de Sicile, qui prétendait rester neutre. Hermocrate nous aurait accusés de mener une entreprise impérialiste. Il aurait donc refusé de s'allier à nous. D'autres cités de Sicile se seraient jointes à Syracuse, comme Géla. Et

Sparte aurait envoyé des troupes sous le commandement de l'un de ses meilleurs lieutenants, Gylippe. »

Les autres le transperçaient de leurs regards. Il but une gorgée de vin et détourna les yeux.

« Mais c'est là un rapport militaire détaillé ! Et nos troupes ? Notre flotte ? Alcibiade, Nicias, les autres ?

— Je le répète, nous ne pouvons tenir les propos d'un tanneur de Patrai pour des informations fiables. Nous en saurons plus quand Alcibiade reviendra.

— Tout cela ne sent pas bon, dit Taki. Il faudra que j'évoque ce point à la prochaine réunion de l'Assemblée.

— C'est dans vingt et un jours, lui rappela Cléanthis d'un ton ironique. Libre à toi d'évoquer des propos de tanneurs. »

Mais l'Assemblée se réunit bien plus tôt que prévu. Quelques jours plus tard, en effet, il se fit un grand remous au Pirée. *La Salaminienne* et *L'Alcméonide,* la galère d'Alcibiade, venaient de toucher au port de Phalère, mais sans Alcibiade ! Les autorités du port et les citoyens pressaient les capitaines de questions, mais ceux-ci refusèrent de répondre, annonçant solennellement qu'ils feraient leur récit devant l'Assemblée. Sur proposition du Conseil, celle-ci fut donc convoquée pour le lendemain matin. Socrate, prévenu, partit de chez lui accompagné par un seul mot de Xanthippe : « Courage ! »

Un silence parfait régnait sur les estrades bondées du Bouleuthérion quand le capitaine de *La Salaminienne* s'avança. C'était un homme d'une quarantaine d'années, qui semblait taillé dans le bois, râblé, le nez fendant comme un éperon de proue.

« Athéniens, commença-t-il, vous m'avez envoyé à Syracuse afin de ramener Alcibiade. Je suis arrivé dans la baie de cette ville dans la troisième heure de l'après-midi du dixième jour de Boédromion[1], et j'ai rejoint la trière d'Alcibiade. Je l'ai informé de la décision de l'Assemblée de le faire revenir, lui et ses cinq compagnons, à Athènes, pour l'interroger sur

---

1. Environ début septembre.

l'affaire des Mystères. Il a hoché la tête et m'a répondu qu'il
me suivrait ; il ne doutait pas, m'a-t-il déclaré, que ses compagnons se joindraient à lui. Toutefois, comme il ne pouvait
pas laisser son navire sans commandement, il a ajouté qu'il le
ramènerait avec lui. Nous ne pouvions pas reprendre la mer
dans la nuit et nous sommes donc convenus de repartir le
lendemain matin, à la neuvième heure. J'ai établi la route
avec le capitaine de *L'Alcméonide*. Nous sommes repartis
comme prévu, les deux navires à peu près côte à côte. Afin
de ne pas traverser la mer Ionienne en travers, car elle est
houleuse en cette saison, nous avons longé le Bruttium[1] et
doublé le cap Zéphyrion à la troisième heure après midi, le
cap Lacynion vers la sixième heure, et nous nous sommes
engagés dans le golfe de Tarente pour rejoindre Thourioi
alors que la nuit tombait, avec l'intention de rallier Corcyre[2]
le lendemain. À une heure que j'estime entre la troisième
et la deuxième avant minuit, j'ai cessé de voir les fanaux de
L'Alcméonide. Je ne les ai revus que peu avant l'aube du lendemain. En arrivant au Pirée, hier matin, je me suis étonné de
ne voir ni Alcibiade, ni les cinq autres Athéniens que j'avais
été chargé de ramener. Le capitaine m'a alors informé qu'ils
avaient débarqué à Thourioi et qu'il ne savait pas quelle direction ils avaient prise. »

Un murmure houleux s'éleva de l'Assemblée. Le capitaine de *L'Alcméonide* se présenta à son tour pour expliquer
que personne ne l'avait informé qu'Alcibiade et ses compagnons étaient des suspects dans une affaire d'impiété ; il ne
l'avait appris qu'à son arrivée au Pirée. Alcibiade était à la fois
stratège et propriétaire personnel du navire et il était donc
tenu, lui, capitaine, d'obéir à ses ordres, ce qu'il avait fait.

Socrate se passa la main sur le visage. La fuite ! Donc
l'aveu !

L'Assemblée décida qu'aucun des deux capitaines n'avait
commis de faute, mais qu'en revanche des sanctions sévères
s'imposaient contre Alcibiade et ceux de son hétairie qui
avaient refusé de se soumettre aux lois d'Athènes. Elles

1. La Calabre.
2. Corfou.

feraient l'objet d'une prochaine réunion extraordinaire dont le Conseil déciderait la date.

Le soleil d'Alcibiade était terni. On s'en souviendrait !

Âgés l'un de dix-neuf ans, l'autre de seize, les deux fils de Socrate étaient rarement à la maison, et Léthô passait une grande partie de ses soirées en compagnie de l'amant qu'elle ne se décidait toujours pas à épouser. Xanthippe serait donc demeurée seule si son mari n'avait pris l'habitude de lui consacrer deux ou trois soirées par semaine. Elle filait à la lumière d'une lampe et il lisait à la lumière d'une autre. Les plus riches de ses disciples donnaient toujours des banquets, mais les viandes lui paraissaient fades désormais et les sauces insipides.

Qu'avait donc été l'illumination de l'amour ? Une étincelle divine ? Une duperie des dieux ? ou bien pis, une illusion de ses reins qui avait aveuglé ses yeux ?

13.

Athènes abandonnée par les dieux

Quelques jours plus tard, des espions revenus de Sicile rapportèrent au Conseil que, après avoir débarqué à Thourioi, Alcibiade et les siens étaient passés au service d'Hermocrate et l'avaient informé des plans athéniens d'attaque de l'île. La colère publique éclata et, par une majorité écrasante, l'Assemblée vota la condamnation à mort d'Alcibiade et de ses complices, la confiscation de leurs biens et leur vente publique.

Socrate s'alarma. Il se trouverait toujours quelqu'un pour emboîter le pas à ce roquet d'Aristophane et l'accuser d'avoir, par son enseignement, inspiré la traîtrise à son disciple préféré. Il n'en fut heureusement rien, et plus d'un prytane se répandit au contraire en imprécations sur la mauvaise nature d'Alcibiade : « Il avait pour maître l'homme le plus sage de la Grèce et il n'en a tiré aucun bénéfice ! » Quand à lui, que pouvait-il déplorer encore ? Qu'Alcibiade ne l'eût pas mieux écouté ? Il avait associé Alcibiade, la philosophie et Athènes dans la même dévotion. Chacun des trois pâtissait des autres.

Les mauvaises nouvelles de l'expédition de Sicile commençaient à arriver. D'abord, les stratèges, et surtout Nicias et Lamachos, étaient divisés sur la tactique d'occupation du terrain. Ensuite, les cités alliées d'Athènes ne montraient guère d'empressement à voler au secours d'une expédition qui leur paraissait offensive et offensante. Qu'est-ce que les Athéniens allaient donc faire là-bas ? Prétendaient-ils imposer leurs lois au monde ? Et comment réussir une entreprise quand on n'avait pas d'idée arrêtée sur les moyens ? protestaient les chefs de ces cités.

D'autres rapports d'espions attisèrent la fureur des Athéniens : après avoir indiqué aux Syracusains ce qu'ils savaient des plans militaires de l'Empire, Alcibiade et ses complices avaient pris un bateau marchand pour se rendre dans le Péloponnèse ! Il était à Sparte ! Cet homme était donc pire qu'un chien ! Car les chiens, au moins, sont fidèles !

Pis, une fois à Sparte, Alcibiade avait tenu devant l'Assemblée lacédémonienne un discours d'un cynisme à couper le souffle, sans doute dans l'espoir qu'il serait rapporté à Athènes. L'un des espions en avait noté plusieurs passages, dont le plus scandaleux était sans doute celui-ci : « Je vous demande de ne pas me tenir pour coupable d'un crime si vous me voyez, moi qui jadis passais pour patriote, marcher résolument contre ma patrie avec ses ennemis les plus acharnés. N'imputez pas non plus mes paroles à la rancune d'un exilé. Je cherche à me soustraire à la canaillerie de ceux qui m'ont banni et non, si vous m'en croyez, aux services que je puis vous rendre. Nos pires ennemis ne sont pas les adversaires qui nous nuisent, mais ceux qui contraignent leurs amis à devenir des adversaires. »

De nombreux extraits de ce discours furent lus à l'Assemblée, qui tint sans doute ce jour-là la réunion la plus nombreuse de son histoire : six mille citoyens ! Ce qui donna une ampleur extraordinaire à son indignation. On eût dit, à certains moments, que c'était la mer et non des hommes qui grondait sur les gradins. Comble d'ignominie, Alcibiade avait prétendu devant les Spartiates que sa famille avait toujours pris la défense de leur cité et il s'indignait qu'après une telle magnanimité les Spartiates l'eussent traité en ennemi ! « À mort ! À mort ! »

Socrate ne trouvait plus une seule justification à Alci-

biade. Pour la première fois, même, il s'emporta contre lui :
« Ce garçon est-il donc un crétin ? Aller organiser une parodie
des mystères d'Éleusis alors qu'on prétend à une carrière politique et qu'on s'apprête à diriger une expédition militaire ! »

Plusieurs citoyens se levèrent et tendirent le poing en
criant : « C'est assez ! Nous ne pouvons plus entendre ces infa-
mies ! » Mais il leur fallut boire la coupe jusqu'à la lie. Ils se
rassirent donc et absorbèrent le reste de ce breuvage amer.
Car Alcibiade, par-dessus le marché, encourageait les Spartiates à voler à l'aide des Syracusains : « Il faut pousser la
guerre plus franchement pour que les Syracusains, se sachant
soutenus par vous, résistent davantage et que les Athéniens,
de leur côté, soient empêchés d'envoyer à leurs troupes de
nouveaux renforts. »

Dans un passage où la provocation dépassait tout ce qui
était concevable, Alcibiade déclarait : « La démocratie, nous
savions, nous les gens de bon sens, ce qu'elle vaut, et je pourrais l'accabler tout autant qu'un autre, d'autant plus qu'elle
m'a fait le plus grand mal. Mais comment rien dire de nouveau d'une folie universellement reconnue ? Le changement
nous paraissait cependant hasardeux tandis que vous étiez là,
postés près de nous en ennemis. »

Une fois de plus, la lecture fut interrompue par des clameurs d'indignation : « Menteur ! Ce sont les démocrates qui
t'ont élu ! À mort les oligarques ! »

Certains de ceux-ci qui se trouvaient dans l'Assemblée en
furent épouvantés, car on les assimilait désormais à des
traîtres. Si Alcibiade avait cru leur rendre service, ce n'était
pas le cas ! Ils crièrent donc, eux aussi : « Alcibiade n'est pas
un oligarque ! Un oligarque n'est pas un traître ! À mort ! »

On en vint au passage où le traître conseillait aux Lacédémoniens d'affaiblir Athènes en s'emparant des mines d'argent du Laurion, qui étaient capitales pour la richesse de
l'Empire. Des huées fusèrent. Le président de l'Assemblée,
l'épistate, eut du mal à rétablir le calme. Et l'on parvint à
l'apogée de l'infamie : la conclusion dans laquelle Alcibiade
exhortait les Lacédémoniens à « ruiner définitivement la puissance d'Athènes, présente et à venir », pour que, après cela,

ils pussent vivre en sécurité et que la Grèce tout entière se rangeât librement sous leur hégémonie[1]. Là, on eût cru que la folie s'était emparée des six mille participants : ils dansaient littéralement de fureur, hurlant « À mort ! » comme si la condamnation n'avait pas déjà été prononcée.

Quand un peu de calme fut revenu, l'un des membres de l'Assemblée prit la parole :

« Nous pouvons juger par cette misérable auto-défense de la nature mensongère et traîtresse d'Alcibiade. Il dit qu'il est passé à l'ennemi parce que nous l'avons banni. C'est faux : il s'est échappé alors que nous n'avions prononcé aucune peine ! S'il était innocent, il n'avait qu'à revenir se défendre ! Qui désigne-t-il donc, quand il parle de canaillerie ? Ceux qui l'ont élu stratège ? Le discours de ce traître devait faire justice des dernières hésitations qui demeurent à Athènes, aussi bien chez les oligarques que chez les démocrates, sur l'immoralité essentielle d'Alcibiade ! »

Les applaudissements frisèrent la frénésie.

« Qu'en penses-tu ? demanda son voisin à Socrate.

— Jadis, répondit le philosophe, Athènes s'unissait dans l'admiration de ses héros et s'y ennoblissait. Cela faisait sa force. Je déplore qu'elle s'unisse à présent dans l'exécration des traîtres, car je n'y vois pas d'ennoblissement. Je serais heureux qu'on oublie Alcibiade. »

Mais il fut difficile, au cours des mois suivants, d'oublier le personnage, car on pouvait juger des effets de sa trahison et parce que celle-ci avait tourné à la vengeance. Les espions rapportèrent en effet qu'Alcibiade avait détaillé ses conseils sur la façon de ruiner Athènes. Les Lacédémoniens possédaient un avant-poste au nord d'Athènes, Décélie ; guidés par leur nouveau roi, Agis, fils d'Archidamos, ils lancèrent une offensive, qui affola les vingt mille esclaves qui travaillaient là et s'enfuirent. Puis ils descendirent plus bas, saccageant l'Attique sur leur passage, et ils atteignirent le Laurion, où se trouvaient les mines d'argent si précieuses pour la richesse

---

1. Ces citations sont tirées de Thucydide, *La Guerre du Péloponnèse*, VI, 89-92.

d'Athènes. Là encore, les milliers d'esclaves qui y travaillaient prirent la fuite. Les mines furent saccagées. L'argent étant le nerf de la guerre et des affaires, la conduite militaire et commerciale de l'Empire s'en trouva fortement affectée.

Les choses n'allaient guère mieux en Sicile. Instruits par Alcibiade des plans ennemis, les Syracusains prirent les mesures nécessaires pour se défendre contre le siège que préparaient les Athéniens. Ceux-ci étaient en train d'isoler Syracuse par un long mur quand les renforts expédiés au chef spartiate Gylippe se joignirent aux troupes syracusaines et brisèrent brusquement cet encerclement. Impuissants sur terre, les Athéniens se rabattirent sur les opérations navales. Mais la flotte athénienne mouillée devant le port souffrit bientôt du manque de ravitaillement : quand ils allaient chercher de l'eau à terre, les matelots se faisaient massacrer. Et quand les Athéniens gagnaient une bataille sur mer, ils en perdaient une autre sur terre, comme à Plemmyrion, un fort dans lequel ils avaient emmagasiné des vivres. L'hiver arriva et Nicias envoya des émissaires à Athènes pour expliquer qu'il ne tiendrait pas très longtemps.

L'Assemblée se réunissant de plus en plus fréquemment, les citoyens étaient tous informés de ces nouvelles et l'on ne parlait plus que des périls qui menaçaient l'Empire. Chacun était devenu stratège, même les femmes ! Socrate dut ainsi expliquer à Xanthippe et à Léthô qu'un navire qui restait trop longtemps en mer devenait moins maniable, parce que son bois s'imprégnait d'eau et qu'il s'alourdissait...

L'Assemblée parla de démettre Nicias, mais on ne savait par qui le remplacer ; on lui adjoignit donc Démosthénès, un général qui s'était illustré une dizaine d'années auparavant dans la même guerre du Péloponnèse et que les Spartiates exécraient. Démosthénès partit avec une flotte et des troupes fraîches. Le printemps vint, puis l'été, sans que les Athéniens prissent jamais l'avantage, mais sans vraiment perdre la partie non plus. Les alternances d'espoir et de découragement épuisaient les Athéniens.

« L'âme s'use aussi », observa Socrate quand un prytane

lui confia que les Athéniens commençaient à perdre leur ressort.

Puis le destin, quel autre nom, frappa avec une cruauté à la hauteur de la victime : à la fin de l'été, on apprit la catastrophe par une trière qui avait pu s'enfuir et revenir au Pirée. Nicias avait commis une erreur fatale ; il s'était retiré trop tard alors qu'il allait être encerclé par les Syracusains. Il avait alors tenté de prendre la fuite vers le sud, mais en vain ; il avait dû capituler avec les troupes épuisées qui lui restaient. Quant à Démosthénès, les six mille hommes qu'il commandait se trouvèrent dûment encerclés par la cavalerie ennemie ; il avait été également contraint de capituler.

L'Assemblée écouta ces nouvelles dans un silence de plomb. Le capitaine qui les apportait ravala sa salive pour achever son récit : Nicias et Démosthénès avaient été condamnés à mort par les Syracusains et leurs alliés, et la sentence avait été exécutée. Les Syracusains avaient fait près de dix mille prisonniers ! Ils les avaient enfermés dans les carrières des Latomies.

Des hommes valeureux fondirent en larmes. Les dieux avaient abandonné Athènes. Socrate songeait toujours aux mots de Xanthippe : « Je te le dis, Socrate, cet homme est dangereux ! Il sera la ruine d'Athènes ! » Les femmes étaient-elles plus inspirées par les dieux que les hommes ? Et Alcibiade, était-il l'instrument des dieux ?

Pendant plusieurs jours, Athènes parut plus dévastée par la douleur qu'elle l'avait été même pendant l'épidémie. La splendeur de ses monuments parut insulter à son chagrin. Ce théâtre conçu pour refléter l'Olympe sur la terre allait-il donc se changer en cimetière ?...

Une nuit, Socrate fit un rêve dont l'étrangeté menaçante le tira brutalement de son sommeil. Il avait vu dans la nuit une femme couronnée d'argent, tenant d'une main une branche de pommier et de l'autre une roue. Il la reconnaissait ! C'était Némésis ! Mais de quoi donc se vengeait-elle, grands dieux ? Et pourquoi rêvait-il d'elle ?...

14.

Le respect de l'hospitalité

Alors qu'Athènes semble s'élever vers le ciel, auquel elle offre en hommage les monuments splendides de l'Acropole, Sparte est tapie au fond d'une vaste cuvette dont les bords sont à l'ouest, les monts du Taygète qui montent à une hauteur vertigineuse, et à l'est et au sud, les sommets du Parnon, moins élevés. Athènes respire naturellement les humeurs de la mer, Sparte tire sa force de la terre. D'où la proverbiale rudesse de ses mœurs. L'été, il faut attendre le soir pour que le vent du nord se faufile entre les montagnes et dissipe la chaleur souvent pénible qui s'y est accumulée, et l'hiver, saison où Alcibiade et les autres transfuges étaient arrivés, il y règne un froid souvent humide qui oblige à ne jamais rester inactif. Les Spartiates se félicitent alors de l'abondance des forêts alentour, grâce auxquelles ils ne manquent pas de bois pour se chauffer.

Agis, le roi, fils d'Archidamos, avait d'abord attribué à Alcibiade et ses amis une vaste demeure jadis occupée par sa mère, à Sparte même, sur les bords touffus de l'Eurotas. Visiblement, la reine mère n'avait pas le goût des jardins, car le terrain qui partait de la terrasse pour aller à la rivière était tout simplement inculte. Le soir venu, on y voyait les renards filer dans les broussailles à la poursuite des lapins. Alcibiade s'y installa avec ses compagnons et ils y déployèrent le peu de bagages qu'ils avaient emportés. Les braseros constamment allumés dans les chambres et quelques peaux de chèvres et de moutons par terre constituaient le seul luxe de ce palais austère. Les exilés n'y rentraient d'ailleurs que le soir, étant constamment invités par le roi et ses chefs, les anciens éphores, jamais rassasiés d'informations sur Athènes.

La chère était simple et frugale, à la mode spartiate, et, même au palais royal, on ne servait qu'un seul vin, et encore parcimonieusement. Le moins plaisant advenait quand les exilés avaient vidé leur sac d'informations : il fallait alors écouter les Spartiates leur donner des leçons. Le plus volubile était l'éphore nommé pour l'année, Endios, dont Alcibiade devinait bien qu'il avait de grandes ambitions et se posait même en rival du roi. Un éphore jouissait de très hautes prérogatives ; il était le surveillant du roi et disposait de pouvoirs étendus. C'était un homme à cultiver.

« Qu'est-ce que la démocratie athénienne ? disait donc Endios. Un système qui convient à Athènes. N'a-t-on pas le droit d'en préférer un autre ? Les Athéniens croient-ils donc que les Spartiates soient malheureux sous la royauté ? »

Alcibiade hochait la tête, d'un air affirmatif. L'autre renchérissait :

« Et cette arrogance athénienne ! Vous aviez des alliés, vous avez voulu en faire des sujets ! Vous critiquez la royauté, mais Périclès se comportait en roi ! Non, pas même en roi, mais en tyran ! Les vrais défenseurs du droit, c'est nous, pas les Athéniens ! »

Alcibiade hochait derechef la tête.

« Je suis entièrement de cet avis. Athènes tourne à la tyrannie. C'est pourquoi je pense qu'il faut la ramener à la raison. »

Endios était enchanté d'être si bien entendu ; il se prit d'amitié pour Alcibiade, ce qui n'était pas difficile.

Heureusement, les jeunes Spartiates n'étaient pas moins avenantes que les Athéniennes, et le chambellan concéda discrètement aux étrangers le privilège de se faire accompagner chez eux par quelques esclaves accortes, qui étaient d'ailleurs des sang-mêlé de Perse et de Spartiate, ou encore de Perse et de Béotien, comme cela se voyait à leur teint bistre et à leurs yeux sombres. À s'être si durement frottés aux Perses, les Spartiates en avaient d'ailleurs gardé une teinture orientale : ils aimaient les couleurs vives dans leurs maisons, les vêtements bariolés et les plats relevés d'épices qu'ils faisaient venir d'Asie : du safran, du cumin, de la coriandre et du poivre.

« Et alors ? demanda au bout de quelques jours Charmidès. Ça va durer comme ça pendant combien de temps ?

— Attends la fin de la guerre, répondit Alcibiade. Je t'en donne ma parole, nous rentrerons à Athènes.

— Enchaînés ?

— Victorieux.

— Sous l'uniforme spartiate ? » fit Charmidès d'un ton goguenard.

Thrasiclès, l'un des jeunes gens qui avaient accompagné Alcibiade d'Athènes à Syracuse et de là à Thourioi puis à Sparte, écoutait attentivement. Ils avaient escorté cet homme, d'Athènes au déshonneur. Mais vers où ? Jusqu'où ?

« On ne porte jamais que l'uniforme de son intérêt, Charmidès, répondit Alcibiade d'un ton également pointu.

— Est-ce un enseignement de Socrate que je ne connais pas ? » insista Charmidès.

Alcibiade ne releva pas ce persiflage et reprit :

« Qu'est-ce qu'une cause à laquelle tu ne crois pas, Charmidès ?

— Sans doute une mauvaise cause.

— Très bien. Et entre toutes les causes que tu connais et ton propre succès dans l'existence, que choisis-tu ? »

Charmidès sourit.

« Il me semble plutôt reconnaître là l'enseignement de Protagoras.

— Alors, Protagoras est un grand philosophe », conclut Alcibiade.

Au bout de quelques semaines, les succès lacédémoniens prouvèrent le bien-fondé des conseils d'Alcibiade, d'abord à Syracuse, puis au Laurion. En Sicile, par exemple, il avait conseillé aux Spartiates d'envoyer des hommes qui fussent des rameurs sur mer et des hoplites sur terre, ce qui augmentait les effectifs ; il avait eu raison, et Gylippe avait ainsi sauvé Syracuse. Il avait également conseillé à Sparte d'affaiblir Athènes en la privant de ses mines d'argent ; là aussi, il avait eu raison et Athènes commençait à manquer de fonds : elle n'avait même pas pu payer les soldats thraces qu'elle avait appelés au secours, parce qu'ils exigeaient chacun une drachme par jour, ce qui excédait les possibilités de trésorerie.

Endios devint alors un visiteur assidu d'Alcibiade, et celui-ci du palais royal. Alcibiade retrouvait la fougue avec laquelle il avait, deux ans auparavant, convaincu les Athéniens de se lancer dans la désastreuse aventure de Sicile.

« Saisissez votre chance ! dit-il au roi et à l'éphore. Les circonstances ne vous ont jamais été aussi favorables et ne le seront peut-être jamais plus ! L'Eubée est prête à rejeter le joug athénien et, en Asie, l'Ionie se révolte ! Ce sont les derniers bastions de la résistance athénienne. Les deux satrapes Tissapherne et Pharnabaze brûlent de conclure une alliance avec vous. »

Le roi Agis était, comme son père, d'un naturel prudent : il répugnait à se lancer dans de grandes entreprises s'il n'était pas certain de leur succès. Or, il ne l'était pas, car il n'avait pas les fonds nécessaires. Il l'expliqua à Alcibiade, en présence d'un homme que celui-ci ne connaissait que par ouï-dire, un grand barbu taciturne qui portait les cheveux longs, à l'ancienne, et qui répondait au nom de Lysandre. On disait qu'il était un bâtard de l'illustre famille des Héraclides, descendants humains du demi-dieu.

« Je ne veux pas répéter l'erreur des Athéniens, qui ont fait venir les Thraces à leur aide pour les renvoyer ensuite chez eux parce qu'ils ne pouvaient pas les payer, expliqua Agis à Alcibiade.

— Demande alors un prêt au Grand Roi, suggéra Alcibiade. Les Perses ont beaucoup d'argent.

— Comment le rembourserais-je ?

— Sur les dépouilles athéniennes. »

Le roi lança un curieux regard à Alcibiade et ne répondit

pas. Lysandre ne pipait mot depuis qu'il avait marmonné : « Les Barbares ». Sans verbe, sujet ni complément ; juste « Les Barbares ». Constatant que son charme était inopérant sur Lysandre, Alcibiade s'en tint là.

Si l'on y regarde de près, se disait l'Athénien qui, pour une fois, n'avait rien compris à la scène, ces Spartiates sont au fond bourrés de scrupules. Ils étaient également régis par des superstitions qui déconcertaient Alcibiade : ainsi, ils se refusaient énergiquement à n'importe quelle entreprise avant la nouvelle lune ! Et pourtant leurs armées étaient superbement entraînées ; ces jeunes gens n'avaient cure des vanités du stade : s'ils s'entraînaient, ce n'était pas pour parader couronnés de laurier, ni pour se faire célébrer par les poètes, mais pour maintenir leur corps dans un état de préparation constant. Il fallait voir, dans les casernes et au gymnase, comme ils sautaient, luttaient, couraient...

Mais à force de fougue, le transfuge gagna la partie avec Endios : Sparte se résolut à emprunter aux Perses les fonds nécessaires pour donner l'estocade à Athènes. Restait à savoir auquel des deux satrapes il convenait de donner la préférence. Ce fut Tissapherne qui l'emporta. Perses et Spartiates se rencontrèrent pour établir leur alliance. La rédaction du traité fut laborieuse ; son état final concédait aux Perses, après la victoire, toutes les villes athéniennes d'Asie. En attendant, il fallait envoyer une mission diplomatique en Eubée et en Ionie pour se les attacher par des traités. Le roi décida qu'Alcibiade en ferait partie, puisqu'il était lié aux Ioniens. L'on partirait dans quelques jours.

Un soir, chez Endios, Alcibiade but plus que de raison et il s'écria, les bras levés au ciel, à l'adresse de Charmidès : « Athènes sera détruite, je le jure ! » Il exultait. Mais Charmidès et Thrasiclès se contentèrent d'un sourire réservé. Une volonté de vengeance aussi éperdue les gênait. Eux, ils s'étaient exilés pour sauver leur peau ; s'étant laissé entraîner par Alcibiade et ayant commis des délits d'impiété, ils fuyaient la sanction. Sinon, ils ne souhaitaient aucunement la ruine d'Athènes, où ils comptaient des parents et des amis. Mais lui, fallait-il que l'ambition le poussât à la haine ? Après tout, quel tort lui avait causé Athènes ? Elle l'avait nommé stratège, et c'était lui qui l'avait entraînée dans le gouffre. Toutes ses entreprises ne visaient-elles pas à faire oublier qu'il était le responsable du désastre de Sicile ? Mais ils taisaient leurs critiques, car ils étaient encore moins disposés à recevoir des gifles à Sparte qu'à Athènes. De plus, ce n'était que grâce à lui qu'ils jouissaient du gîte et du couvert. Toutefois ils se promettaient de filer dès qu'ils le pourraient, et ils optaient communément pour Patras, où l'un d'eux comptait des alliés, du côté de sa famille maternelle.

Car Alcibiade n'avait pas changé. Il avait repris à Sparte ses habitudes de scandale et d'insolence. Ils le vérifièrent quelques jours plus tard, quand un tremblement de terre secoua la ville. C'était en pleine nuit et les rues s'emplirent de gens presques nus et terrorisés. Charmidès et Thrasiclès s'élancèrent à l'extérieur de la maison et s'alarmèrent quand ils virent qu'Alcibiade n'était pas avec eux. Avait-il trop bu et son sommeil était-il trop lourd ? Charmidès se risqua jusqu'à sa chambre. Il n'y était pas. Charmidès tâta le lit ; il était froid.

Ils le virent revenir une heure plus tard.

« Où étais-tu ? »

Il ne répondit que par un petit sourire. Une aventure galante, évidemment. Ils n'apprendraient que bien plus tard que les serviteurs du palais royal l'avaient vu sortir de la chambre de la reine. Et plus tard encore, que la reine était enceinte de ses œuvres.

Cet homme-là n'avait vraiment pas le respect de l'hospitalité. Enfin, ce respect-là non plus.

15.

Le protégé d'Apollon

Les voyageurs, qui sont souvent des espions, racontèrent ces choses-là à Athènes. Humiliée, anxieuse, méditative, la ville remâchait sa rancœur à l'égard de l'enfant chéri qui l'avait trahie, sans se douter que, contrairement au dicton, la vengeance doit parfois se manger chaude, sous peine d'être dérisoire. Elle annonça par écrit sur les portes du Bouleuthé-rion que les biens meubles et immeubles d'Alcibiade, condamné à mort des mois auparavant, étaient confisqués par la Cité et qu'ils seraient mis en vente par un fonctionnaire du Conseil de la Magistrature[1]. Le bénéfice en serait versé au Trésor, fort amaigri.

Il restait encore de l'argent à Athènes, mais en mains privées. Les terres, trois cent vingt plèthres cultivables[2], furent divisées en dix lots et rapidement vendues devant un petit parterre de citoyens aisés ; nul ne se faisait, en effet, de souci pour la main-d'œuvre qui permettrait de les exploiter, vu le surplus d'esclaves en fuite qui s'amassaient en ville. Bien plus de gens se présentèrent pour visiter la maison et gloser sur

---

1. Ce fut sans doute la première vente aux enchères de l'histoire.
2. Environ 26 hectares. Les propriétés terriennes athéniennes ne dépassaient guère cette limite.

l'extravagance de son ancien propriétaire. Aspasie, enrichie par les soins du tanneur qui avait succédé à Périclès dans ses faveurs, acheta deux lits en bronze ornés de sculptures dorées. La statue d'Alcibiade en pied échut à un banquier du clan des oligarques, et, pressé par sa femme, un opulent marchand de bétail jeta son dévolu sur tout le linge brodé et les tasses d'argent et de verre, ainsi que sur un pot de chambre en argent...

Aiguillonnée par la curiosité, Xanthippe elle-même alla visiter les lieux avant la vente et fut froidement scandalisée par ces étalages, autant que par les commentaires admiratifs des acheteurs potentiels. Personne, en effet, ne semblait s'offusquer qu'un homme eût bénéficié pour lui seul de tant d'objets fastueux et inutiles, alors que la moitié de la ville ne trouvait chaque jour qu'à peine de quoi se nourrir.

Les visiteurs s'agglutinaient devant la grande fresque de la salle à manger, qui avait tant fait jaser Athènes. Une fresque dans une maison privée ! Cet homme se prenait-il pour un dieu ? Et que représentait donc cette fresque ? Sans doute l'Olympe, des personnages magnifiques, presque tous nus, autour d'un dieu à la chevelure d'or, probablement Apollon. La fresque deviendrait la propriété de celui qui achèterait la maison, et c'était, assurait-on, un métèque, un tanneur de Thrace, qui était certain de l'emporter, car aucun Athénien n'aurait osé s'installer dans une pareille demeure.

Xanthippe erra dans les pièces somptueuses, le regard morose. Parvint dans la chambre à coucher, où des nouveaux riches s'extasiaient sur un lit de bronze, assez grand pour une escouade. Poussa la porte d'un réduit et contempla, sourcilleuse, plus de vingt paires de sandales rangées sur une étagère. Vingt paires ! Et quelles paires ! Ornées d'argent, d'or, de pierreries... Elle se pencha et une idée lui vint. Elle choisit rapidement la paire qui lui parut la plus fatiguée. Un cuir solide avec une seule perle rouge. Elle la saisit et la fourra dans son manteau.

Puis elle quitta la maison, songeant à l'infamie de cet homme qui avait ruiné Athènes, et qui, maintenant, se la coulait douce à Sparte !

Il aurait fallu des ailes aux voyageurs pour suivre les déplacements d'Alcibiade et les nouvelles péripéties de sa vie. Il avait déjà quitté Sparte, en effet, avec la délégation lacédémonienne partie pour l'Ionie à bord de cinq navires. Il avait promis de convaincre les dirigeants des îles et des cités d'Asie de l'intérêt qu'ils trouveraient à se joindre à Sparte pour renverser le joug insupportable d'Athènes. Mais il avait promis tant de choses ! Il parlait beaucoup, et parfois trop. Le roi Agis et même l'éphore Endios commencèrent à trouver que cet Athénien se donnait vraiment de trop grands airs : il était lié avec presque tout le monde en Ionie, il connaissait Tissapherne, il les mettrait tous dans sa poche, il réglerait tout ça en trois coups de cuiller à pot... On eût parfois cru, à l'entendre, que c'était lui désormais le chef de Sparte. C'en était trop pour les Lacédémoniens, prudents et guère bavards ; Alcibiade avait sans doute négligé le fait que la Laconie se trouvait dans le Péloponnèse et qu'elle avait inspiré le mot « laconique ». Et puis, et quoi qu'il racontât, il avait trahi Athènes dont il était stratège ; pouvait-on lui faire confiance pour représenter Sparte ? C'était vraiment prendre beaucoup de risques.

De surcroît, il avait engrossé la reine !

Lysandre, lui, n'avait lâché qu'un mot d'entre les broussailles de sa barbe : « Aventurier. » C'était peu, mais cela en disait long.

Néanmoins, ils le laissèrent faire. Au bout d'une semaine, Alcibiade avait séduit le Conseil de Chios et l'île, qui possédait une grosse flotte, s'était ralliée à Sparte. Puis la délégation passa en Asie : les deux villes d'Érythres et de Clazomènes suivirent le mouvement. Le Lacédémonien qui était le chef officiel de la délégation s'émerveilla de la faconde d'Alcibiade ; s'ils parlaient parfois trop, ces Athéniens maîtrisaient quand même le discours. Téos, également sur la côte asiatique, céda à son tour à l'éloquence d'Alcibiade, puis Milet, la plus grande ville d'Ionie, et enfin Éphèse. Les envoyés d'Athènes, qui s'étaient jusqu'alors cru assurés de l'alliance de ces villes, s'efforcèrent bien de contrarier la campagne oratoire et politique d'Alcibiade en représentant aux Ioniens que cet homme était un traître et que, en l'écoutant, ils se montraient eux-mêmes infidèles à la parole qu'ils avaient donnée. Peine perdue.

Le résultat servait, certes, les intérêts de Sparte, mais aussi un peu trop ceux d'Alcibiade au goût du roi et de l'éphore. La situation leur parut franchement inadmissible quand l'envoyé lacédémonien fut tué dans un accrochage avec des navires athéniens — il en restait — devant Milet. Cette disparition faisait d'Alcibiade non seulement le chef de fait de la délégation, mais pratiquement le maître de la politique étrangère lacédémonienne. Non, ils ne se livreraient pas ainsi à ce parleur aux cheveux d'or.

Pour une fois d'accord, le roi et Endios expédièrent un émissaire secret au chef de la flotte péloponnésienne, qui mouillait pour l'hiver à Chios ; c'était là, en effet, qu'on attendait le retour d'Alcibiade et de la délégation.

Or, les navires des envoyés de Sparte avaient à peine accosté qu'un envoyé du chef de la flotte, dont la plus grande partie avait été mise à sec, accourut pour les prévenir : ils étaient attendus pour un grand banquet. Alcibiade s'émerveilla de la promptitude et de la générosité de l'accueil. Lui et sa compagnie s'installèrent donc dans les maisons qui avaient été mises à leur disposition.

Il défaisait ses bagages quand la porte s'ouvrit. Sans y avoir été invité, un homme entra et referma la porte derrière lui. Une trentaine d'années, glabre, brun. Alcibiade le considéra, encore plus stupéfait quand son visiteur mit le doigt sur la bouche. Il le dévisagea rapidement, sur ses gardes, guettant le moindre signe suspect.

« Tu es en grand danger », chuchota cet inconnu.

Alcibiade ne dit mot.

« Un vin sirupeux t'enverra dans les songes. Le poignard achèvera l'ouvrage. Ton cadavre sera jeté à l'eau. »

Alcibiade se raidit.

« Mais qui ? demanda-t-il seulement.

— Le chef de la flotte. Sur ordre du roi. »

Alcibiade mit un moment à comprendre.

« Qui t'envoie ? demanda-t-il.

— La reine. »

Et après un silence, l'homme ajouta :

« L'enfant est né. Le prince. Il s'appelle Léotychidas. »

Alcibiade hocha la tête. Dix mois déjà !

« Pars à la nuit tombée, reprit l'inconnu. Tu fais comme si tu te rendais au banquet. En fait, tu vas au port. Un navire marchand, *Fille d'Evgenios,* tout au nord du quai, appareille ce soir pour l'Asie. Tu y seras à l'aube. Adieu. »

Et il disparut comme il était venu. Alcibiade referma son sac, songeur. Était-ce un piège ? Sans doute pas ; le messager lui avait donné le nom de l'enfant. Mais on pouvait tout inventer, bien sûr. Un complot pour l'assassiner lui parut vraisemblable ; il ne le savait que trop, ses succès suscitaient la jalousie. Mais laquelle des jalousies royales le vouait-elle donc à la mort ? La conjugale ou la politique ? Ou bien était-ce Endios ? Lysandre ? Une chose était sûre : il était trahi ! Il avait servi, on n'avait plus besoin de lui, on le jetait comme une vieille paire de sandales ! Lui ! Adieu, Sparte, tu me le paieras.

Il débarqua à l'aube sur le continent. Il se dirigea vers Sardes, et entra dans la satrapie de Tissapherne comme dans une boutique asiatique : sa troisième trahison se parfumait de toutes les épices de la vengeance. Car cette fois il tenait en échec et Sparte et Athènes.

Les espions spartiates et athéniens le perdirent de vue pendant plusieurs jours. Où était donc passé ce génie des enfers ? Ils l'apprirent quand il se fut installé au palais de Tissapherne, à Sardes. La nouvelle éclata à Sparte et à Athènes comme un coup de tonnerre.

Socrate l'apprit de la façon la plus déplaisante. L'un des prytanes qui lui portaient le moins d'estime, justement parce qu'on l'associait toujours à Alcibiade, l'interrompit alors qu'il s'entretenait avec l'un de ses disciples, sur le principe des vérités contraires et son rapport avec la morale :

« Dis-moi, Socrate, est-ce la trahison que tu enseignes à tes disciples ? »

Une aussi rude interpellation laissa le philosophe sans voix.

« Je vois bien que les mots te manquent, ricana l'autre. C'est qu'ils pourraient... te trahir.

— Qu'est-ce qui me vaut cette agressivité ? demanda Socrate.

— Les dernières nouvelles de ton cher Alcibiade. Il nous a d'abord trahis pour le bénéfice de Sparte. Nous avions alors pu penser que son esprit obscurci par la débauche lui avait laissé croire que le régime de Sparte valait mieux que celui qui l'avait élu stratège. Mais voilà qu'il est passé chez le roi des Perses ! Ce ne sont donc pas ses convictions qui l'inspirent, mais l'esprit même de la trahison. »

Socrate se trouva une fois de plus sans repartie. Alcibiade chez les Perses ! Les Barbares, les ennemis éternels d'Athènes !

« Que dis-tu ? demanda-t-il doucement.

— Qu'Alcibiade est devenu le conseiller des Perses ! Et que c'est de chez eux, sans doute, qu'il va prétendre nous dicter ses volontés ! Mesure tes enseignements à l'avenir, philosophe ! Aristophane n'avait pas dit la moitié de ce qu'il faudrait dire sur toi ! »

Et il jeta un mauvais regard à Socrate et à ses disciples, qui s'avancèrent vers lui d'un air menaçant. Socrate les arrêta d'un geste.

Le soir, il était si mortifié par l'incident qu'il dut s'en ouvrir à Xanthippe, au risque de susciter de nouvelles imprécations contre Alcibiade. La vérité était qu'il craignait de se retrouver bientôt sans disciples. Xanthippe eut une fois de plus la bonne grâce de s'abstenir de reproches.

« Cet homme est donc pire qu'une malédiction, murmura-t-elle. Il n'est personne qui l'ait approché qui ne doive s'en repentir ! Périclès a été démis et, à peine restauré, il a vu mourir ses fils et les a suivis dans la tombe. Athènes paie chèrement les faveurs qu'elle lui a prodiguées. Ceux de ses amis qui ne sont pas bannis sont en prison. Et maintenant, c'est Sparte. Et toi. »

Il fut frappé par cet inventaire. La beauté ne semait-elle donc que le désastre ? Était-elle, selon le mot de Xanthippe, une malédiction ? Il fut également effrayé de l'intensité des sentiments que ses inquiétudes suscitaient chez sa femme. S'il était devant elle, se dit-il, elle poignarderait Alcibiade de ses mains.

Elle n'était pas la seule. Le monde n'était pas encore sorti de l'hiver[1], que les prévisions de l'insolent prytane qui avait interpellé Socrate sur l'Agora se vérifièrent. Avec l'impudence croissante qui le caractérisait, Alcibiade avait envoyé des émissaires à Sarnos, une île proche de l'Ionie et encore soumise à l'autorité d'Athènes. Une garnison athénienne campait là et il y comptait des amis, c'est-à-dire des dupes. Le message était adressé « aux plus honnêtes gens », ce qui était une façon de dire « aux plus riches », car les manants étaient, comme chacun savait, des gens sans foi ni loi. Il les sommait de renoncer à la démocratie, en échange de quoi il leur offrait l'amitié du roi des Perses et promettait de les récompenser avec de l'argent qui n'était pas le sien. Bref, il demandait l'oligarchie, non seulement à Sarnos, mais à Athènes.

« La démocratie, fit-il dire par ses émissaires, est un régime de coquins, qui a chassé l'un de ses plus illustres citoyens. Alcibiade n'aspire qu'à rentrer chez lui, vivre avec ses concitoyens, en échange de quoi il les assure de l'amitié du puissant roi des Perses. »

« C'est soufflant, époustouflant, gonflant ! » s'écrièrent quelques officiers, qui étaient évidemment ses destinataires. Et l'un d'eux, Phrynicos, renchérit : « Non seulement il a lancé Athènes dans une campagne désastreuse en Sicile, non seulement il l'a trahie et a été conseiller les Spartiates sur les moyens d'achever sa ruine, non seulement il a séparé d'elle ses alliés, mais maintenant il veut établir l'oligarchie et rentrer à Athènes ! Mais ce type est fou ! »

Les stratèges de Sarnos, eux, ne pratiquaient ni l'humour, ni la psychologie. Alléchés par la perspective d'être leurs propres maîtres et d'obtenir de surcroît de l'argent des Perses, certains d'entre eux montèrent une conjuration pour instaurer, en effet, une oligarchie et dépêchèrent à leur tour

---

1. 412-411 avant notre ère.

des émissaires à Athènes, sous la conduite d'un certain Pisandre, pour inciter les officiers athéniens à en faire autant.

Apprenant les velléités des stratèges de Sarnos et les tenant pour réalisées, les oligarques d'Athènes crurent leur heure venue. Presque personne ne se rendait plus à l'Assemblée, qui avait été incapable de diriger la Cité dans la tempête. Légifère-t-on sur le destin ? Les oligarques firent donc passer au Conseil une motion sur la nécessité d'examiner un changement de la Constitution athénienne eu égard aux événements, puis ils se présentèrent en masse à l'Assemblée et votèrent le renversement de la démocratie. Le soir même, l'oligarchie s'instaura, sans qu'on sût encore quelles réformes elle apporterait, ni comment se répartiraient les pouvoirs.

La nuit fut sanglante. Les hétairies des aristocrates se transformèrent en escouades de la mort et firent le tour de la ville, assassinant les principaux chefs de la démocratie.

À l'heure où l'Assemblée se réunissait, Xanthippe courait vers Périmoukasso, tenant une paire de sandales cachée dans les plis de son manteau. Un vent méchant et gris soufflait de la mer. Elle ne revit ni la borgnesse ni la chèvre, dévorées sans doute, l'une, par les hommes et, l'autre, par le temps, et elle se demanda brièvement si la femme qu'elle allait consulter était encore en vie. L'épidémie, les malveillances d'anciens amants...

« Antigone ! cria Xanthippe.

— Entre ! cria l'autre. Je te vois par la fenêtre ! »

Elle trouva la pythie couchée, une canne en travers du lit.

« Je me suis foulé la cheville, explique Antigone avec un sourire amaigri. Et j'ai froid. Ce n'est pas facile quand on est seule.

— Veux-tu que je te fasse cuire quelque chose ?

— Fais-moi recuire ce qui reste du poulet. Et remets, s'il te plaît, du bois dans la cheminée. »

Xanthippe s'affaira un moment. Le feu monta et colora un peu le jour pâle de fin d'hiver. Des bulles gargouillèrent à la surface de la marmite.

« Qu'est-ce qui t'amène ? demanda enfin Antigone.

— Je veux le plus puissant des sorts jamais noués sur terre !

— C'est bien, dit la pythie. J'aime bien ceux qui y croient.

— Qui sont ceux qui n'y croiraient pas ?

— Les disciples de ton mari », dit Antigone en se redressant sur le lit.

Elle mit les jambes par terre, s'empara de la canne et se pencha vers sa visiteuse. Celle-ci sortit les sandales de son manteau. Antigone les examina et sourit.

« Des perles de rubis ! Il n'y a qu'un homme à Athènes pour porter ça... Tu as la haine tenace, je vois. »

Xanthippe hocha la tête.

« Cette fois non plus tu n'es pas la seule, crois-moi, reprit Antigone. J'ai déjà été cher payée. Économise ton argent. Le sort est noué. Mais il faut attendre.

— Combien de temps ?

— Sept ans.

— Sept ans ! Mais il aura détruit le monde entretemps !

— Et alors ? fit Antigone. Le renard n'attrape que les poules malades. Laisse-le détruire. Je ne suis que l'intermédiaire des puissances, Xanthippe, je ne suis pas une déesse. Je peux transmettre les volontés des dieux, je peux attirer l'amoureux timide par un philtre ou repousser l'importun par un sort, mais je ne peux pas changer le destin d'un peuple. »

Elle resta un moment songeuse, et reprit en souriant :

« Attends un moment que le poulet ait chauffé, s'il te plaît, pour retirer la marmite du feu. C'est trop dur pour moi. »

Elle parvint péniblement à se mettre debout, s'appuya sur sa canne et boitilla jusqu'à la table, où elle s'assit.

« Il est protégé par Apollon. Tu le connais, Apollon ? C'est le dieu le plus cruel de tous. Il a assassiné Néoptolème[1] sur son propre autel. Il a écorché Marsyas parce qu'il jouait

---

1. Lui-même meurtrier du roi Priam.

de la flûte mieux que lui. Tu reconnaîtras les siens à ce qu'ils sont beaux. Je pourrais t'en raconter...

— Antigone, ne peut-on pas ?... »

L'autre secoua la tête.

« Me crois-tu plus puissante qu'Athéna ? Ou bien estimes-tu, comme Alcibiade, que ton désir de vengeance puisse changer le monde ? Ne fais pas comme lui, Xanthippe. »

La visiteuse perçut la sagesse du conseil et se sentit vieillir d'un coup.

« Quand ceux qui veulent sa mort, comme toi, sont venus me voir et quand j'ai invoqué les puissances infernales, deux chouettes ont volé et crié au-dessus de la maison. C'était en plein jour, Xanthippe. L'oiseau d'Athéna ne vole pas le jour. Et les esprits m'ont dit : "Athena souffre, ne la tourmente pas, elle attend son heure." Je crois que tu peux retirer le poulet du feu. J'ai faim, je n'ai pas mangé d'hier. Pardonne-moi de ne pas t'inviter. »

Xanthippe alla retirer la marmite du feu et la posa sur la table. Le jour tombait. Elle salua Antigone qui plongeait une cuiller dans la marmite et s'en fut.

« Les sandales ! » lui rappela Antigone.

Xanthippe haussa les épaules.

« Donne-les à un voisin. »

« Non, décidément, marmonna-t-elle en rentrant chez elle, les dieux sont infréquentables ! »

16.

Une revanche publique
de Xanthippe

Des cris déchirèrent la nuit. On entendit plusieurs fois des gens courir dans la rue, puis des troupes d'une dizaine d'hommes marmonnant on ne savait quoi, et de temps à autre : « Attrapez-le ! Par ici ! » et encore : « Attention ! Il est armé ! »

Xanthippe ne dormait pas. Elle et Léthô étaient assises devant le gynécée. À l'étage, les garçons ne dormaient pas non plus ; ils voulaient, disaient-ils, aller voir ce qui se passait : Socrate, réveillé, le leur interdit.

« On vous entraînerait et vous ne sauriez pas ce que vous faites. Voulez-vous donc voir assassiner des gens ? »

Car on assassinait. Les chefs des démocrates et même ceux qui n'étaient pas vraiment des chefs. Les gens qui couraient dans la rue étaient ou bien des démocrates en fuite, ou bien des membres des hétairies qui les poursuivaient. Après la proclamation de l'oligarchie, quelques heures auparavant, un prytane l'avait averti et lui avait conseillé de ne pas sortir de chez lui. Les nouveaux maîtres d'Athènes ne jugeaient pas, en effet, ils expédiaient les affaires à coups de couteau.

Peu avant de prendre un repos, dans la deuxième moitié

de la nuit, il murmura : « Je ne savais pas que les oligarques étaient si nombreux ! »

Ravalant ses appréhensions, il sortit le lendemain, comme à l'accoutumée. L'Agora, battue par le vent, était quasiment déserte. Les portes du Bouleuthérion et du Conseil des Magistrats étaient grandes ouvertes, et l'on voyait des gens s'affairer à l'intérieur, déménageant des liasses de parchemins, en brûlant d'autres. Un d'eux l'aperçut et s'avança vers la porte pour le héler : Socrate plissa les yeux et reconnut Théramènès, un disciple d'occasion, guère assidu, plus proche de la quarantaine que de sa jeunesse, et qui avait grenouillé dans les affaires. Socrate se rappela que, pressé d'apprendre l'art oratoire, cet homme était allé chez le sophiste Prodicos et que, rejeté par les démocrates, il avait rallié les oligarques.

Théramènès s'avança, radieux, la main tendue, l'air plein d'assurance.

« Socrate, mon maître ! Quelle joie de te voir ! »

Hochant la tête, Socrate jaugea son bonhomme.

« Que fais-tu là ? demanda-t-il.

— Tu le sais bien, Socrate, j'ai toujours été partisan de l'oligarchie. Je suis de leur nombre. »

Le ciel seul eût pu dire grâce à quelle sombre combine il avait été admis dans leurs rangs. Toujours était-il qu'il valait mieux compter un allié dans la place.

« J'en suis heureux pour toi. Et quand donc saurons-nous quelles réformes va apporter l'oligarchie ?

— Cela sera décidé très rapidement. Mais le pouvoir sera certainement assumé par un Conseil restreint. »

Socrate hocha la tête.

« Tu sembles un peu las ? demanda Théramènès, compatissant.

— La nuit a été courte, répondit Socrate d'un air entendu, à cause de tous ces gens qui criaient et couraient dans les rues.

— Sans doute célébraient-ils notre victoire ! fit Théramènès.

— Oui, le couteau à la main.

— Il y a eu quelques excès, j'en conviens. Mais un peu d'autorité prévient ces agitations qui sont tellement nuisibles à Athènes. Ne t'en inquiète plus, tu es des nôtres ! Je sais ton attachement à Alcibiade. Je veux espérer qu'il sera bientôt de retour. Il n'aspire qu'à rentrer au pays, maintenant que les extrémistes démocrates sont partis ! »

« Voilà un homme qui a le sens de la nuance », se dit Socrate ironiquement. Ils se séparèrent en se promettant chaleureusement de se revoir. Socrate attendit ses disciples ; ils ne vinrent pas. Il alla au Stoa ; il était désert, si l'on exceptait un athlète et un vieillard debout devant la boutique du pharmacien.

« Voudrais-tu échanger une tranche de philosophie contre une tranche de fromage piquant avec des olives et du pain ? proposa-t-il au Frisé.

— Je te les offre volontiers, répondit le restaurateur. Je crains que les affaires ne soient bien maigres aujourd'hui. Que me serviras-tu donc comme philosophie ?

— Quand les gens crient, tais-toi. »

Le Frisé eut un rire d'estomac.

« C'est tout ?

— Il y a pourtant là de quoi te nourrir plusieurs jours. J'ajouterai, en échange d'olives : on ne peut vraiment discuter qu'avec les gens qui n'ont pas d'avis ou qui sont du même avis que soi. »

Le Frisé eut un rire un peu plus franc et alla chercher le fromage, les olives, le pain et un cruchon de vin.

« Et en échange du pain, ajouta Socrate, ceci : en temps de révolution, les plus puissants ont besoin des plus faibles. Mais la paternité en revient à Ésope. »

Le Frisé médita ces mots.

« Crois-tu que nous aurons des nouvelles maintenant ? demanda-t-il.

— Pourquoi n'en aurions-nous pas ?

— Les réunions de l'Assemblée seront plus rares. Et si les nouvelles contrarient nos nouveaux maîtres, ils les censureront.

— C'est vraisemblable, convint Socrate. Mais s'ils sont

sages, ils sauront que de mauvaises nouvelles valent mieux que de méchantes rumeurs. »

Demeuré seul, Socrate s'interrogea sur un retour éventuel d'Alcibiade. Impossible, conclut-il, même sous les oligarques : on l'écharperait.

Peu de jours plus tard, les Athéniens se hasardèrent à sortir de chez eux et Socrate, qui les observait un peu plus attentivement que d'habitude, s'étonna de l'influence que pouvait avoir un régime politique jusque sur la façon de marcher des gens. Les Athéniens, qui allaient d'ordinaire d'une démarche ample et lente, le visage droit et le regard large, pressaient désormais le pas sans raison, se tenaient voûtés et gardaient les yeux baissés vers le sol ou bien jetaient autour d'eux des regards rapides et méfiants. Si quelqu'une de leurs connaissances les arrêtait d'un salut, ils répondaient brièvement, et rares étaient ceux qui s'assemblaient, fût-ce pour aller se rafraîchir le gosier. Et d'ailleurs, que se serait-on dit ? Les opinions changeaient d'un jour l'autre, au gré des rumeurs, des délations, des retournements, des liaisons qui se nouaient et se dénouaient comme un nœud de vipères, et surtout des intérêts personnels : à croire qu'un sauve-qui-peut général avait retenti dans la ville.

Socrate retrouva un jour sur l'Agora son disciple Critias, qui était désormais sa principale source de revenus et qui, étant riche, doublait son écot, sachant que son maître ne l'était pas. Chef du parti des oligarques, il s'avançait, suivi de nouveaux courtisans.

« Que t'inspirent ces événements ? demanda le disciple.

— Tu attends peut-être de moi un jugement politique. Il le sera, mais pas au sens où tu l'entendrais. Ce qui me frappe de plus en plus dans la vie d'Athènes depuis la mort de Périclès, c'est à quel point nos vies privées sont tributaires de la Cité. Nous savions déjà, du temps de Périclès, et sans doute depuis celui d'Homère, que la Cité est le seul domaine où puisse s'exercer l'un des sentiments les plus irrésistibles de l'être humain, l'ambition. C'est une passion brûlante, qui tenaille autant que l'amour. Mais la stabilité qui régnait du temps de Périclès faisait qu'elle nous laissait un peu de répit. Chacun savait quel serait le prochain projet capable de satis-faire son ambition. Et le soir venu, on cédait aux plaisirs.

— Et à présent ? demanda Critias.

— La situation est tellement tendue et changeante que l'ambition tient sans relâche l'esprit sur le feu. Ira-t-on à droi-te ? À gauche ? Tout droit ? Ou bien, ce qui me semble être le choix de beaucoup, se retournera-t-on d'un coup ? Dans quel sens développera-t-on son ambition ? Effrayé par cette vigilance, le plaisir prend la fuite, et le Frisé observait hier que les charmantes jeunes personnes qui errent d'habitude sur l'Agora, en quête de fortune, se sont beaucoup raréfiées, faute de clients. »

Critias se mit à rire.

« Autant dire que la politique nous casse les couilles ! »

Et il ajouta d'un ton résolu :

« Eh bien, nous allons soulager le peuple du soin d'en faire ! »

Souriant à son tour, Socrate reprit :

« Toute action engendre une réaction, Critias. Je serais surpris que cette abstinence forcée soit supportée bien long-temps...

— Ah, où sont donc les banquets d'Alcibiade ! » soupira Critias.

Socrate se garda de relever cette dernière remarque.

Le coup d'État mou de l'oligarchie et les assassinats impunis qui s'en étaient suivis avaient atteint leur but, qui était d'instaurer la terreur. Tout le monde soupçonnait tout le monde et les règlements de comptes se poursuivirent sous couvert de civisme, mais le plus souvent de manière anonyme. Et quand le Conseil annonça que le pouvoir serait détenu par un Conseil de quatre cents citoyens, ce fut dans un silence pesant que les autres allèrent examiner la liste affichée. Pas un commentaire, pas un éclat de voix.

La rumeur sur les événements extérieurs régna désor-mais en maîtresse, colportée par ceux qui avaient des contacts avec l'étranger : principalement les gens de mer. Le Pirée supplanta donc l'Agora. Si l'on voulait apprendre quelque chose, il fallait se résigner à une bonne heure de marche pour aller à Kantharos, Akté ou Zéa. Et là, on en apprenait de belles.

C'était le plus souvent Léthô qui rapportait les nouvelles, car elle allait au Pirée acheter le poisson et s'arrêtait au passage dans l'un des entrepôts pour s'approvisionner en farine et en huile ; elle les faisait porter par son amoureux Euménis jusqu'à la rue du Héron. Comme elle était belle femme et d'apparence modeste, elle interrogeait les uns et les autres, ils lui répondaient sans façons et elle obtenait des informations aussi fraîches que le poisson.

« Les démocrates de Samos se sont révoltés ! » annonça-t-elle un jour triomphalement, tandis que le brave Euménis se déchargeait de ses fardeaux à la cuisine.

Socrate, qui attendait chaque fois son retour avec une impatience non dissimulée, puisqu'on ne savait plus rien du monde dans cette ville sous domination oligarchique, se hâta vers la cuisine.

« Le stratège Thrasybolos a ramené les officiers à la raison et dénoncé la conspiration qui visait à instaurer l'oligarchie dans l'île ! Et il a gagné.

— Et Alcibiade ? demanda comme chaque fois Xanthippe, en examinant le poisson, des sardines en quantité et trois grosses daurades roses.

— C'est l'autre nouvelle. Il a brouillé les Perses avec les Lacédémoniens !

— Que ne s'est-il brouillé lui-même avec les Barbares ! Ils l'auraient coupé en morceaux et mangé, comme ils ont coutume de le faire ! s'écria Xanthippe, en éviscérant la première daurade. Euménis, tu veux m'aider à gratter ? Reste dîner avec nous. Léthô, veux-tu gratter un peu les sardines ?

— Nous avons donc la démocratie à Samos et l'oligarchie à Athènes, observa Socrate. Les thètes [1], là-bas, les aristocrates ici.

— Oui... », dit Léthô, la tête penchée sur la planche à

---

1. Citoyens de classe inférieure, contraints de travailler pour vivre, et constituant l'essentiel de la garnison de Samos.

préparer le poisson, la main dans le sac de sel, soudain réservée et comme hésitant à parler.

Socrate attendait ce qu'elle avait à dire. Elle souriait d'un air gêné, regardant en direction de Xanthippe, qui éviscérait la deuxième daurade.

« Tu as un caillou dans la bouche ? » lui demanda Socrate.

Elle leva la tête et lâcha :

« Les stratèges de Samos ont nommé Alcibiade stratège. »

Xanthippe se retourna, le couteau à la main.

« Qu'est-ce que tu dis ?

— Alcibiade est stratège à Samos. »

Xanthippe brandit dangereusement son couteau.

« Mais ces gens-là n'ont donc pas de sang dans les veines ! Ils élisent stratège un homme qui a mené notre pays à la ruine...

— Je n'en sais pas plus », dit Léthô, comme pour se faire pardonner.

Ce fut Euménis qui mangea le morceau.

« Par Dionysos ! s'exclama-t-il, il leur a promis l'amitié et l'argent des Perses, et comme ils ont envie de continuer la guerre contre les Lacédémoniens, ils l'ont accueilli à bras ouverts ! D'autant plus qu'il a brouillé les Perses avec les Lacédémoniens ! Et maintenant, acheva Euménis hilare, les officiers de Samos veulent venir tout de suite à Athènes pour y rétablir la démocratie ! »

Consternée, Xanthippe se tourna vers Socrate.

« Expliquez-moi ? Je ne comprends rien à toutes ces histoires ! Que va faire Alcibiade, maintenant ?

— Je ne sais pas ce que va faire Alcibiade, dit calmement Socrate. Mais on peut craindre que si la démocratie est rétablie à Athènes, Alcibiade revienne.

— Mais ce n'est pas possible ! cria-t-elle, les yeux exorbités.

— Xanthippe, tu poses des questions, je réponds. Si tu ne veux pas savoir les choses, ne pose pas de questions, dit-il avec fermeté.

— Les sardines, qu'est-ce que j'en fais ? demanda Léthô.

— Dans la grande poêle, avec de l'huile et du sel »,
répondit machinalement Xanthippe.

Elle tenait toujours son couteau et fit un grand moulinet
avec.

« Si ce chien des enfers revient à Athènes...

— Il n'y est pas encore, grommela Socrate. Sur laquelle
des deux tables mangeons-nous ? »

Car c'était une maison pauvre ; on n'y mangeait pas
couché sur un lit, mais assis ; Socrate, d'ailleurs, trouvait cela
plus confortable. Et les femmes mangeaient avec les hommes.

« La plus grande », répondit Xanthippe.

Il y disposa quatre plats.

« Où est le pain ?

— Il a dû finir de cuire. Tire-le. »

Il se demandait duquel des deux, lui ou Protagoras, Alcibiade avait été l'élève. *Il n'y a pas de faits, il n'y a que des opinions*, avait proclamé Protagoras, et, en fin de compte, cela
pouvait bien définir l'inspiration d'Alcibiade. Adieu, civisme !
Euménis alla se laver les mains et les frotta avec des feuilles
de géranium, et pendant que le poisson était en train de frire,
il s'assit avec Socrate pour boire un verre de vin dans le patio.

« J'ai une autre nouvelle, dit Léthô en s'asseyant devant
la table.

— Fais attention, plaisanta Euménis.

— On jouera la semaine prochaine la nouvelle comédie
d'Aristophane. »

Socrate fit une moue dédaigneuse.

« Ce type qui a ridiculisé Socrate devant tout Athènes !
s'écria Xanthippe.

— Il ne s'agira pas de Socrate, cette fois-ci, observa calmement Léthô. Il s'agit des femmes.

— Des femmes ? » répéta Xanthippe en s'asseyant à son
tour.

Socrate saisit trois sardines dans la poêle et les posa sur
son assiette, les yeux baissés.

« Des femmes d'Athènes qui prennent leur revanche
contre les hommes.

— Comment le sais-tu ?

— Les rumeurs, toujours.

— Au Pirée ?

— Non, en ville. Euménis connaît le marchand de parchemin d'Aristophane.

— La pièce s'appellera *Lysistrata*, dit Euménis.

— La revanche des femmes contre les hommes... »,
répéta Xanthippe, songeuse.

Socrate croqua sa première sardine, arêtes et queue
comprises et lui lança un regard ironique.

« Il serait temps ! reprit-elle. Léthô, nous irons voir cette
comédie ! »

Le soir venu, qui était celui du 12 du mois d'Elaphébolion[1], elles s'en furent vers le Théâtre de Dionysos. La moitié
au moins du public était composée de femmes, vieilles et
jeunes, et quand elles eurent chacune payé sa place deux oboles[2], et qu'elles se furent installées sur les gradins du haut,
elles embrassèrent du regard la plus grande masse d'humains
que l'une et l'autre eussent jamais vue ; près de vingt mille
Athéniens se pressaient là, et elles se félicitèrent de n'être pas
aux premiers rangs : ceux-là, en effet, étaient occupés par les
oligarques et les prêtres.

Xanthippe n'était jamais allée au théâtre ; elle en était
saisie d'émotion. Elle demeura coite durant toute la représentation, retenant tout juste un cri de surprise scandalisée
quand les acteurs feignant l'érection apparurent avec un
bâton dardé sous la tunique. On eût même douté, tant elle
était grave, qu'elle assistait à une comédie, car elle souriait à
peine, même lorsque le public s'esclaffait. Les ventres rembourrés et les voix nasillardes des acteurs, qui devaient accentuer leur caractère grotesque, ne la déridaient pas. Elle suivait
avec une attention passionnée l'entreprise de l'héroïne, Lysistrata, qui avait soulevé les Athéniennes contre les hommes et

---

1. Ce mois, consacré aux Grandes Dionysies, se situe entre mars et avril. C'est la seule
date vraisemblable à laquelle la comédie d'Aristophane, datée de 411 avant notre ère, a
pu être représentée, en dépit de la tyrannie des Quatre Cents ; on ne donnait pas quand
on le voulait des représentations théâtrales, qui étaient réservées à des fêtes religieuses.

2. C'était le prix convenu de la place, encaissé par le fermier du théâtre, qui le distribuait ensuite aux pauvres d'Athènes.

qui, à leur tête, s'était emparée du Trésor d'Athéna, prati-
quant la grève du sexe jusqu'à ce que les Athéniens eussent
accepté de mettre un terme à leurs guerres. Elle ne s'anima
qu'à la fin, quand un tonnerre d'applaudissements emplit le
théâtre. Alors elle se leva, comme prise de frénésie, et elle se
mit à applaudir en dansant à l'instar d'une corybante. Et
quand Léthô, d'abord surprise, puis émue de voir Xanthippe
dans cet état, leva les yeux vers elle, elle vit les larmes couler
sur la joue de l'épouse de Socrate.

Enfin rassise, Xanthippe prit Léthô dans ses bras, haletante, passionnée.

« Léthô, je suis enfin vengée !... Lysistrata, mais c'est moi,
c'est moi ! Les hommes... Ah ! si nous aussi, nous pouvions...
Ah ! Léthô, quel chef-d'œuvre ! Je lui pardonne tout ce qu'il
dit sur Socrate ! »

Elle applaudissait encore, les mains rougies, quand le
chef du jury fit monter l'auteur sur la scène et lui remit le
prix convenu pour la comédie, un panier de figues et une
amphore de vin.

Elle avait remporté sa revanche publique.

17.

« Le temps fait de nous des autres »

Les rumeurs s'étant malgré tout répandues, Athènes vécut dans l'expectative d'un débarquement des militaires démocrates de Samos, c'est-à-dire d'une guerre civile. Comme les autres, Taki et Demis en frémissaient d'anxiété. S'étant résolus à sortir, quitte à mourir poignardés le verre à la main parce qu'on les taxait volontiers de mauvais esprits, ils avaient repris leurs habitudes chez le Frisé, dûment emmitouflés dans leurs manteaux en raison du vent aigre.

« Je me demande si je pourrai me rendre dans ma maison de campagne cet été, dit Demis. Mes cultivateurs vont me faire grise mine parce qu'ils s'imaginent que, propriétaire d'un lopin, je suis un oligarque et donc un ennemi des pauvres ! Moi !

— D'ici l'été..., fit Taki. À propos, j'ai reçu la visite de ce Théramènès...

— Toi aussi ? »

Ils éclatèrent de rire.

« La confiance règne ! observa Demis. Donc, Théramènès t'aura conseillé de ne pas t'inquiéter, parce que les excès, comme il les appelle, du régime actuel ne sauraient durer longtemps et qu'il les déplore lui-même, ainsi que plusieurs membres du Conseil des Quatre Cents. Qu'il dit.

— Exact. Il doit tenir le même discours à la moitié d'Athènes. Tu crois qu'il a vraiment un clan ?

— Je pense qu'ils doivent être quelques-uns, en effet, à se rendre compte à quel point ils sont détestés. L'autre jour, le stratège Alexiclès, tu le connais, l'un des plus arrogants de ces oligarques, est venu ici prendre un verre et, dès qu'ils l'ont reconnu, tous les clients ont déguerpi. Il a eu l'air d'un pestiféré.

— Ce Théram, qu'est-ce que tu en penses ?

— Un marieur de chèvre et de chou. Assez intelligent, en tout cas, pour s'aviser qu'au train où vont les choses il risque de ne pas faire de vieux os. C'est un oligarque modéré.

— Je voudrais bien savoir ce qu'est un extrémiste modéré ! Dis donc, tu as remarqué que le Frisé a augmenté ses portions ?

— Les affaires ne marchent pas, alors il préfère donner plus de fromage que de le jeter, pour garder ses clients. »

Ils virent soudain arriver Cléanthis, passablement agité, lui qui eût aisément passé pour un parangon de l'indifférence. Il tira un siège et s'y laissa tomber.

« Salut ! dit-il en regardant ses amis. On n'aura donc jamais la paix dans ce pays !

— O lucidité bénie ! ironisa Demis. Qu'est-ce qui se passe ?

— Les hoplites... », commença Cléanthis.

Il leva le bras pour attirer l'attention du Frisé.

« Un cruchon de samos !

— Tu te moques de moi ? répliqua le Frisé. Du samos ? En ce moment ? Du chios, et encore ! »

Cléanthis haussa les épaules.

« Mais quel pays ! souffla-t-il. Donc, les hoplites...

— Eh bien, quoi, les hoplites ?

— Ils viennent d'arrêter Alexiclès au Pirée ! Et les Quatre Cents, qui siègent en ce moment même, menacent d'arrêter Théramène et son clan ! Ils les accusent de modération et de complicité avec les démocrates ! »

Cette fois, Taki et Demis s'alarmèrent. Le Frisé, qui avait

également entendu, changea de mine. L'audace des hoplites présageait le pire.

Avec l'arrestation du stratège Alexiclès, commencèrent trois semaines d'incroyable confusion pendant lesquelles les gens n'osèrent plus sortir de chez eux avant d'avoir envoyé leurs domestiques vérifier que la ville était calme. En effet, peu de jours après, la flotte athénienne croyant l'Eubée menacée par les navires lacédémoniens était partie lui livrer combat et, tout à la fois, s'était fait battre à plates coutures et avait perdu l'Eubée. Trois menaces pesèrent alors sur Athènes : la première, que les démocrates de Samos vinssent déclencher un conflit avec les troupes encore censées obéir au commandement des oligarques ; la deuxième, que les Lacédémoniens vinssent attaquer Athènes, maintenant que Le Pirée était sans défense navale ; la troisième, qu'une guerre civile entre les oligarques et les hoplites éclatât au moment où les Lacédémoniens croisaient dans les parages.

Un matin, défiant les oligarques et excédés par de si longues angoisses, les Athéniens convoquèrent l'Assemblée de tous les citoyens et votèrent d'emblée la fin du régime des Quatre Cents, aussitôt remplacé par un régime démocratique modéré, le Conseil des cinq mille citoyens (en fait, ils furent neuf mille). Les oligarques, tapis chez eux, n'osaient intervenir, se contentant des informations que leur fournissaient encore leurs sycophantes.

Athènes avait donc renversé la tyrannie. Restait à gagner la guerre contre les Lacédémoniens. On se souvint alors qu'Alcibiade avait promis l'aide des Perses. Et l'incroyable advint : le Conseil des Cinq Mille vota son rappel !

Chaque matin et chaque soir, Xanthippe demandait à Léthô : « Est-il revenu ? »

Mais il ne revint pas. Avec les démocrates, en effet, triomphaient quelques-uns de ses ennemis les plus acharnés et il risquait, s'il revenait, de se retrouver à la merci de leurs attaques. Ses amis d'Athènes alléguèrent qu'il s'efforçait de rallier la flotte et l'argent de Tissapherne à l'avantage des Athéniens. Les Perses au secours des Athéniens ! On croyait rêver !

Socrate, qui faisait de nouveau partie de l'Assemblée, interrogea un stratège, puis l'autre et un troisième. Leurs réponses furent semblables : ils ne croyaient pas que les Perses viendraient, pour les beaux yeux d'Alcibiade, apporter leurs navires et leur argent aux Athéniens.

La preuve en fut que le satrape Tissapherne finit par arrêter Alcibiade. On resta un mois sans nouvelles de l'exilé, se demandant s'il n'avait pas été exécuté. Mais il parvint à s'enfuir et à gagner les îles de l'Ionie. Il avait perdu tous ses atouts, dont cette amitié avec Tissapherne qu'il avait cru conquise à l'aide de mensonges. C'était un homme fini.

Nenni ! La guerre faisait toujours rage sur mer, dans les parages de ce détroit qui mène à la Propontide [1], l'Hellespont. Les Athéniens étaient du côté de Sestos, les Péloponnésiens, du côté d'Abydos, adossés à la Chersonèse. Un jour de bataille comme il y en avait tant, les voiles de vingt et un navires que personne n'attendait palpitèrent à l'horizon. Quand la première trière avança vers les Athéniens, le capitaine leur cria dans son porte-voix que sa flotte était commandée par Alcibiade. En moins d'une heure, l'issue de la bataille changea grâce à ce renfort providentiel : les Athéniens l'emportèrent de haute main et capturèrent trente vaisseaux, récupérant en outre ceux que les Lacédémoniens leur avaient pris dans une précédente bataille. Quelque temps après, une autre bataille fut également gagnée au large de Cyzique. Le temps épouvantable n'avait pas découragé Alcibiade, au contraire : il s'était servi de la tempête pour bloquer le passage aux soixante navires péloponnésiens qui voulaient entrer au port. Comme ils s'étaient quand même rabattus vers la côte, il les y poursuivit avec ses équipages, les massacra, tua le chef de la flotte, brûla les navires et s'empara de Cyzique. Après quoi, il s'empara de Sélymbria [2], puis il reconquit les terres du Pont-Euxin, qui fournissaient le blé à Athènes. Plus incroyable encore, il s'empara de Byzance ! Mais comment ? Cet homme était-il donc irrésistible ?

Non, rusé comme toujours, il avait fait le siège de la ville,

1. Mer de Marmara.
2. L'actuelle Imroz, dans l'île turque du même nom.

sachant que le chef péloponnésien, affolé, irait demander de l'aide aux Perses. Ce qui advint. Pendant ce temps, Alcibiade avait traité avec les habitants de la ville, qui lui avaient ouvert les portes !

L'enthousiasme que ces nouvelles suscitaient à Athènes flambait quelques jours, puis se consumait. L'Empire se rebiffait, pouvait-on en attendre moins des Athéniens ? Et Alcibiade n'était-il pas un véritable enfant du pays ? Mais l'argent ? Avec quoi allait-on continuer cette guerre sans fin ? Or, Alcibiade connaissait aussi cette urgence : il imposa des tributs aux villes conquises ou reconquises, et la douane installée à l'entrée du Bosphore assura désormais des rentrées régulières à l'Empire.

« Il se présente donc à distance comme le bienfaiteur d'Athènes, observa Socrate qui en débattait avec Critias, miraculeusement sorti de sa tanière.

— Ne l'est-il pas à tes yeux ? demanda Critias.

— Certes si, répondit Socrate avec un petit sourire. Mais j'aurais aimé qu'il n'eût jamais cessé de l'être. »

Les partisans d'Alcibiade étaient chaque jour plus nombreux à Athènes. Il en fut assuré par les amis qu'il y gardait en dépit de tout, et par les émissaires qu'il y avait envoyés. À la fin de l'année, il fit présenter par eux sa candidature aux élections de stratège. Il y associa la candidature de Charmidès, compromis comme lui dans les fameuses « affaires ». La nouvelle agita furieusement les Athéniens.

Cléophon et son clan menèrent une opposition acharnée, représentant à l'Assemblée qu'elle rappelait non seulement son pire ennemi, car l'aspiration d'Alcibiade à la tyrannie aboutirait à la dissolution de cette même Assemblée, mais encore qu'il était l'ennemi d'Athènes et de l'Empire, comme l'avaient scandaleusement démontré ses trahisons successives. Il parla une bonne heure, soutenu par les applaudissements vigoureux de ses partisans. Mais une insolence, une seule, le démonta. Calliclès, qui était des partisans les plus fervents d'Alcibiade, l'interpella :

« Ne se pourrait-il pas, Cléophon, que ton hostilité à

l'égard d'Alcibiade soit due au fait que son retour sonnerait ton effacement ? Car tu conviendras sans doute que ta renommée ne dépasse pas les Longs Murs et que tes exploits les plus célèbres consistent à flatter le peuple dans le sens du poil ! »

Les risées annulèrent l'effet d'une heure de discours et les bannis furent élus.

« Très bien, grommela Xanthippe quand Léthô le lui annonça. On a les hommes qu'on mérite et cette ville est une pute !

— Excès de langage ! » déclara Socrate désapprobateur.

Mais se rappelant soudain la question d'Alcibiade le soir où Périclès avait été démis : *Le* démos *est-il donc une femme ?* Il fut tenté de la citer à son épouse. Il se ravisa, car elle lui aurait répondu qu'Alcibiade le savait donc, et c'était pourquoi il se comportait de la sorte. Et peut-être n'aurait-elle pas eu tort...

Ces considérations portaient toutefois Socrate au-delà du retour inévitable d'Alcibiade. Tandis que les Athéniens débattaient à perdre haleine de l'opportunité d'élever à l'une de leurs plus hautes fonctions un homme qu'ils avaient condamné à mort, Socrate, lui, se demandait si, le *démos* étant une femme, l'*oligos*, le petit nombre qui était le principe de l'oligarchie, était alors un homme. Dans un tel cas, le *démos* et l'*oligos* étaient faits l'un pour l'autre et sans doute destinés à s'opposer sans fin... Il souriait tout seul de cette image.

Puis un jour, l'un des émissaires de l'homme qu'il avait le plus aimé vint le voir.

« Alcibiade me prie de te demander si tu l'attends », dit-il avec simplicité.

La question éveilla en Socrate une douleur qu'il ne connaissait pas, le souvenir de l'amour perdu.

« J'attends l'homme que j'ai connu, répondit-il après un silence. Et peut-être espère-t-il, lui, retrouver celui qu'il a connu. »

L'émissaire leva les sourcils, car il n'était pas certain d'avoir compris.

« Le temps, précisa Socrate, fait de nous des autres. »

18.

Le Grand Acteur

Mais enfin, il revint.

C'était le jour où la piété imposait traditionnellement à la Cité de laver les vêtements de bronze doré de la grande statue d'Athéna, sur l'Acropole. On dressait des échafaudages tout autour, puis on laissait tomber des draperies par-dessus et en dessous, et des hommes enlevaient avec des linges mouillés les poussières accumulées et fixées par l'air marin.

Avait-il choisi ce jour symbolique pour signifier qu'il fallait le laver, lui, des reproches anciens ?

Même ses ennemis accoururent, Cléophon en tête, guettant le moindre fléchissement, la moindre huée qui leur eût permis de s'emparer de l'homme qu'ils exécraient. La foule était égale à celle qui s'était amassée pour le voir partir à la tête de la flotte, sept ans auparavant. Vingt mille, trente mille personnes ? Existe-t-il une arithmétique de l'émotion publique ?

Le spectacle fut pareil à ceux qu'évoquent les poètes. Le ciel et la mer papillotaient d'or et d'argent quand apparut au loin une trière à la voile gonflée. Une voile pourpre, c'est-à-dire royale. Il n'avait rien perdu de son insolence. Une trière solitaire, mais suivie de vingt autres, dont les voiles blanches semblaient caresser les flots.

Les Athéniens plissèrent les yeux et tandis que s'approchait le double et rutilant éperon de bronze, ils crurent reconnaître, puis reconnurent effectivement Alcibiade debout sur la proue. Ulysse rentrant à Ithaque... L'image lointaine était celle d'un jeune homme, et personne ne se fût hasardé à rappeler qu'il avait quarante-trois ans. L'or de ses cheveux scintillait.

Les regards se tournèrent vers les autres trières : les hauts bords en étaient chargés de boucliers et d'objets étincelants qu'on reconnut pour du butin et les figures de proue de navires ennemis.

Le son, qui voyage si bien sur l'eau, apporta bientôt le chant d'une flûte et l'on devina qu'elle scandait les mouvements des rameurs. Des bras se levèrent, et des clameurs résonnèrent. C'étaient les partisans et les amis qui acclamaient déjà l'enfant prodigue.

Socrate resta immobile, muet, le cœur serré. La mémoire le tenait en respect. La mémoire des amours et celle des déceptions, ce coryphée qui raconte à chaque homme sa propre vie.

Puis l'enthousiasme déferla. Alcibiade mit pied sur le ponton et des gens s'élancèrent à sa rencontre, sautant, criant, et le couvrant de guirlandes. Il tournait la tête de gauche et de droite, cherchant ses alliés, ses amis, comme effrayé de l'enthousiasme. Il avait pu jouer la comédie partout ailleurs, mais à Athènes, non.

Dès qu'il eut mis le pied sur la terre, une bande de quarante ou cinquante hommes en armes commandés par des stratèges l'entoura, repoussant la foule et faisant barrière contre ceux qui, comme l'avait jadis projeté Xanthippe, eussent voulu lui enfoncer une dague dans le corps. Des badauds s'étaient perchés sur les Longs Murs, des hommes portaient leurs enfants sur leurs épaules afin qu'ils pussent voir le héros ; d'autres chantaient... Des flûtes, des tambourins, des cithares et des cistres jouèrent un péan de victoire. La foule était coupée par les équipages des vingt trières qui venaient de débarquer, et que chacun voulait toucher et embrasser, comme pour recueillir des miettes de la gloire d'Alcibiade.

Les Athéniens en procession escortèrent ce petit groupe tout le long du chemin qui montait à la ville. Socrate suivait à brève distance, assez près pour observer, assez loin pour n'être pas vu. Mais que voulait-il donc voir ? se demanda-t-il. En dépit de sa magie, peut-être même à cause d'elle, le retour d'Alcibiade évoquait étrangement une scène funèbre, l'entrée du héros aux Enfers comme l'eût décrite Homère.

Ils arrivèrent ainsi au Conseil, qui réserva à Alcibiade un accueil de roi. De là, il se rendit à l'Assemblée, tout entière réunie. Un déluge d'ovations déferla. Il leva les bras.

« Athéniens... »

Socrate l'écoutait du haut des derniers gradins du Bouleuthérion et l'entendait d'encore plus loin, comme s'il percevait, non pas la voix d'un homme qui parlait ici et maintenant, mais celle d'un acteur dans un théâtre de songe. Héraclite, l'Ancien, dit justement que les yeux sont des témoins plus sûrs que les oreilles. Donc, Socrate regardait le héros parler. Alcibiade exposait ses mérites, ses victoires, ses machinations, et l'ouvrage qu'il avait accompli auprès des Perses pour les empêcher de soutenir les Lacédémoniens de leur flotte et de leur argent. Et son dévouement à Athènes : n'avait-il pas empêché les démocrates de Samos de venir défier les oligarques, évitant ainsi, lui, lui seul, une guerre civile ? Ne lui avait-il pas permis de remporter des victoires navales et terrestres ? Ne lui avait-il pas conquis les cités qui payaient tribut afin de renflouer son Trésor ? Il évoqua enfin l'injustice des accusations portées contre lui par ces fanatiques et ces démagogues qui l'avaient persécuté et par la faute desquels la démocratie n'était plus ce qu'elle était idéalement. Il savait, disait-il, qu'il comptait encore des adversaires à Athènes, mais il avait résolu de les affronter puisqu'il n'était plus soumis à leur arbitraire. N'était-ce pas la preuve de sa droiture ? Mais Athènes le savait déjà puisqu'elle l'avait réélu stratège...

Un acteur, oui. Il l'avait été toute sa vie, il n'avait pas changé. Jusqu'à cette théâtrale voile pourpre qui l'avait amené au port ! Alcibiade était à la fois l'auteur et l'interprète d'un poème héroïque à sa propre gloire dont il entendait imposer la splendeur, non plus aux seuls Athéniens, mais au monde entier : Spartiates, Ioniens, Perses... Un grand acteur, à coup sûr, mais un acteur. Le courage de cet homme était indéniable, mais comment se défendre du soupçon que son brio cachait une faiblesse. « Le plus brillant élève que les sophistes auront sans doute jamais formé, se dit Socrate. Un maître prodigieux du discours. Mais mon élève ? » Socrate secoua la tête. Non, il ne lui avait jamais enseigné la trahison.

L'apologie d'Alcibiade par Alcibiade dura près de deux heures. Un orage d'émotion, applaudissements, clameurs, cris d'amour en salua la fin. S'il n'était pas une femme, le *démos* se comportait comme tel. L'Assemblée délibéra et, en moins d'une heure, vota les pleins pouvoirs à celui qui l'avait trahie et humiliée, elle se livra tout entière à celui qu'elle avait condamné à mort ! Et elle le fit avec un emportement extravagant, qui rappela à Socrate cet autre conseil d'Héraclite : « Il faut éteindre la démesure encore plus que l'incendie. » Tant de passion ne pouvait que présager d'un désamour aussi violent, fût-il tardif.

Socrate, en tout cas, n'aurait jamais imaginé pareil dénouement. Il en sourit. Mais la mise en scène se poursuivait. Les équipages des trières arrivèrent en procession et déposèrent sur l'estrade les tributs arrachés aux navires ennemis : des armes, des vases, des sacs d'or, et la foule éclata de nouveau en applaudissements, cependant que les greffiers dressaient des listes de ce qu'il fallait porter à l'Arsenal et de ce qu'il convenait de déposer au Trésor. Le stratège Cléophon et les autres ennemis d'Alcibiade, tel l'hiérophante Theodoros, durent s'esquiver sous la protection des phalangistes, tant l'hostilité de la foule à l'intérieur et à l'extérieur de l'Assemblée était menaçante. Au passage, un citoyen goguenard lança au stratège :

« Hé, Cléophon, tu as pris ce soir une leçon de démagogie ! »

La nuit était tombée depuis longtemps quand la foule se débanda pour se répandre sur l'Agora. Alcibiade et les siens partirent pour un banquet offert par le chef du Conseil. Socrate, brisé, rentra chez lui. Il n'avait pas le cœur à se mêler aux gens, à subir les questions, ni à participer à l'ivresse. Il retrouva Xanthippe, insomnieuse à cause de la lune, disait-elle. Il s'assit près d'elle et lui raconta les événements. Elle les écouta en silence.

« Ce qui me navre le plus, dit-elle doucement, c'est ta tristesse. Si cet homme avait été exécuté, tu en serais triste, et quand tu constates l'inconséquence du peuple, tu es triste. La haine que je lui porte ne m'a jamais fait de mal, mais, toi, l'amour que tu lui portes te fait mal. Cela n'est-il pas significatif ?

— L'amour que je lui portais », rectifia-t-il, d'un ton las.

Et il lui prit la main.

Ce soir-là, le Frisé tint boutique toute la nuit. Peut-être la véritable divinité qui présidait aux destinées d'Athènes n'était-elle pas Athéna, déesse de la raison, mais Dionysos, le dieu de l'extase. Ou bien Poséidon, le dieu de la mer éternellement changeante. De quoi lavait-on donc Athéna, là-haut, derrière ses voiles ?

19.

Le parcours de la comète

« On ne se baigne pas deux fois dans le même fleuve »,
disait encore Héraclite. Ignorant qu'Athènes avait changé,
Alcibiade reprit néanmoins ses provocations théâtrales. On
l'avait accusé de parodier les Mystères d'Éleusis ? Eh bien, il
mènerait la procession traditionnelle !

Mais il ne lui suffisait pas de la conduire ; il fallait qu'il
marquât cette célébration-là d'un coup d'éclat, et les circonstances lui en offrirent l'occasion. La route habituelle vers
Éleusis, à l'ouest d'Athènes, n'était certes pas la plus courte,
puisqu'elle était double ou triple de celle qu'eût franchie un
oiseau ; elle montait vers le nord jusqu'à Décélie, en longeant
le fleuve Céphise, puis elle redescendait vers Éleusis, au bord
de la mer. Ce long trajet avait ses raisons : les célébrants le
coupaient de haltes, à la faveur desquelles ils procédaient à
des sacrifices. Or, on ne l'empruntait plus depuis que les Spartiates avaient planté là un avant-poste ; ils se seraient fait un
plaisir autant qu'un devoir de surgir en pleine procession et
de malmener les célébrants et les dignitaires en robes d'appa-
rat, sinon de les trucider. On suivait donc la route du bord
de mer, qui abrégeait les cérémonies et réduisait l'éclat de
cette grande célébration.

La situation, cette année-là, était d'autant plus piquante qu'Alcibiade lui-même avait conseillé aux Spartiates de fortifier cette place. Et ce fut lui qui résolut de rendre tout son panache à la procession.

Trois mille personnes prirent le départ d'Athènes, en sortant par la porte de Marathon. Les prêtres, en tête, étaient flanqués de deux détachements de hoplites, mobilisés pour la circonstance. Suivaient Alcibiade, les dignitaires de l'Aréopage, du Conseil, des Magistrats, puis la foule des célébrants. Parmi ceux-ci, on comptait une majorité de pauvres. Ayant essuyé plus durement que les autres les tourmentes des années écoulées, ils éprouvaient le désir d'aller remercier les divinités, maintenant qu'Alcibiade avait rétabli les temps heureux ! Quand ils arrivèrent aux remparts de Décélie, les guetteurs lacédémoniens observèrent avec stupeur l'interminable file d'Athéniens se diriger lentement vers eux, comme s'ils n'existaient pas, puis redescendre tranquillement vers Éleusis. Ils soupçonnèrent un piège, et c'en était un, en effet. Mais il n'était pas militaire : Alcibiade venait d'adresser un pied de nez au roi qu'il avait cocufié.

Bien peu, parmi les célébrants, se doutaient cependant qu'Alcibiade était le père d'un prince de Sparte. La foule loua le courage et la piété du stratège en chef. Cet homme était invincible ! On arrivait à peine à Éleusis qu'une délégation recrutée dans le cortège, éblouie par la bravoure d'Alcibiade, lui demanda audience. C'étaient pour la plupart des gens du peuple, éperdus d'admiration.

« Stratège, lui déclarèrent-ils, les dieux t'accompagnent à chaque pas, guidés par Athéna, notre déesse tutélaire. »

C'était un discours fleuri, en effet.

« Ton salut est celui d'Athènes, de ses pauvres qui t'ont soutenu et te soutiennent, autant que de ses riches parmi lesquels tu as trouvé tant d'ennemis. Nous te demandons, avant d'aller prier les divinités de la Terre, d'apaiser les passions qui ont causé tant de mal à l'Empire, d'abolir les lois et les décrets qui nous ont affaiblis et n'ont pu nous préserver de nos ennemis, mais qui ont suscité tant de bavardages néfastes ! Ainsi tu pourras diriger les affaires sans craindre les délations qui ne visent qu'à abaisser les hommes de mérite. Nous t'avons nommé stratège et nous t'avons donné les pouvoirs absolus. Assure-nous la paix civique, garante de la paix des cœurs ! »

Bref, ils lui demandaient de se proclamer tyran, après l'avoir jadis accusé de vouloir en être un. Lui-même veilla à ne pas dire un mot qui l'eût compromis, sans toutefois décevoir ces gens qui l'avaient élu, eux aussi. Les cités, répondit-il, étaient pareilles aux navires ; elles subissaient des tourmentes. Mais la tempête était passée et la sérénité retrouvée des cœurs permettrait, avec la bienveillance des dieux, d'assurer la sécurité et la prospérité de l'Empire, pour les pauvres comme pour les riches.

Les échos de ces événements parvinrent à Athènes avant même le retour du cortège ; ils furent confirmés à Socrate par Critias.

« Ne conviendras-tu pas, Socrate, que la fin justifie les moyens ? demanda celui-ci. Je sais que tu as souvent désapprouvé Alcibiade dans ton cœur, et je le lisais dans tes yeux. Mais au terme de tant de péripéties, il a réconcilié la Cité, il s'est attiré le soutien des prêtres et celui du peuple, il a fait taire ses ennemis... »

Socrate hocha la tête.

« Je serais d'accord avec toi, Critias, si je devais en juger par les résultats. Mais je ne distingue pas comme toi entre la fin et les moyens. Pour l'homme soucieux de vertu, les moyens sont une fin aussi.

— Je suis venu te demander, reprit Critias au bout d'un temps, si tu accepterais une invitation d'Alcibiade. »

Socrate réfléchit un moment et répondit :

« Si je n'y allais pas, ce serait me donner de l'importance, et si j'y vais, ce serait m'en donner trop peu. Je préfère que ce soit toi qui nous invites tous les deux. »

Critias éclata de rire.

Ce fut presque comme jadis. Il y avait là tous les amis, dont Sophocle. Douze convives. Mais il sembla à tous qu'il n'y en eut que deux. Dès qu'il vit Socrate, Alcibiade délaissa ceux avec qui il s'entretenait et s'élança vers le philosophe. Les accolades furent longues et les yeux, humides.

« Tant d'années ! murmura Alcibiade. Et c'est comme si ce n'avait été qu'un long jour !

— Ton détour fut bien long, répondit Socrate en souriant.

— Ce qui veut dire que j'aurais pu m'en passer ! repartit Alcibiade en éclatant de rire.

— Je vous ai mis sur des lits différents, annonça Critias, car nous tous, ici, ne voulons pas perdre une miette de vos échanges ! »

Il leur avait assigné, en effet, des lits qui se faisaient face, et s'était installé lui-même avec Sophocle.

« Je saurai maintenant si Socrate m'aimait pour ma jeunesse ou bien pour moi-même, dit Alcibiade.

— Considères-tu que ta jeunesse était distincte de toi, répondit Socrate. Ou bien penses-tu que tu n'étais pas toi-même dans ta jeunesse ?

— Voilà un beau commencement ! observa Sophocle en souriant.

— Mais toi-même, Socrate, qu'en penses-tu ? demanda Alcibiade.

— Ce que tu veux me demander en réalité, est ceci : si je te rencontrais aujourd'hui pour la première fois, est-ce que je t'aimerais comme je t'ai aimé auparavant ? La réponse est évidemment non, parce qu'il serait périlleux pour un homme tel que moi de tomber amoureux de l'homme le plus illustre d'Athènes et d'Asie.

— Cela arrive pourtant, repartit Alcibiade.

— Certes, avec des personnes plus attrayantes ou plus ambitieuses que moi.

— Et toi, Alcibiade, demanda Sophocle, aimes-tu toujours Socrate ?

— Son immense supériorité sur moi est que je l'aime pour son intelligence et qu'elle n'a pu que s'enrichir pendant ces années. C'est-à-dire qu'il est pour moi plus désirable qu'auparavant !

— On tombe toujours amoureux de quelqu'un qui possède une qualité qu'on n'a pas, ou bien qui la possède à un bien plus grand degré, n'est-ce pas ? dit Socrate. C'est ainsi que les blonds aiment les bruns, les faibles aiment les forts et les pauvres aiment les riches. »

Alcibiade ayant hoché la tête, Socrate poursuivit :

« Si tu possédais toi-même l'intelligence que tu me prêtes, serais-tu amoureux de moi ? »

Alcibiade sourit et ne répondit pas. Critias demanda alors à Socrate :

« Y a-t-il donc quelque chose de répréhensible à aimer ce qu'on n'a pas ? Tu viens toi-même de dire qu'il en est toujours ainsi...

— Il n'y a rien de répréhensible à cela, dit Socrate. Mais si l'on ne fait que prendre à l'autre les qualités qu'on désire, on ne lui donne rien en échange. Et c'est alors soi-même qu'on aime et non l'autre.

— Veux-tu dire que je t'ai pris ton intelligence et que je ne t'ai rien donné en échange ? demanda Alcibiade.

— Pas du tout ! s'écria Socrate. Ce que je veux dire, c'est que j'ai pris ta beauté et que tu n'as pas pris mon intelligence ! Ce qui fait que je suis aujourd'hui ton obligé. »

Critias et Sophocle ne retenaient plus leur hilarité, et elle finit par gagner tous les convives.

« Socrate ! Socrate ! s'écria Alcibiade. Tu t'es toujours défendu d'être un sophiste, mais je viens d'entendre le plus brillant exemple de sophisme que je connaisse !

— Et pourtant, c'est ton domaine ! » rétorqua Socrate.

Nouveaux rires.

« Tu estimes que je n'ai pas pris ton intelligence ? demanda Alcibiade, soudain grave.

— Si tu l'avais fait, repartit Socrate, tu te serais comporté comme Socrate, et non comme Alcibiade.

— Ce qui signifie ?

— Que la sagesse est étrangère au monde, et que je n'aurais jamais été Alcibiade.

— Me suis-je mal comporté ? demanda Alcibiade, sur la défensive.

— C'est à toi, pas à moi, d'en juger. Les dieux semblent

guider tes pas et la gloire te fait cortège. N'es-tu pas satisfait de ta vie ? »

Alcibiade sourit.

« J'espérais que tu me dirais si je dois l'être.

— J'enseigne la sagesse, dit Socrate, baissant les yeux, pas la justice. De quel point de vue voudrais-tu que je te juge, d'ailleurs ? Du point de vue humain, ou du point de vue divin ?

— Les dieux ne sont-ils pas les inspirateurs de la justice humaine ? répliqua Alcibiade.

— Nous le voudrions. Mais la morale est une invention humaine, ajustée à la durée de notre vie. Les dieux ont leur éthique, qui est conçue selon l'éternité.

— Laquelle, alors, s'applique à moi, Socrate ? demanda Alcibiade sur un ton de défi.

— La justice divine, à coup sûr, puisque tu te comportes comme un demi-dieu. »

Les échanges avaient été vifs, comme une joute de boxeurs. Ils en restèrent là, afin de ne pas donner aux autres convives le sentiment d'être indiscrets. Alcibiade souriait d'un air énigmatique, comme ces antiques statues de jeunes hommes dont on ne sait si le sourire reflète la béatitude ou l'ironie. Peut-être avait-il compris que l'amour charnel de Socrate avait cédé à l'amour philosophique. Il ne releva pas la dernière réponse et la conversation dériva sur des sujets moins graves.

Ce fut leur dernière entrevue.

D'abord, l'environnement d'Alcibiade devenait, de notoriété publique, malodorant. Il s'entourait d'une cour de flatteurs et de bouffons recrutés parmi des aventuriers, des opportunistes, voire des matelots, auxquels il confiait des responsabilités exorbitantes, comme cet Antiochos, courtisan ignare et vulgaire, simple pilote de son état, qui se vit attribuer le commandement de la flotte, alors que bien d'autres officiers eussent été cent fois plus qualifiés.

« Comportement de satrape ! » laissèrent tomber plusieurs démocrates, à l'unisson des aristocrates.

Ensuite, les affaires de la guerre reprenaient leurs droits.

L'ivresse du retour d'Alcibiade l'avait fait oublier quelques semaines, mais rien n'avait vraiment changé entre Sparte et Athènes. Sans parler de la Perse. La séduction, les intrigues et les mensonges d'Alcibiade avaient pu étourdir un temps un satrape perse puis l'autre, Tissapherne puis Pharnabaze, comme les malices d'un singe dans une fable ébaubiraient des loups, mais le roi de Perse y mit fin. Toutes ces manigances ne menaient à rien qu'à des situations indéchiffrables où tout le monde se retrouvait berné par ce Grec. Cyrus, le fils du roi de Perse, prit le commandement des opérations et s'allia à Sparte. Comme il était riche, il doubla la solde des troupes péloponnésiennes ; le coup fut rude pour les Athéniens, qui recouraient de plus en plus à des mercenaires.

L'imbécile Antiochos entra peu après avec des trières dans le port d'Éphèse, où mouillait la flotte péloponnésienne, commandée par Lysandre. Se prenant sans doute pour Alcibiade, il alla taquiner les Péloponnésiens jusqu'à longer leurs navires dans le port, comme on va chatouiller un tigre. La riposte de Lysandre fut cuisante : une vingtaine de trières athéniennes perdues avec leurs hommes.

Plus blanche est la robe, plus criante est la tache. « Vous aviez cru Alcibiade invincible ? Il confie le commandement de la flotte à un bouffon et voilà le résultat ! » clamèrent ses ennemis, toujours aux aguets et menés par Cléophon. L'étoile du héros se ternit bientôt. L'insolence du cortège des célébrants sous les remparts de Décélie fut également payée : les Spartiates descendirent jusqu'aux murs d'Athènes. C'était la réponse du berger à la bergère.

Puis les délations, les accusations, les plaintes proliférèrent, comme auparavant. Débauches, mécontentement de l'armée de Samos, activités douteuses en Thrace... Le poids du passé d'Alcibiade, dont il avait cru se défaire en le lançant vers les étoiles, retomba avec une force multipliée. On ne pouvait décidément pas faire confiance à cet homme. Cléophon rédigea un acte d'accusation, et l'Assemblée qui l'avait accueilli quelques mois auparavant comme un demi-dieu destitua Alcibiade à la faveur d'une de ses absences.

La boucle était bouclée. Répugnant à rentrer à Athènes

en dieu déchu, Alcibiade partit pour la Chersonèse, en bordure de la Thrace, où il avait acquis des fermes fortifiées.

Les étoiles sont modestes, mais fixes. Les comètes captivent l'attention, mais elles passent.

20.

Les Ruisseaux de la Chèvre

Chaque nouvelle d'Alcibiade que lui apportaient les réunions de l'Assemblée et la chronique parlée d'Athènes gravait une ride de plus dans le cœur de Socrate. Il avait jadis fondu ensemble Athènes, Alcibiade et la philosophie dans un même rêve de beauté. C'était au temps de Périclès. En près d'un tiers de siècle, tout s'était délité. Athènes était, en fin de compte, une masse d'humains inconstants, oscillant entre la démocratie et l'oligarchie, Alcibiade un cabot, et la philosophie n'avait pas plus à voir avec la réalité qu'une fleur de rave avec le terreau.

Socrate s'en impatienta, même. Alcibiade se détacha de son cœur comme une branche cassée. Il n'en souffrit pas ; il souffrit plutôt de sa propre indifférence.

Il fut plus ému qu'il l'eût cru par les enfants que Philippe amena à la maison, comme une lionne vient présenter ses lionceaux à ses bienfaiteurs. Xanthippe leur fit une fête.

« Seraient-ce de nouveaux Alcibiade ? » se demanda Socrate. Il leur fit toutefois crédit de leur avenir : les enfants ignorent qu'ils sont toujours les débiteurs des adultes. Pour leur chance, quand ils sont devenus adultes, les créanciers ont disparu.

La rumeur courut que Socrate avait désapprouvé Alcibiade lors d'un banquet. Elle lui revint. Était-ce vrai ? « Oui et non », répondit-il. On supposa qu'il avait scrupule à désavouer publiquement un homme vaincu, on vanta sa délicatesse et l'on évoqua de nouveau la sagesse proclamée par la pythie de Delphes. Voilà au moins un homme qui n'avait tiré aucun profit des triomphes d'Alcibiade. « Honnête Socrate ! » clama-t-on. Même Cléophon fit publiquement son éloge et le résultat fut qu'on le nomma au Conseil de l'Assemblée. Car il est des gens qui identifient l'honnêteté au dédain.

Toujours est-il qu'il ne se doutait pas, en acceptant cet honneur, qu'il allait devoir distinguer entre la justice humaine et la justice divine, ainsi qu'il l'avait fait au bénéfice d'Alcibiade à leur dernière rencontre, et comme il l'avait si souvent fait pour ses élèves. Le dieu des mers, Poséidon, parut en effet retirer à Athènes la fortune maritime qu'il lui avait si largement prodiguée par le passé. Et il le fit avec une malice particulière. Défait par la flotte péloponnésienne à Mitylène, le successeur d'Antiochos à la tête de la flotte, Conon, se piqua de revanche. Les Athéniens partagèrent sa furie. Dans un effort désespéré, ils réunirent une nouvelle flotte avec leurs dernières drachmes, enrôlèrent tous les citoyens valides, des cavaliers, des métèques, des esclaves. Sophronisque et Ion, les fils de Socrate, furent enrôlés comme les autres.

« Je hais Athènes et plus encore les hommes d'Athènes ! s'écria Xanthippe. Cette ville est une ville d'hommes et le théâtre de la cruauté des hommes ! Ah ! Athènes, je te maudis, je te maudis !

— Prends garde que tes malédictions ne dépassent ces murs », lui conseilla Socrate.

Car il redoutait mystérieusement les malédictions de sa femme. Il les avait vues à l'œuvre avec Alcibiade.

À l'automne, deux ans après les quatre-vingt-treizièmes Olympiades [1], cent dix navires athéniens que vinrent renforcer quarante autres venus de Mytilène partirent à l'assaut de

---

1. 406 avant notre ère.

la flotte ennemie. Ils la rencontrèrent aux îles Arginuses, entre Lesbos et l'Asie, mais éparpillée, ce qui leur offrit un avantage inespéré. Soixante-neuf navires partirent par le fond. Désastreuse victoire ! Treize trières athéniennes sombrèrent corps et biens et douze autres étaient en perdition. Le devoir sacré des huit généraux de la flotte exigeait qu'ils partissent au secours des naufragés. Mais une tempête effroyable s'éleva alors que le reste de la flotte avait déjà gagné les côtes pour se mettre à l'abri. Le sauvetage était impossible et les marins tirés d'affaire assistèrent de loin à la noyade de leurs camarades : deux mille ! Quand ils rentrèrent à Athènes annoncer leur victoire, le Conseil, outré, condamna les généraux à mort pour impiété.

Un seul des cinq cents membres du Conseil s'éleva contre la sentence de mort : Socrate.

« Ces hommes n'ont pas failli à leur devoir, déclara l'homme le plus sage de la Grèce. Ils ont été trahis par les éléments. Leurs navires étaient les mêmes que ceux qui avaient sombré. S'ils étaient partis pour sauver les autres, ils auraient sombré eux aussi. Leur honneur aurait été sauf, mais à titre posthume. Athènes aurait été plus fière de sa victoire, mais elle aurait perdu quelques centaines d'hommes supplémentaires au moment où les forces humaines lui font le plus défaut. Mes deux fils auraient-ils péri comme leurs camarades, que mes propos seraient les mêmes. Je m'oppose donc à la peine de mort. »

Et il se rassit. On attribua son indulgence au fait que Périclès II, le fils du grand stratège et d'Aspasie, figurait parmi les condamnés. Il le savait, la philosophie n'a rien à voir avec la réalité et l'inverse. L'oracle de Delphes avait pu dire ce qu'il voulait, les Athéniens demandaient du sang. Si l'on foulait aux pieds les principes sacrés, déjà malmenés par les événements récents, où allait-on ? Dans un sursaut de civisme, quatre cent quatre-vingt-dix-neuf conseillers votèrent donc la mort, et le glaive tomba sur six généraux victorieux. Leurs corps décapités furent jetés dans le gouffre réservé aux condamnés, la Barathre, près du Pnyx, au-dessous de l'Aréopage.

Socrate en fut tellement amer que Xanthippe craignit qu'il tombât malade. Lui qui sortait d'habitude une heure après le réveil, il resta à la maison pendant plusieurs jours, prostré, amorphe.

« On ne peut pas servir la sagesse et la Cité, murmura-t-il un jour, levant les yeux vers son épouse. Fallait-il donc que j'arrive à ce point pour constater que l'injustice des hommes égale celle des dieux ? »

Xanthippe savait qu'elle avait épousé un homme juste. Elle pleura. À cause de la tristesse de cet homme pour les six généraux décapités, pour les marins noyés. Et aussi parce qu'elle entrevoyait déjà le spectre de la solitude, la solitude des justes.

« Tu n'es pas l'incarnation d'Athènes ! protesta-t-elle. Vis ! Vis pour toi ! Pour tes fils sauvés de la mort ! »

L'injonction était plus touchante que convaincante.

Quand Socrate reprit ses habitudes de sorties et qu'il se laissa de nouveau inviter à des banquets, ce fut pour entendre la ville clamer : Ah, où est donc Alcibiade ? Avec lui, ce n'était pas comme ça ! Au fond, Alcibiade avait été l'époux et l'amant de cette ville, et ces incessants changements d'humeur ressemblaient à des scènes de ménage. Mais ils ne pouvaient décemment pas rappeler Alcibiade une fois de plus : il les eût fait fouetter publiquement.

Aristophane venait de faire représenter sa dernière comédie, *Les Grenouilles,* qui décrivait cruellement cette confusion. Socrate se rappela la réflexion de Xanthippe : *Tu n'es pas Athènes.* Hé ! si, il l'était : il l'avait eue pour amante avant tous les autres. L'âme d'Athènes l'habitait !

Le souvenir d'Alcibiade hantait les Athéniens, leurs magistrats, leurs généraux, leurs hommes politiques, au point que les généraux projetèrent de refaire le coup qu'il avait réussi dans l'Hellespont. Ils apprirent justement que Lysandre, le chef de la flotte péloponnésienne, avait pris cette direction. L'imbécile ! se dirent-ils, il ne savait donc pas que l'Hellespont ne lui était pas favorable ! La flotte athénienne, ou du moins ce qu'il en restait, repartit pour cette sorte de canal naturel qui permettait mille ruses. Lysandre venait de reprendre Lampsaque, ils se dirigèrent donc vers Sestos, qui avait porté chance à Alcibiade.

En route vers Sestos, la flotte athénienne aperçut celle de Lysandre dans le port de Lampsaque. Fascinée par la présence de l'ennemi, elle mouilla juste en face, devant une bourgade que son nom suffisait à décrire : Aegos Potamoi, les Ruisseaux de la Chèvre. Ce n'était qu'une plage devant quelques masures qui abritaient des gardiens de chèvres. Ravitaillement en vivres et en eau, rien ! Pour acheter du pain ou du fromage, sans parler du vin, il fallait aller jusqu'à Sestos, alors que, de l'autre côté de ce bras de mer, Lysandre, à la tête d'une flotte toute neuve offerte par les Perses, lesquels payaient le double de la solde athénienne, se faisait ravitailler tous les jours en denrées fraîches par les boulangers, les fromagers et les bouchers de Lampsaque. Pis : commandés par deux généraux, Tydée et Ménandre, en constant désaccord, les matelots athéniens se comportaient comme s'ils étaient en promenade : ils allaient à terre à leur gré, se soûlaient dans les bosquets ou prenaient des bains de mer. Bref, ils se dispersaient comme des écoliers en vacances.

Alors advint un coup de théâtre comme Sophocle, Euripide et le vieil Eschyle lui-même n'en eussent pas osé ! Alcibiade ! Oui, vraiment, Alcibiade en personne ! C'était le chiendent que cet homme ! D'où venait-il ? Ses fermes fortifiées se trouvaient à un vol de moineau de là, sur la côte de la Chersonèse. Il avait tout vu, tout compris : Aegos Potamoi, expliqua-t-il, n'offrait aucune possibilité de défense contre une attaque de Lysandre, les navires étaient éparpillés tout au long de la côte, trop loin du ravitaillement, et le commandement était divisé.

Il donna des conseils et offrit l'aide des chefs de Thrace, dont les cavaliers et les lanciers tiendraient Lysandre en respect s'il tentait un débarquement.

Alcibiade ? Alcibiade donnait des conseils ? Tydée et Ménandre le prirent de haut.

« C'est nous les stratèges, pas toi. »

L'arme la plus efficace qu'on pouvait opposer à l'ancien stratège était le dédain. Il rentra dans ses terres.

Quand Lysandre attaqua et débarqua, ses hommes trouvèrent les trières athéniennes à moitié vides, et les troupes dispersées sur la côte. Ce fut un jeu d'enfant que de s'emparer de presque tout ce qui subsistait de la flotte athénienne, soit cent soixante trières. Puis ses troupes coururent après les soldats athéniens et les capturèrent. Lysandre ramena hommes et bateaux captifs à Lampsaque, à l'exception de neuf navires qui avaient pu prendre la fuite, dont celui de Conon qui parvint à gagner Chypre. Il fit égorger trois mille prisonniers et tua de sa propre main le stratège Philoclès qui avait sabordé deux navires chargés de prisonniers spartiates, afin de les noyer. En revanche, il épargna le stratège Adeimantos qui avait été hostile à ces cruautés.

Huit navires rentrèrent au Pirée raconter ce qui s'était passé. Athènes n'avait plus de flotte. Elle attendait Lysandre.

Dix jours durant, un silence funèbre régna sur la ville qui ne dormait plus. L'Agora fut, comme les Champs d'Asphodèles[1], hantée de spectres muets. Puis Lysandre arriva avec sa flotte. On vit bien, du haut de l'Acropole, les navires qui flambaient dans le port du Pirée ensanglanter la nuit et, le jour, leurs fumées endeuiller le ciel. Le Spartiate mit ensuite le siège devant la ville. À quoi pouvaient alors servir des hoplites ? Aucune armure ne protège de la mort, aucune flèche de la honte. Aucun allié ne vint non plus à la défense des assiégés. Athènes attendit un secours des dieux, mais quand elle vit que les Spartiates prenaient leurs quartiers d'hiver devant ses remparts, elle se résolut à accepter la reddition.

Contrainte de signer un traité de paix avec Sparte, ayant perdu ses colonies, ne disposant plus que de douze navires, elle dut subir le dernier outrage : Lysandre fit détruire par les Athéniens eux-mêmes ces Longs Murs qui avaient garanti l'indépendance de leur ville. Et il les fit détruire au son de joueuses de flûte.

---

1. Territoires où erraient les âmes des morts.

Mais l'extraordinaire fut que la population accepta sa reddition comme une délivrance. En vérité, elle semblait retrouver sa liberté. Elle renonçait à son ambition d'hégémonie. Rien n'est plus pesant, parfois, que l'idéal.

21.

« Un bel enterrement »

Socrate portait depuis plusieurs mois une sorte de deuil. Était-ce celui d'Athènes, ou celui de la démocratie qui semblait décliner au fur et à mesure que la défaite paraissait inéluctable ? Il ne s'en expliqua guère, car, au fond, personne ne le lui demandait. Interrogée par Léthô, Xanthippe répondit : « Ses amis sont partis. Il se sent seul. » Ion et Sophronisque, qui rentraient tous deux de leur période d'entraînement militaire, en qualité de fantassins voltigeurs [1], vinrent un jour interroger leur père :

« Et maintenant ?

— Ensuite, voulez-vous dire. Nous étions un empire démocratique. Je suppose que nous deviendrons une cité gouvernée par un monarque. Ou bien par un tyran.

— Si la démocratie nous a menés au désastre, n'est-ce pas pour la raison qu'elle est chaotique ? demanda Sophronisque.

— Ce n'est pas la démocratie qui nous a menés au désastre, c'est l'impérialisme. Avant que nous fassions la guerre aux l'erses, nous étions tous des Grecs, à Sparte, Argos

---

1. Service militaire imposé aux éphèbes.

ou Olympien, comme à Athènes. Puis nous avons voulu que la Grèce soit athénienne et nous sommes devenus tyranniques. »

Ce raccourci des quatre décennies écoulées lui était venu spontanément, mais il le jugea rétrospectivement si abrupt qu'il réprima un sourire. Et voilà comment on raconte des vies ! Ses fils se balançaient devant lui d'une jambe sur l'autre, ne sachant comment extraire de ce père, qu'on disait l'homme le plus sage de la Grèce, les grains d'expérience qui devraient empêcher les enfants de reproduire les erreurs de leurs pères. Il les dévisagea un moment, comme s'il les voyait pour la première fois. À leur âge, on change de caractère et même de visage d'une émotion l'autre. Il s'efforça une fois de plus, exercice familier à tous les pères, de percevoir quels traits en chacun d'eux revenaient à lui et quels autres à Xanthippe. Mais il retrouvait davantage son propre père que lui-même en Sophronisque et la mère de Xanthippe en Ion. Leur expérience sur les trières les avait enrobés d'une coque dure, et ils y avaient acquis une démarche rude, à grandes enjambées, qui ne lui plaisait pas. Bon, ils apprendraient plus tard à marcher de manière plus civile.

« La démocratie peut donc être tyrannique ? demanda Ion.

— Tout pouvoir peut être tyrannique, répondit Socrate en souriant. L'éloquence peut subjuguer les foules, la rhétorique peut enchaîner les esprits, la beauté peut réduire les cœurs en esclavage. Il n'est aucun talent, aucune vertu, aucun plaisir et aucune douleur qui ne puissent être tyranniques. »

Un instant plus tard, il ajouta :

« Les émotions sont tyranniques.

— Et notre patrie, quelle est-elle, Athènes ou la Grèce ? »

Ces garçons posaient des questions bien aiguës !

« La patrie se trouve où l'on est libre !

— Que faire contre la tyrannie ?

— Attendre qu'elle tombe sous le poids de ses excès et instruire les jeunes de telle sorte qu'ils apprennent à la combattre en eux-mêmes autant qu'à l'extérieur. »

Il vit bien que ses réponses les laissaient insatisfaits : Lysandre, maître tout-puissant d'Athènes et de tout ce qui avait été athénien, n'était-il pas un tyran ? Que fallait-il donc faire contre lui ?

« Rien. Il a, pour l'instant, le pouvoir des armes et nous avons trop bien vu que les nôtres sont impuissantes contre lui. Votre mort ne servirait personne, au contraire. La folie du pouvoir abrégera sans doute sa carrière, comme d'habitude. »

Parti avec ses fils, un matin, pour l'Agora, Socrate eut peine à contenir leur colère quand les membres du Conseil, l'apercevant, se pressèrent pour lui annoncer que les oligarques relevaient la tête et, depuis la veille, menaient ouvertement campagne pour abolir la Constitution. Ils relevaient la tête dans les ruines !

« Va leur parler ! lui demandèrent-ils.

— Je ne suis plus membre du Conseil, observa-t-il, vous le savez bien.

— Parle quand même !

— La dernière fois que je l'ai fait, j'ai été le seul. »

À la fin, ce n'était pas son métier que de s'adresser à des hommes politiques. Protagoras avait raison : vouloir parler raison à une foule, c'est prétendre dompter des fauves sans le fouet.

Il attendit donc chez le Frisé le résultat des délibérations du Conseil, en compagnie de ses fils et de deux nouveaux disciples, un aristocrate nommé Platon et son frère, le stratège Adeimantos, celui-là même qu'avait épargné Lysandre ; deux gaillards, aux larges épaules et aux jambes fortes. Ils attendirent de longues heures. Peu avant le coucher du soleil, des conseillers vinrent les informer, eux et plusieurs autres qui attendaient aussi, que les délibérations en étaient au point mort. Le Conseil ne voulait ni se dissoudre, ni changer la Constitution, et les oligarques ne voulaient pas en démordre. On était donc convenu d'en référer à Lysandre.

Une délégation des deux partis descendit le lendemain au Pirée pour consulter le Spartiate. Lysandre fit abolir la démocratie comme on donne l'ordre de refaire le crépi d'une maison et il donna son accord à une liste de trente hommes, évidemment proposée par les oligarques, qui gouvernaient désormais Athènes. Des avis furent affichés le lendemain sur les portes du Conseil : l'un annonçait l'abrogation de la Constitution et la création d'un gouvernement provisoire, l'autre portait la liste des trente citoyens choisis pour diriger ce gouvernement. Socrate alla déchiffrer la liste et fut troublé d'y relever les noms de ses disciples Critias et Charmidès.

« Tu les connais, n'est-ce pas ? demanda Sophronisque.

— Oui, répondit-il d'un ton las.

— Tu n'as pas l'air content.

— On va me reprocher d'être proche de la tyrannie...

— Nous te défendrons ! »

Les Trente ne mirent pas longtemps à répéter les méfaits des Quatre Cents. Dès le premier jour, ils firent arrêter et exécuter les sycophantes des démocrates, évidemment dénoncés par leurs propres sycophantes. Dans les jours suivants, se succédèrent arrestations arbitraires, exécutions sommaires, chasse aux métèques et confiscation de leurs biens, que tel ou tel des Trente s'appropriait sans vergogne et partageait ou non avec ses acolytes. Puis les Trente publièrent à l'instigation de l'un des leurs, Théramènès, une liste de trois mille citoyens, les seuls selon eux à avoir droit de cité et à être autorisés à franchir les portes de la ville. Les autres n'avaient même plus de garanties judiciaires !

« Mais qu'est-ce qu'ils ont donc appris de moi ? » s'écria Socrate un soir.

Rien, apparemment. Charmidès eut même l'impudence de demander un matin à Socrate qui il voulait faire arrêter. Le philosophe feignit la surprise. Il ne se connaissait pas d'ennemis, répondit-il.

« Tu te trompes, on a toujours des ennemis. »

Ils commencèrent à piller ou à vendre les monuments publics, s'appropriant des statues et des meubles. Et comme la liste des gens assassinés ne cessait de s'allonger et que Socrate craignait l'impétuosité de ses fils autant que les séductions que ce régime de brigands pouvait exercer sur eux, il les envoya s'installer chez Philippe, à Cholargos. Théramènès, qui avait jadis cru, pendant la tyrannie des Quatre Cents, pouvoir s'en tirer par la modération, le paya de sa vie. Il prétendait qu'il voulait restaurer la Constitution de Solon. Mais personne ne se rappelait ce qu'elle avait pu être ; on en déduisit qu'il était ennemi de l'oligarchie. « Je ne trouve pas beau que des gens qui se disent les meilleurs se conduisent encore plus mal que des maîtres chanteurs ! » clama-t-il.

Critias le fit rayer de la liste des Trois Mille puis, un soir, il se prit de querelle avec lui et le traita d'ennemi de l'ordre. Théramènès tenta de se défendre, mais la fureur de Critias allait croissant.

« Théramènès, effrayé, a couru se réfugier sur l'autel de Hestia, rapporta à Socrate un témoin, encore pantelant d'émotion. Eh bien, Critias, Satyros et les leurs l'ont poursuivi jusque-là ! Ils ont bravé l'interdit sacré ! Satyros l'a arraché à l'autel de la déesse et l'a traîné jusqu'à la prison. Là, ils l'ont forcé à boire la ciguë qu'ils avaient apportée avec eux ! »

Socrate écoutait, les yeux dilatés d'horreur, non seulement à cause du sacrilège, mais aussi de la puissance de la haine. Et puis il s'efforça de ne plus entendre. Les démocrates prirent la fuite. Dans leur naïveté, ils se crurent d'abord à l'abri au Pirée, devant la flotte même de Lysandre ; on les y rattrapa, on en arrêta un grand nombre et on en assassina plus d'un. Ils partirent alors plus loin, vers Thèbes, Mégare et jusqu'en Thrace.

Le même Satyros qui avait arrêté Théramènès aborda un jour Socrate et lui dit, de ce ton impérieux que prennent si volontiers les ignorants :

« Socrate, Critias dit que tu doit aller arrêter le métèque Léon et sa famille. Tu les conduiras directement en prison. Ce soir. »

Socrate le regarda sans ciller. C'était un jeune homme banal, au visage coloré, lourd, serti de petits yeux farcis d'arrogance.

« Tu as entendu ?

— J'ai entendu. »

Pour qui le prenait donc Critias ? Ça, un disciple ! Quand Satyros eut tourné le dos, Socrate fit la moue et prit le chemin de la maison de Léon. On tarda beaucoup à répondre à ses coups de bâton sur la porte mais, enfin, un domestique vint ouvrir.

« Je veux parler à ton maître », dit Socrate.

Léon vint, tremblant, et se rasséréna quand il vit Socrate seul.

« Léon, dit celui-ci, emporte tout ce que tu peux et quitte immédiatement ta maison avec les tiens. Sors par la porte de Marathon, c'est la moins surveillée. »

Le lendemain, le même Satyros lui demanda :

« Et Léon ? Tu n'es pas allé l'arrêter ? On ne l'a pas vu à la prison.

— J'y suis allé, laissa tomber Socrate. Il n'était pas chez lui. Il paraît qu'il est parti. »

Satyros lui lança un mauvais regard.

La buvette du Frisé, qui avait vu tant d'entretiens rieurs et désabusés, était depuis quelque mois devenue pareille à la proue d'un navire, d'où les Athéniens surveillaient le paysage invisible d'une guerre civile qui ne disait pas son nom. C'était là que les nouvelles affluaient. Les sycophantes y pullulaient, évidemment, et l'on tenait donc sa langue autant qu'on surveillait sa grammaire. Un soir que Socrate s'y trouvait avec Platon et un prytane qui avait miraculeusement échappé aux persécutions, un inconnu vint annoncer que les démocrates en fuite s'étaient regroupés et s'étaient emparés de Phylê, une forteresse dans les monts du Parnès, au nord d'Athènes.

Les Trente partirent le lendemain pour reprendre Phylê. Mais avec quoi ? Ils n'avaient même plus assez de citoyens pour se battre, tout juste quelques bandes d'assassins. Ils s'y cassèrent les dents. En signe de mépris, les démocrates retranchés leur jetèrent par-dessus les remparts des carcasses de poulets et des salades pourries. Affolés par leur échec, craignant que les assiégés, emportés par leur audace, sortissent de leurs murs pour en découdre, les Trente coururent vers la ville la plus proche, qui était Éleusis. La population leur fit mauvais accueil ; ils s'y livrèrent à des massacres et se barricadèrent dans la ville des Mystères, n'osant plus retourner à Athènes. Puis Thrasybolos, celui-là même qui avait mené quelques années auparavant la révolte des démocrates à Samos, rallia une armée de fortune, des exilés, des métèques, des esclaves et jusqu'à la racaille ordinaire, et s'empara d'une bourgade du Pirée, Mounychia.

Quelques habitants en braies coururent à Athènes annoncer la nouvelle, qui parvint naturellement à la buvette du Frisé. On pria les messagers de parler moins fort et de filer au plus vite, s'ils tenaient à leur peau. Si les Trente étaient enfermés à Éleusis, Athènes restait, en effet, dirigée tant bien que mal par leurs âmes damnées, les Trois Mille. Ceux-ci dépêchèrent une délégation à Éleusis, par la route de mer, afin de supplier les Trente, tremblant de peur et de fureur, d'intervenir. Car Athènes risquait de retomber aux mains des démocrates et les Trois Mille seraient alors passés au fil du glaive.

On attendit une fois de plus à la terrasse du Frisé. Pendant ce temps, Lysandre, ivre de pouvoir, banquetait au Pirée avec sa clique de Spartiates, décidément oublieux de la frugalité qui avait fait leur force. Ils avaient même appris à partouzer ! On l'informa ; il répondit, la bouche et la barbe grasses, que si les Athéniens se battaient entre eux, eh bien, tant mieux, il en resterait moins !

Dans l'après-midi du lendemain, Critias et quelques-uns des Trente se résolurent à sortir de leur repaire d'Éleusis et coururent au Pirée pour reprendre Mounychia. Avaient-ils sous-estimé la vaillance des démocrates ? Ou leur colère ? L'aristocrate Critias fut éventré de haut en bas par un esclave et la plupart des autres, parmi lesquels le parent d'Alcibiade, Charmidès, se firent pareillement désentripailler. Deux des plus illustres disciples de Socrate servirent ce soir-là de souper aux requins. Les rescapés coururent derechef au Pirée chez Lysandre, le priant d'intervenir. Une fois de plus, Lysandre s'en fichait.

À Athènes même, les Trois Mille se retranchèrent dans leurs maisons dès la nuit tombée. Quelques audacieux qui s'étaient aventurés dehors furent égorgés à quelques pas de leurs portes.

Socrate céda aux instances de Xanthippe : il rentra lui

aussi avant la nuit. Le jour suffisait bien pour apprendre les nouvelles.

Il n'y en eut pas d'autres pendant quelques jours, que celle d'un pullulement de requins autour du Pirée, parce qu'on y jetait beaucoup de cadavres. Ceux des Trente qui avaient échappé au massacre de Mounychia s'étaient enfuis à Sparte.

Socrate mordait dans une olive quand il entendit près de lui quelqu'un qui disait :

« Transpercé par une lance. À l'instigation de Lysandre... »

Il se tourna vers ceux qui parlaient :

« Qui a été transpercé par une lance ?

— Ah ! Socrate, je ne t'avais pas vu, lui répondit-on, l'air faux.

— Qui a été transpercé par une lance ?

— Alcibiade. »

Il retira l'olive de sa bouche.

« Où ?

— À Mélissa, en Phrygie.

— Quand ?

— Il y a deux ou trois semaines.

— C'est Lysandre, disiez-vous, qui l'a fait assassiner ?

— En fait, nous ne savons pas bien... C'est le satrape Pharnabaze qui aurait envoyé son frère Bagaios et son oncle, Sousamithros, avec une bande de gens... Peut-être à l'instigation de Lysandre, dit-on. »

Il tenait son regard fixé sur ses informateurs, qui durent continuer :

« Il s'est défendu... Il a été transpercé de loin par une lance, comme je disais.

— Il était seul ?

— Non, avec une femme, une de ces femmes... Timandra. »

Une de ces femmes !

« Qu'est-ce que Lysandre aurait à voir avec ça ?

— On dit que c'est lui qui aurait poussé le Perse à en finir avec Alcibiade. »

Ainsi, Lysandre le victorieux, celui qui exigeait désormais qu'on lui élevât des autels et qu'on chantât publiquement ses louanges, avait eu encore peur de l'exilé aux cheveux d'or !

« Elle lui a fait un bel enterrement. »

Un bel enterrement... Avait-elle su tout ce qu'elle enterrait, Timandra ?

Socrate ressentit une faiblesse. Il but une gorgée de vin et écouta avec indifférence quelqu'un d'autre annoncer que le roi de Sparte, Pausanias, était arrivé à Athènes. Il eût voulu que son cœur s'arrêtât, là. Mais les choses ne se passent jamais comme on veut. Pausanias mettait fin à l'oligarchie et rétablissait la démocratie, mais il ne voulait pas de règlements de comptes, il voulait une démocratie modérée. Démocratie, oligarchie, les gens employaient de ces mots ! Règlements de comptes ! Mais qu'est-ce que les gens faisaient jamais dans la vie, si ce n'était de régler des comptes !

« Socrate, tu te sens bien ? »

C'était Platon, penché sur lui.

« Tu es pâle...

— Un peu de fatigue. »

Une immense fatigue, en vérité.

22.

Récit de Xanthippe

Elle était assise sur le pas de la cuisine, pendant que Léthô grattait des carottes. Elle ne regardait même pas son visiteur. Elle semblait aveugle ; elle ne l'était que par la volonté de ne pas voir le monde.

« Oui, c'étaient des démocrates et même des démocrates modérés, mais je ne sais plus ce que les mots veulent dire, mon pauvre Philippe. Les hommes les emploient aujourd'hui de telle sorte qu'une chose veut tout dire et son contraire... Un jeune poète, enfin, un crétin qui se croyait poète, il s'appelait Mélétos, a affiché un beau matin une plainte contre Socrate sur le portique de l'archonte, tu sais, le chef des magistrats, on l'appelle l'archonte-roi. Bref, il accusait Socrate d'enseigner des choses immorales, par exemple de ne pas croire aux dieux... Les mêmes âneries que débitait déjà Aristophane il y a vingt-cinq ans... Tu te le rappelles, Socrate disait qu'on ne peut pas comprendre les dieux immortels avec notre tête de mortels et qu'il ne fallait pas leur prêter nos sentiments. Il y avait un certain Lykon, le fils d'un riche tanneur nommé Anytos, qui se disait orateur parce qu'il parlait en public. Lykon contresigne la plainte de Mélétos et voilà qu'on prend la plainte au sérieux et qu'on tire au sort des héliastes[1]. On en tire cinq cent un, des gens qui n'avaient jamais entendu mon mari, qui ne le connaissaient que de réputation. Puis on vient nous aviser que, tel jour, Socrate doit comparaître devant les magistrats et qu'il ne doit pas quitter la ville. »

Elle se frotta les yeux et le pli de sa bouche se creusa.

« La vérité, c'est que trop de gens qui avaient été des ennemis de la démocratie avaient été ses amis et ses disciples. Il y avait cet épouvantable Critias, le chef des Trente, qui a fini éventré au Pirée et qui ne l'avait pas volé. Il y avait Platon, un autre aristocrate, qui était le cousin de Critias et de Charmidès... Il y avait Xénophon qui, comme tu sais, est parti se mettre au service de Sparte avec une bande de mercenaires. Il y avait aussi Charmidès, qui faisait également partie des Trente, des assassins, tous, des brigands de grand chemin, heureusement que tu n'étais pas là... Tu n'imagines pas l'horreur, cette période ! Charmidès a d'ailleurs fini lui aussi massacré. Il y avait surtout cette calamité d'Alcibiade. Alcibiade ! Je ne crois pas qu'Athènes ait jamais vu pareil voyou ! Comme tu sais, il a été mêlé, je ne sais exactement de quelle façon, à l'assassinat de ton père. Mais je ne veux pas remuer des souvenirs pénibles pour toi... Socrate l'aimait pourtant. Il a commencé par être follement épris de lui, et c'est pourquoi, quand tu es devenu majeur, mon pauvre Philippe, je t'ai recommandé de t'en aller à Cholargos et de te marier, pour fuir tous ces gens qui passaient leur temps à exercer leur séduction empoisonnée... Bref, Socrate est allé au tribunal. On lui a proposé des avocats, il a répondu : "Non, je saurai me défendre tout seul." Ah ! tu peux dire qu'il s'est bien défendu ! Il leur a déclaré tout de go : "Voilà, je suis comme je suis, vous ne voudriez pas que je change à mon âge !" Il avait soixante-dix ans. Il a interrogé son délateur, Mélétos, qui a répété son accusation d'athéisme, et Socrate l'a tourné en bourrique. Comment pouvait-on l'accuser à la fois d'être athée et de croire à d'autres dieux que ceux de la Cité ? Il a déclaré à ses juges qu'ils ne pouvaient le poursuivre d'aucun

---

1. Jurés. Socrate fut condamné à mort en 399 avant notre ère.

méfait. Ils n'étaient pas capables de trouver un seul geste criminel dans son passé, le procès était uniquement basé sur ce qu'il disait. Et il n'y avait aucune loi qui interdisait de dire ce qu'il avait dit...

— Mais qu'est-ce qu'il avait donc dit ? l'interrompit Philippe.

— Justement, ils étaient incapables de le préciser ! s'indigna Xanthippe. Ah ! tu ne sais pas combien je hais cette cité, mon petit Philippe ! Une cité de fanatiques, d'envieux, de mâles vantards et rancuniers ! Ils parlent tout le temps de "La Cité" et ils ne pensent qu'à leurs intérêts. »

Elle leva les bras et les abattit sur ses cuisses, en deux claques sonores. Léthô s'interrompit et la supplia de ne pas se mettre dans de tels états.

« Ils lui ont reproché de ne pas se conformer aux coutumes de la Cité ! reprit aussitôt Xanthippe. Quelles coutumes ? Peut-être, en effet, ne s'y est-il pas conformé, à ces maudites coutumes ! Tous des intrigants comme Alcibiade et Critias, des délateurs, des ambitieux, des hypocrites ! Bref, ils étaient bien embêtés, parce qu'ils se rendaient compte que leur procès n'avait pas de fond et qu'ils s'étaient laissé entraîner, sur la foi de ce rimailleur de Mélétos et de ce marchand de peaux d'Anytos, dans un règlement de comptes infect, comme lorsqu'ils avaient accusé Périclès de vol ! Ils auraient été bien contents d'en finir. Il aurait payé une petite amende et tout serait rentré dans l'ordre.

— Mais qu'est-ce qui s'est passé ? demanda Philippe.

— Les juges lui ont demandé quelle peine il estimait juste. Tous ses amis lui ont dit : "Dis cent drachmes, ne t'inquiète pas, nous les paierons !" Je le lui ai dit aussi, tu penses ! Tout le monde le disait, les jurés auraient été soulagés d'en finir comme ça. Mais il était trop plein de dégoût, je le comprends. Il les a mis au défi. Il leur a dit qu'un homme comme lui devrait être nourri et logé au Prytanée pour le reste de sa vie. C'était une gifle préméditée et c'est bien comme ça qu'ils l'ont pris. Ça les a mis en fureur. La majorité des héliastes, deux cent quatre-vingt-un, on voté la mort. »

Léthô avait fini de gratter ses carottes ; elle les jeta dans une casserole à ses pieds, puis elle saisit deux gros oignons qu'elle entreprit de peler.

« Ses amis ont fait pression sur lui et il a fini par proposer une amende. Mais c'était trop tard. Un homme qui les insultait de la sorte devait être éliminé. Ils ont voté une seconde fois la peine de mort, à une plus grande majorité. Maintenant, je me demande s'ils voulaient vraiment la mort... C'était, comme toujours, des attitudes, des grands mots. Ils voulaient montrer qu'ils étaient offensés. Ses amis lui ont proposé de s'enfuir. Il leur a répondu : "Pour aller où ? Je n'ai quitté cette ville que pour aller à la guerre. Je ne sais pas vivre en dehors d'Athènes. Je ne suis pas un marchand d'idées ambulant, comme Protagoras. Non, merci." On l'a donc jeté en prison. Ce n'était pas une prison sérieuse... Tout le monde entrait et sortait ; ses amis lui ont dit qu'ils pouvaient organiser son évasion, même le tribunal aurait fermé les yeux. Il n'y avait qu'Antisthène qui ne le lui proposait pas : il paraissait savoir quelque chose de Socrate que, même moi, je n'ai jamais saisi. À la fin, Socrate lui a dit : "Antisthène, va-t'en, quitte la ville. Ils vont te persécuter toi aussi." Et je me souviens qu'Antisthène lui a répondu : "Toi, toi tu me demandes de choisir la fuite, toi qui m'as appris à affronter le jugement le front haut ?" Et Socrate a ri, oui, il a ri dans sa prison, et il lui a dit : "Toi, tu m'as compris !" Et ils se sont donné l'accolade, comme des frères ! Mais il en avait assez. Je crois qu'il en avait même assez d'Athènes... »

Ses yeux se mouillèrent et sa voix se brisa.

« Les geôliers en larmes lui ont apporté la ciguë... Nous étions tous là, moi, Sophronisque, Ion... Il l'a bue comme il aurait bu un verre de vin. Une demi-heure plus tard, il était mort ! »

Et elle éclata en sanglots. Léthô lui serra le bras. Philippe ne savait que dire. Elle s'essuya les yeux du revers de la main.

« Voilà, Philippe. N'oublie jamais cette histoire.

— Je n'oublierai pas. Mais ce que tu me racontes ressemble à un suicide, Xanthippe », dit-il doucement.

Léthô s'interrompit une fois de plus et leva son regard sombre sur le visiteur.

Xanthippe hocha la tête.

« Oui, ça y ressemble. C'en était même un... Alcibiade lui avait brisé le cœur depuis plusieurs années. Socrate, tu sais, au fond c'était un enfant... Un cœur d'enfant. La tête, le génie, mais un cœur d'enfant. C'est pour ça que je l'ai aimé. Tout ce qui a suivi, notre défaite à Aegos Potamoi, les horreurs de la tyrannie des Trente, tout ce sang versé pour rien, ça l'a achevé... Il s'était senti trahi par Alcibiade, puis il a été trahi par Athènes. Oui, je crois que c'était un suicide. »

Elle croisa les mains sur les genoux, et c'était comme une image de la désolation.

« Je n'aurais jamais imaginé qu'il aimait autant Alcibiade. J'aurais dû le tuer de mes mains, celui-là ! Mais je n'imaginais pas non plus que Socrate était à ce point attaché à Athènes ! »

Philippe demeura un moment silencieux. Léthô regardait devant elle, impassible.

« De quoi vis-tu ? lui demanda-t-il.

— Léthô, son mari, Euménis, mes fils, quelques amis subviennent à mes besoins. Que crois-tu que je puisse vouloir ? »

Il hocha la tête et se pencha vers elle pour l'embrasser. Elle le serra dans ses bras. Il laissa une bourse dans le giron de celle qui avait été sa mère adoptive. Puis il s'en alla. Léthô l'accompagna.

Il était à peine arrivé à la porte que Xanthippe le rappela. Il se retourna et revint sur ses pas.

« Philippe, je t'ai toujours donné de bons conseils, n'est-ce pas ? »

Il hocha la tête.

« Je vais t'en donner encore un : ne te mêle jamais des affaires d'Athènes ou d'aucune autre cité. Enrichis-toi. C'est le conseil que j'ai donné à mes fils. »

Il la considéra un moment, avec un demi-sourire.

« J'avais déjà compris cela, dit-il. C'est ce que je fais. Je suis banquier, maintenant. »

Épilogue
pour répondre à
certaines curiosités du lecteur

1.

Dernière conversation entre des Athéniens au crépuscule

« Eh bien, nous sommes encore là, constata Demis en reposant son verre de vin de Sicile. Quarante ans de mauvais exemple, et nous voilà en train de boire du vin chez le fils d'Aristide, comme jadis. »

Il s'adossa à son siège. Depuis quelques mois, en effet, le Frisé, qui était presque chauve, à présent, avait ajouté à ses tabourets pliants, des chaises à dossier en érable renforcé de bronze, qu'il réservait à ses clients de marque et les plus fidèles.

« Pourquoi "mauvais exemple" ? demanda Taki.

— Parce que nous nous sommes abstenus de jamais nous distinguer aux yeux de personne ou d'aucun parti, quels qu'en fussent les mérites. Nous n'avons été partisans ni de Périclès, ni de Cléon, ni d'Alcibiade, ni de Critias ou d'aucun autre. Si nous avions fait valoir quelque talent, on nous aurait enrôlés d'office et nous aurions été entraînés dans ces querelles qui se terminaient généralement dans le sang. Mais nous avons feint d'être ternes. Nous n'avons jamais fait étalage de notre savoir ou d'aucune vertu. Le résultat est que nous pouvons encore faire la différence entre le goût du vin d'aujourd'hui et celui d'il y a quarante ans. »

Cléanthis leur adressa un regard ironique.

« Quand je pense que vous vous moquiez de moi parce que je tenais le même discours il y a quelques années !

— C'est toujours aux autres qu'on prêche la vertu civique, lui répondit Taki sur le même ton. Ce que Demis veut dire, en réalité, est que nous nous sommes gardés des deux maux les plus redoutés de tous les Athéniens, la *phtonos* et la *hubris*[1]. Ne jamais faire envie, ne jamais attirer l'attention et toujours se garder de croire qu'on triomphe, dans quelque domaine que ce soit.

— C'est vrai, convint Cléanthis en riant La *phtonos* et la *hubris* ! Bref, nous avons été de parfaits hypocrites !

— Pas hypocrites : prudents, rectifia Taki. Mais je ne vois toujours pas en quoi nous aurions donné le mauvais exemple.

— Eh bien, si tous les citoyens d'Athènes avaient fait comme nous, nous aurions depuis longtemps été occupés par Sparte, déclara Demis.

— Et alors ? Nous avons fini par être occupés, de toute façon. Toutes ces morts à la guerre et tous ces assassinats politiques en ville, toute cette jeunesse qu'on a envoyée au massacre ou à la noyade, sans compter les estropiés, et ces dizaines de milliers de talents dépensés à construire des navires et à forger des armes, ces torrents de salive qui ont été déversés à dire tout et le contraire de tout, tout ça n'a servi à rien ! s'écria Taki.

— Cent mille morts, dit Cléanthis.

— Quoi ?

— Je dis : cent mille morts, c'est le prix de la guerre du Péloponnèse. Je me suis efforcé, à la Magistrature, de calculer le nombre de morts et, en comptant les métèques et les esclaves, je suis arrivé à ce chiffre. Deux fois la population d'Athènes.

— En incluant les morts péloponnésiens ? demanda Taki, incrédule.

---

1. La *phtonos* est l'envie ou mauvais œil, la *hubris* est l'ivresse du succès.

— Non, seulement les Athéniens. Nous n'avons pas de chiffres pour les Spartiates et le reste des Péloponnésiens, précisa Cléanthis.

— Cent mille morts ! répéta Taki, interloqué. C'est à vous faire prendre la politique en horreur à jamais !

— Mille cinq cents morts civils, c'est-à-dire politiques, sous la seule tyrannie des Trente, autant au moins sous celle des Quatre Cents...

— Sans compter Socrate, dit Demis.

— Lui, il a payé pour les autres, dit Cléanthis. Et surtout pour Alcibiade, Critias et Charmidès.

— Il faut croire que son enseignement était bien pervers, s'il n'a produit que des gens de cette farine », constata Demis.

La paix civile revenue, le Frisé avait amélioré son ordinaire. Il servait des plats plus raffinés que jadis, comme de la friture de solettes au thym, des pâtés moelleux de fromage blanc aux herbes, de la fricassée de canard aux olives vertes. Les trois convives mangèrent en silence, puis s'essuyèrent la bouche et les doigts sur des serviettes, autre raffinement introduit par le Frisé. Cléanthis servit du vin et redemanda un cruchon.

« Je ne l'ai jamais entendu, reprit-il, mais je ne crois pas que l'enseignement de Socrate était pervers. À mon avis, il attirait des aventuriers comme Alcibiade et Critias, parce qu'ils pensaient enrichir leurs stratégies de conquête du pouvoir.

— Il attirait donc des aventuriers, observa Taki.

— Écoute, quand tu vas consulter un penseur, tu le paies pour qu'il enrichisse ton savoir. Parfois, tu le paies même très cher. Protagoras faisait payer ses élèves dix mille drachmes, ce qui est considérable. Tu crois qu'il y a beaucoup de gens qui donneraient autant d'argent pour leur seul perfectionnement intérieur et pour le plaisir de se dire, le matin, en se levant : "Ah ! quel bonheur, j'en sais plus qu'hier" ? Non, ils se disent plutôt : "J'en sais plus qu'hier, je suis donc plus en mesure de m'attaquer à la conquête du pouvoir ou de la fortune." Telle est la raison pour laquelle les gens qui font profession de penser attirent souvent des aventuriers, en effet.

— Et comment se fait-il que Socrate n'ait pas été lui-même aventurier ? demanda Taki.

— J'ai l'impression qu'il ne croyait pas à l'utilité de l'action. Au fond, je me demande s'il croyait à quelque chose... »

Il se lissa la barbe, artistement bouclée par le meilleur barbier du Stoa, et ajouta :

« Si nous voulons comprendre quelque chose à tout ça, il faut nous rappeler que tous ces aventuriers étaient des aristocrates. Ils n'avaient en réalité que du mépris pour le *démos*, et ils trouvaient tous qu'Athènes commençait à être encombrée par les gens du commun. Périclès était un aristocrate. Alcibiade en était un également. Critias et Charmidès étaient des aristocrates, et quels aristocrates ! Ils prétendaient descendre du dieu Poséidon ! Incidemment, ils étaient tous deux oncle et grand cousin de Platon et de son frère, le stratège Adeimantos. Tout ça, c'est le même monde et ils partagent les mêmes idées : la Cité doit être dirigée par des gens de qualité. Non seulement nous avons dû mener les guerres médiques, puis la guerre du Péloponnèse, mais, après la mort de Périclès, nous avons dû mener une guerre civile, celle des aristocrates contre le *démos*. C'est un miracle que nous en soyons sortis vivants ! »

Les trois hommes se turent un moment, chacun suivant le cours de ses réflexions.

« Le résultat le plus clair de ces quarante années de guerre est au moins paradoxal, déclara Demis, grignotant une petite galette aux amandes. Nous avons sacrifié cent mille hommes à la Cité et à l'esprit civique et nous sommes tous devenus individualistes. »

Les deux autres hochèrent la tête.

« Depuis Périclès, reprit Demis, tous ceux qui nous ont entraînés dans ces aventures impérialistes contre Sparte étaient des aventuriers.

— Des ambitieux uniquement occupés d'eux-mêmes, renchérit Cléanthis.

— Je comprends qu'on ait fait un procès à Socrate, dit Taki. Il encourageait ces aventuriers. On a voulu faire un exemple.

— Moi, je comprends sa mort », ajouta Cléanthis.

Taki et Demis l'interrogèrent du regard.

« Il a provoqué volontairement sa condamnation. Il s'est suicidé en rejetant la responsabilité sur les autres.

— Joli sophisme ! » jugea Taki.

Il contempla un moment les derniers ors du crépuscule qui effleuraient les crêtes du Korydallos et demanda :

« Et comment vont tes affaires, maintenant ?

— Bien, répondit Cléanthis avec un sourire. J'ai racheté des forges et des fonderies à Képhalos. Lui continuera à fabriquer des armes, moi, je ferai des meubles. Tout le monde veut des meubles en bronze, maintenant. Et incrustés d'argent. Je reçois même des commandes de Sparte ! Je pense que je vais devoir me résoudre à engager un cuisinier.

— Donc, à nous inviter chez toi, dit Taki.

— La défaite nous a enrichis, apparemment, observa Demis.

— Bienheureuse défaite ! » dit plaisamment Cléanthis.

Ils éclatèrent tous trois de rire.

2.

« Socrate devenu fou »

Le voyageur était sans doute arrivé par la porte du Dipylon. La quarantaine et dépenaillé : sa tunique et son manteau court, même pas un chiton de soldat, étaient loqueteux ; ses sandales, bonnes à jeter. Il était de petite taille et fluet, les lèvres minces sous la barbe hirsute, mais les yeux vrilleurs. Au portier de l'Académie, il demanda à voir Platon. L'autre le dévisagea et lui répondit, moqueur :

« Il n'y a pas de bains ici, c'est près de l'Agora. Prends tout droit, et tu trouveras les premiers derrière un grand bâtiment à colonnes, qui est l'Héphaistéion.

— Je ne te demande pas où sont les bains, mais où est Platon.

— Tu comptes te présenter à l'Académie couvert de cette saleté ?

— Respecte cette saleté, manant ce sont les restes de tes ancêtres ! »

Et le voyageur entra avant que le portier médusé eut le courage de l'arrêter.

Dix années avaient passé depuis la dernière conversation de Demis, Taki et Cléanthis. Une parmi des milliers d'autres que le vent a emportées.

Les mémoires sont comme la mer : dès que le vent passe, elles se lissent et les épaves que les vagues ballottaient commencent à couler au fond.

Platon était donc revenu à Athènes. Il n'y était pas rentré directement de Mégare ; il avait d'abord entrepris un vaste périple vers l'est, qui l'avait mené en Macédoine, en Thrace, puis en Ionie, d'où il avait gagné l'Égypte. De là, il avait navigué jusqu'en Sicile, il était passé en Italie et, assuré que les esprits s'étaient calmés à Athènes et qu'aucune peine de mort ni aucun édit de bannissement ne l'attendaient, il avait enfin débarqué au Pirée. À Athènes, la mort de Socrate n'était plus désormais qu'un parmi les événements d'une décennie tumultueuse.

Tant de gens étaient morts, alors, un philosophe de plus ou de moins !

Après s'être installé dans la maison de son frère, Adeimantos, il descendit flairer l'humeur de la ville et la trouva politiquement amorphe et commercialement fiévreuse. On ne parlait que taxes et impôts, car la chute de l'Empire ayant privé Athènes des tributs des cités vassales, il avait fallu trouver d'autres revenus. Et on en avait trouvés ! Taxe du cinquantième sur les entrées et sorties de marchandises, taxe sur les ventes, taxe sur les marchés, le pâturage, la pêche, les balcons, capitation des métèques, des étrangers, des esclaves... On ne pouvait presque plus rien faire en Attique sans payer de taxes. L'air et la mer étaient les seules denrées pour lesquelles on n'avait pas trouvé moyen d'en établir.

Platon se rendit rue du Héron. Il y trouva une inconnue qui lui dit s'appeler Léthô et qui l'informa que Xanthippe était morte. Et les enfants ? Elle lui donna les adresses de Sophronisque et d'Ion. Il y alla et fut accueilli à peu près comme un recruteur de mercenaires : la philosophie avait laissé aux enfants de Socrate un goût amer. Ils faisaient du commerce, l'un de poteries, l'autre de pêcheries. Platon décida de les oublier.

La politique ? Elle ne visait plus qu'à accroître les richesses ! On ne parlait plus d'idées, mais d'économie et de commerce, de développement de l'agriculture, de l'exploitation des mines du Laurion, d'encouragements aux banquiers, nouveaux dispensateurs de crédits... Certes, les Athéniens avaient gardé leur vieille haine des Spartiates, mais comme il n'était plus question de recommencer une guerre, le sujet était devenu quasiment mythologique. D'ailleurs, les Spartiates avaient évolué. Également saignés à blanc par la guerre, ils avaient eux aussi pris le goût du commerce et même du luxe ! Des voyageurs racontaient qu'on mangeait fort bien à Sparte. Tout change !

Platon avait alors acheté un vaste domaine à quelque trois stades au nord-ouest de la ville, au-delà de l'Éridan, dans ces parages qu'on appelait l'Académie, parce qu'on y célébrait un héros local, Académos. On y trouvait un gymnase et un temple d'Athéna. Entre autres arbres, douze oliviers y dispensaient une ombre propice à la méditation et aux dialogues. Il y avait fait construire un temple dédié aux Muses et un bâtiment pour abriter ses disciples. L'Assemblée avait donné son accord à cette fondation qui débarrasserait enfin l'Agora de ces discoureurs qui répandaient des idées séditieuses parmi le peuple.

Deux autres écoles du même genre s'élevaient déjà non loin de là. La première était celle d'Isocrate, un aristocrate ruiné qui enseignait lui aussi la philosophie et la rhétorique. Elle attirait de nombreux élèves de l'aristocratie, et une rivalité ne tarda pas à s'élever entre Isocrate et Platon.

« Il a ouvert un fond de commerce sur l'héritage spirituel de ce pauvre Socrate, disait Isocrate de Platon. Quant à son génie propre, c'est celui de postulats qui défient la logique, sans parler de la compréhension de ses auditeurs. Je serais content de trouver quelqu'un qui ait vraiment compris sa théorie des formes. »

« Isocrate ? Un rhéteur doué, mais ce qu'il enseigne n'est pas sérieux ! » répliquait Platon.

Il enseignait, lui, la botanique, la pharmacie, l'algèbre, la géométrie, l'astronomie, bref des choses sérieuses. En réalité, il ne les enseignait pas lui-même, ne pouvant être versé dans autant de matières, mais il les faisait enseigner par d'autres, comme Euclide de Mégare, qui l'avait suivi à Athènes. Sa recette était astucieuse : il faisait débattre des sujets par ses élèves et dirigeait leurs conclusions. Il écrivait, écrivait sans cesse et faisait la fortune des copistes du Stoa, auxquels il commandait chaque fois vingt exemplaires de ses textes, en général des dialogues.

La seconde école n'en était pas vraiment une, puisqu'elle ne comportait même pas de bâtiment, sinon une masure où les gens se réfugiaient par temps de pluie. Elle portait le nom singulier de Cynosargue ou Chien brillant. Dans un premier temps, Platon ne s'en soucia pas trop, car on la disait dirigée de façon excentrique par un insolent nommé Diogène. Originaire de Sinope [1], celui-ci avait été vendu comme esclave et acheté par un riche Corinthien installé à Athènes. D'une intelligence brillante, Diogène avait été affranchi par son maître, Xéniade, et nommé précepteur de ses enfants. On rapportait qu'il élevait ces garçons durement, les obligeait à marcher pieds nus et leur interdisait de se rendre au gymnase.

Ce fut dans le noble décor de l'Académie qu'arriva l'étranger poussiéreux. Il demanda qu'on lui indiquât le maître de céans. Platon dévisagea le visiteur de la tête aux pieds.

« Qui es-tu ? Que veux-tu ? »

À la vérité, il avait une vague intuition de l'identité de son visiteur.

« Je suis ton voisin Diogène et je ne veux rien, sinon m'assurer que tu existes. »

Platon se mit à rire.

« Tu ressembles trait pour trait à la description qu'on m'a faite de toi. Tu es bien l'élève d'Antisthène ? dit Platon.

— Oui, et je vois que tu ne l'es pas.

— Antisthène et moi étions élèves de Socrate.

— La même terre produit bien des orties et des myosotis. Pourquoi ris-tu ? Te crois-tu donc supérieur à moi ?

— Maintenant que tu t'es assuré de mon existence, Dio-

---

1. Sur la rive sud de la mer Noire.

gène, dis-moi ce que je peux faire pour toi ? » rétorqua Platon.

L'autre lui lança un regard goguenard :

« C'est bien ce que je disais, tu crois que tu peux faire quelque chose pour moi, c'est donc que tu te crois supérieur à moi. Je te l'ai dit, je voulais voir à quoi tu ressemblais. Je découvre un homme bien nourri et frotté d'huiles, qui se charge d'une tâche dont personne ne l'a prié.

— Laquelle ? demanda Platon, intrigué.

— J'apprends que tu écris les dialogues que Socrate a eus avec d'autres, et parfois avec toi.

— C'est exact.

— Socrate t'en avait-il prié ?

— Non.

— Xanthippe, alors ?

— Non plus.

— Ni ses enfants ?

— Non plus. Où veux-tu en venir ?

— Crois-tu convenable de rapporter les propos d'un mort ?

— Ce n'était pas n'importe qui Socrate.

— Ne savait-il pas écrire ?

— Certes, oui.

— Jugerais-tu convenable que j'aille écrire les conversations d'un homme et de sa femme parce que je me serais trouvé sous le lit au moment où ils les tenaient ? »

Platon fut pris d'un rire silencieux.

« Tu étais l'élève d'Antisthène, dit-il, j'étais celui de Socrate. En rapportant ses idées, je rends hommage à sa mémoire afin qu'elle instruise les générations futures. »

Diogène hocha la tête.

« Tu es comme les écrivains publics. Ils rédigent une lettre pour deux oboles, mais au moins celui qui les paie peut-il s'assurer que c'est bien ce qu'il voulait écrire. Salut. »

Et il tourna les talons.

Platon apprit par la suite que Diogène avait rendu la même visite à Isocrate et que, celui-ci ayant commis l'erreur de le mettre à la porte, Diogène racontait partout qu'il y avait en face de l'Académie une fabrique de pots vides dirigée par Isocrate : « Il apprend à des garçons à parler alors qu'ils n'ont rien à dire. » Ce Diogène était donc lui-même un pot de vinaigre, et il aurait été sot d'y chercher du miel.

Quelques semaines plus tard, il le retrouva à souper chez Aspasie, dont la curiosité s'était piquée au récit des insolences de Diogène. De nouveau veuve et bénéficiaire d'un héritage égal à sa propre fortune, l'ancienne compagne de Périclès tenait toujours table ouverte.

« La compagnie m'empêche de trop songer à mes chagrins, dit-elle à Platon. Mais je ne vois plus beaucoup d'hommes politiques. »

L'exécution de son fils, Périclès II, l'avait en effet déprise des hommes de pouvoir. Elle préférait les poètes, les philosophes et les artistes, et c'était pourquoi elle avait pris le risque d'inviter Diogène. De surcroît, le maître de ce dernier, tout comme Platon, avait été élève de Socrate, le seul qui s'était opposé à la mise à mort de son fils. Socrate ! Son nom seul éclairait le visage d'Aspasie. Elle avait fait sculpter, par un artiste qui l'avait connu, une statue en pied du philosophe, qui accueillait les visiteurs au fond du patio, juste après l'autel de Zeus.

Platon, qui se souvenait de sa première rencontre avec Diogène, scruta le personnage pour vérifier qu'il était présentable. La couleur de la peau et un vague parfum d'huile de menthe révélaient que le bonhomme était allé aux bains. Même la barbe était peignée. Cela prouvait qu'une part au moins de sa négligence physique était affectée, se dit Platon.

« Quel mal y a-t-il à se rendre au gymnase ? demanda Aspasie à Diogène, quand il fut avéré qu'il en interdisait la fréquentation à ses pupilles.

— Je n'y vois aucun bien. Au contraire, j'y vois un inconvénient, qui est de développer la vanité de ses clients.

— Mais enfin, cela fait de beaux corps. Es-tu hostile à la beauté ?

— Si elle est donnée, je la considère déjà comme une infirmité, car on dira de quelqu'un de beau : "Tiens voilà le bel Untel", sans égard pour ses autres qualités. Il s'identifiera donc à sa beauté, comme le paon qui fait la roue. Mais courir après une infirmité ! Pourquoi pas se faire couper une jambe ? »

Aspasie éclata de rire. Platon, lui, écoutait avec attention.

« Diogène pousse le dépouillement jusqu'à l'esprit, observa-t-il.

— Je te remercie de parler pour moi, j'avais la bouche pleine, riposta Diogène. N'avez-vous donc pas la nausée, à Athènes ? Dans toutes les maisons où je suis convié, il y a assez à manger pour trois fois plus de gens qu'on n'en reçoit.

— Et trois fois moins de réflexion qu'il en faudrait, sans doute, observa Aspasie.

— Belle Aspasie, vends donc tout cela ! s'écria Diogène, en désignant les objets et les meubles luxueux qui les entouraient.

— Aspasie est bien meublée de l'intérieur, comme tu le sais déjà, cher Diogène, observa Platon.

— Mais alors, Platon, que faisons-nous donc ici ? » demanda Diogène, avec une fausse ingénuité.

Le reste du repas fut de cette farine, les convives ne cessaient de rire et Aspasie décida d'inviter de nouveau l'insupportable Diogène.

Platon le convia un soir à souper en tête à tête dans une auberge, pour sonder le personnage : était-ce un grotesque, un amuseur public, ou bien un véritable philosophe et moraliste ? Leur conversation le troubla. D'abord, Diogène connaissait bien le prédicat de Socrate selon lequel la vertu vient naturellement avec le savoir et que les gens qui agissent mal le font par ignorance. Comment le connaissait-il ? Par son maître Antisthène, qui l'avait recueilli de la bouche même de Socrate. Or, il le rejetait.

« Qu'opposes-tu à cela ? demanda Platon.

— Cette distinction entre savoir et ignorance est frivole. Peux-tu nier que ce que nous croyons savoir n'est jamais qu'ignorance relative ? répliqua Diogène. Ce que nous savons nous est propre et ressortit à notre expérience. Or, comme deux expériences ne se ressemblent jamais, il ne peut y avoir de savoir commun, ce savoir que vous définissez comme critère de la vertu. N'est-ce pas ton maître lui-même, d'ailleurs, qui a dit que la vertu ne peut être enseignée ? Alors qu'enseignait-il à des canailles telles qu'Alcibiade et Critias ? » demanda-t-il d'un ton goguenard.

Platon ne répondit pas. Il préféra entraîner Diogène sur la question des formes du monde...

« Oui, oui ! s'écria Diogène, levant la main. Je sais vos idées là-dessus ! Vous voulez, toi et tes élèves, distinguer entre les formes que l'âme perçoit par les organes du corps et celles que l'esprit conçoit par syllogisme. Mais saurais-tu me dire ce que serait l'âme sans les organes du corps ?

— Nierais-tu donc l'existence de l'âme ?

— Même pas, puisque je ne sais pas ce que tu entends par ce mot. Si je me réfère à ce que tu enseignes, il me faudrait la concéder aux chiens, parce qu'un chien distingue entre l'humain qui lui est amical et celui qui lui est hostile. Il est donc capable de distinguer le bien du mal et de concevoir des catégories.

— Le chien aurait donc une âme selon toi ? »

Diogène fut secoué de rire.

« N'as-tu donc pas compris que le chien est mon modèle ? Pourquoi crois-tu que j'aie choisi ce nom pour mon école ? Un chien est sage. Par exemple, quand il n'a plus faim, il ne mange plus. »

Platon restait songeur. Un tel homme détruisait tout...

L'entretien se prolongea tard dans la nuit. L'aubergiste voulait fermer.

« Et alors demanda Platon, que crois-tu, finalement ?

— Je crois que tu crois à tes idées, et, moi, je crois que je dois me défier des idées.

— Prônes-tu l'ignorance, alors ?

— Non, répondit Diogène, je dénonce celle des autres. »

Ils sortirent ensemble. La nuit soudain parut à Platon plus vaste que d'habitude, il ne savait pourquoi. Diogène, la langue peut-être déliée par le vin, se tourna soudain vers lui et lâcha :

« Tu consacres désormais ta vie à écrire ce que disait

Socrate, n'est-ce pas ? Tu crois que tu as connu Socrate. Mais non, tu as cru connaître ce que tu voulais connaître ! Comme lui ! Tu sais ce que c'était, Socrate ? Non, tu ne le sais pas. C'était un gamin intelligent, laid et pauvre qui est tombé amoureux d'un garçon très beau, très riche et très aristocratique, Alcibiade, et qui a bâti là-dessus tout un système de représentation du monde ! L'amour révélé par les dieux et tout ça ! Et il a construit là-dessus tout un système de séduction... »

Platon écoutait, stupéfait.

« ... oui, de séduction, reprit Diogène. Il donnait aux gens l'impression qu'ils étaient, *eux*, intelligents ! Antisthène l'a connu. Antisthène, c'est mon vrai maître. Lui aussi, il a été séduit par Socrate. C'était un type formidable, Antisthène. Pas un aristocrate : un garçon qui, à quinze ans, quand toi tu apprenais le matin *L'Iliade* et *L'Odyssée* par cœur, que l'après-midi tu te cultivais le corps au gymnase et que tu rentrais le soir chez tes parents riches, a tenu seul en échec une dizaine de Béotiens. Pas avec des mots, mais avec sa rapidité de réaction. Un coup de glaive dans les jambes, puis quand l'autre abaisse le bouclier, vlan, la tête y passe ! Il avait compris Socrate, enfin, je crois. Il m'a dit un jour : "Tu sais, c'était un sophiste sentimental." Socrate était tellement baigné d'amour qu'il a imaginé un monde surnaturel dont la réalité terrestre ne serait qu'un reflet confus... C'est ce que tu enseignes toi aussi à tes élèves, non ? Ta théorie des ombres dans la caverne, tu vois ce que je veux dire... Puis il a compris qu'Alcibiade était un voyou et il s'est laissé condamner...

— Arrête ! » cria Platon.

Et Diogène partit d'un immense, un insupportable, un homérique éclat de rire qui résonnait encore dans la nuit quand il s'était éloigné, un jacassement infernal sorti des Enfers.

Platon resta seul un moment, cherchant son souffle. Non, tout ça ne pouvait pas être vrai, c'était l'interprétation de cet allumé de Diogène. Non, non et non ! Le Beau, le Vrai, le Bon et surtout, surtout, le Divin, l'ineffable, l'inexpressible Divin, cela existait ! Cela devait exister ! L'Ordre ! L'Ordre !

Il était athénien, lui ! Pas de Sinope, comme cet Oriental ! Un Athénien a besoin de l'harmonie universelle. Un Athénien ne prend pas le chien pour modèle !

De temps à autre, pourtant, Platon pensait irrésistiblement à Diogène. Il lui envoyait alors une jarre de vin et un sac de figues sèches. Et quand on l'interrogeait sur le Cynique, il répondait : « C'est Socrate devenu fou. »

Postface

Pourquoi la Grèce antique comme décor de roman ? Pour trois raisons simples. La première est qu'elle m'est familière, la deuxième, qu'elle me parait valoir largement la France des *Trois Mousquetaires* ou l'Amérique contemporaine comme milieu romanesque, et qu'elle est de loin plus riche en enseignements de psychologie politique. La troisième est que l'Occident y est né et que tous les drames et tragédies modernes y ont déjà été joués. La Grèce n'a pas seulement inventé la philosophie et la géométrie, mais également nos erreurs. Nous ne l'en aimons que davantage pour cela.

J'ajouterai que de récents événements européens me paraissent donner une actualité particulière à ceux de la période qu'on appelle le Siècle de Périclès.

Reste à préciser que ces pages sont essentiellement romanesques. Les événements décrits sont, certes, fidèles aux historiens de l'époque, celle où la Grèce n'était encore qu'une pléiade d'États-cités, Sparte, Argos, Corinthe, Athènes, Thèbes, Chalcis, qui n'avaient pas encore compris qu'ils étaient grecs et qui ne le comprirent, comme trop souvent, qu'après avoir sacrifié sur l'autel de la bêtise « patriotique » la fleur de leurs jeunesses et, heureusement, leurs illusions.

Les personnages illustres pour la plupart, à l'exception de Xanthippe, l'épouse de Socrate, sont réinventés. Là aussi, deux raisons m'y ont poussé. La première est que j'ai longtemps vécu avec eux et que, en fin de compte, je me suis plus souvent entretenu avec eux dans ce monde essentiel de l'imaginaire qu'avec bien des contemporains illustres, dont j'ai pourtant approché quelques-uns. Je crois les avoir trop fréquentés pour qu'ils soient encore pour moi des objets universitaires, ou que je puisse respecter la chasse gardée que certains s'obstinent, l'œil sourcilleux à vouloir instaurer sur tout ce qui touche aux Grecs.

Pourquoi donc les réinventer ? N'en savons-nous pas assez ? Non. Les Grecs cultivaient la mémoire autant que l'écriture, et c'est pourquoi nous en savons tellement sur eux. Les trésors d'érudition prodigués par les hellénistes et les travaux des archéologues nous permettent de définir l'identité du moindre témoin des dialogues de Platon et de connaître les cités grecques parfois mieux que nous ne connaissons certaines villes contemporaines. Car les Grecs fixaient sur le parchemin tout ce qui leur paraissait mériter l'attention. Mais ils ne fixaient que cela. Or, ni l'hellénisme ni l'archéologie ne sont des pratiques spirites. C'est pourquoi aussi nous en savons si peu sur bien des vies, des sentiments et des aspects pourtant essentiels du passé grec, ce passé qui nous hante encore vingt-cinq siècles plus tard.

Ainsi, nous ignorons absolument tout de la façon dont l'un des plus illustres penseurs de la Grèce, Socrate, vécut la déception que lui infligea le plus grand traître de son temps, Alcibiade, l'un des anti-héros de ces pages. Situation extraordinaire, le philosophe avait été à la fois le maître et l'amant de l'homme politique ; imaginez Pascal amant et maître à penser de Louis XIV ! Sa douleur son humiliation d'amoureux et de pédagogue durent être immenses. Comment croire qu'elles ne modifièrent pas ses idées sur la nature humaine et les desseins des dieux ? En effet, Alcibiade, enfant chéri d'Athènes, trahit celle-ci pour passer au service de Sparte, l'ennemie jurée, puis causa la désastreuse défaite d'Aegos Potamoi qui scella la fin de l'empire athénien. Beau, riche, brillant, cet individu fut l'instrument de la ruine de sa cité, par sa lâcheté d'abord, par un mélange d'ambition démente, d'ingratitude et de vengeance ensuite. Alcibiade a enrichi l'histoire mondiale de l'infamie de l'une de ses pages les plus noires.

Les réflexions de Socrate, car il eut des témoins et des amis, et il dut se confier à eux, fût-ce épisodiquement, eussent immensément instruit les générations successives sur la responsabilité des maîtres à penser. Nul ne nous les a transmises. Platon, le Grand Anachroniste, qui parle volontiers de gens et d'événements qu'il n'a ni connus ni vécus, fut apparemment trop occupé à construire l'image d'un philosophe impavide et splendide, injustement condamné à mort. Nous ne savons rien non plus de la souffrance que Socrate avait éprouvée quand son maître et ami Périclès subit l'indignité d'être démis de son poste de stratège. Or, il s'est forcément attaché à analyser les raisons pour lesquelles Athènes se montrait si ingrate à l'égard de son grand homme, et les rapports de la philosophie et du pouvoir.

Sur tout cela, rien que des conjectures.

Il y avait déjà là de quoi exciter le cœur et le cerveau d'un romancier. Mais il y avait un motif supplémentaire : nous savons peu de chose également, sinon rien, sur ces gens d'une époque dont l'éclat reste à peine croyable : qu'on songe, en l'espace de quelques dizaines d'années, Athènes eut des philosophes comme Anaxagoras, Protagoras, Socrate, Diogène, Zénon d'Élée, des artistes comme Phidias, des architectes tels que Iktinos (le Parthénon !), Hippodamos et Mnésiclès (les Propylées !), des auteurs dramatiques tels qu'Euripide, Sophocle, Aristophane (Eschyle est mort en 456, un peu auparavant), des courtisanes qui faisaient rêver le monde, comme Aspasie, des historiens tels que Thucydide et Xénophon... Mais là encore, rien ! Des œuvres admirables, certes. Mais rien qui donne de la chair à leurs auteurs.

Prenons Xanthippe, l'épouse de celui qui, dans la culture générale, semble incarner à lui seul toute la philosophie. Nous ne savons son nom que par une mention de Xénophon : le philosophe doit prendre congé d'un banquet, parce que son épouse l'attend et qu'il redoute ses reproches. Certes, la femme dans la Grèce antique n'était guère autre chose que la gardienne du foyer et la reproductrice de la nation, à moins d'être une hétaïre, voire une putain ordinaire. Mais il est douteux que Socrate se soit laissé intimider par son épouse si elle n'avait été que cette sorte d'esclave que définissait son statut social et juridique. Xanthippe devait avoir du caractère et, pour être mariée à l'un des esprits les plus aigus de tous les temps, elle devait également posséder de la finesse. Et que pensa-t-elle quand son mari but la fameuse ciguë ?

Prenons aussi les affaires de la vie courante, et notamment la criminalité. Les villes grecques anciennes devaient aussi compter leur lot de délits, meurtres, homicides, vols et autres. Les crimes de vinasse et de crapulerie sont aussi anciens que l'humanité. Ils n'étaient pas tous résolus. Ce serait faire offense à la perspicacité des habitants de ces villes et de leurs autorités que de les croire indifférents ou incapables de mener une enquête.

D'où la trame apparente de ce roman, qui fait de Xanthippe une enquêtrice improvisée, puis une accusatrice et, enfin, le témoin indiscret d'une époque réputée splendide.

Certains esprits chagrins m'accuseront d'avoir pris des libertés avec la vérité historique. Aucun document ne rapporte spécifiquement qu'Alcibiade ait été mêlé à une histoire d'homicide, par exemple, ou qu'il ait organisé une séance truquée de spiritisme, comme celle que je décris. Mais il ne me paraît pas invraisemblable que les passions qu'il a suscitées aient fait couler du sang : c'est le contraire qui me paraîtrait douteux, toute la biographie du personnage en témoigne. De plus, le stratagème que je lui prête n'était pas une rareté dans un peuple qui, contrairement à ce que veut faire croire un certain enseignement académique, n'était pas composé de démocrates rationalistes et de grammairiens, mais qui était très superstitieux : un général athénien avait déjà saupoudré de farine plusieurs de ses soldats et les avait expédiés dans le camp ennemi pour y semer l'épouvante. Croyant, en effet, avoir affaire à des fantômes, les ennemis s'enfuirent aussitôt.

Que ne raconte-t-on ces choses aux écoliers et aux étudiants !

On aura toutefois deviné dans ce roman deux autres trames que la vengeance de Xanthippe : elles sont sous-jacentes et elles évoquent la réalité quotidienne d'une époque que les siècles passés, notamment le XIXᵉ siècle, ont idéalisée jusqu'à provoquer l'exaspération de Nietzsche. Or, cette réalité comportait ses leçons et ses conséquences, et ceux qui y baignaient en ont été marqués.

La première de ces trames est l'étrangeté d'une société réputée pour sa sagesse et son humanité, ainsi que sa définition précoce des vérités premières ; d'une Cité qui s'est placée elle-même sous l'égide d'une déesse, Athéna, mais où les femmes ne jouent strictement aucun rôle civique, à l'exception de quelques cérémonies religieuses qui leur étaient réservées. La résignation de ces esclaves de luxe est tenue pour acquise. Et certains d'en conclure que les Grecs auraient été, dans leur majorité, homosexuels ! Rien n'est moins sûr. Les Grecs appréciaient, comme les autres, la beauté, le commerce et l'intelligence des femmes ; mille exemples artistiques, sculptures, peintures, poèmes, en témoignent.

Mais, de plus, on peut juger de la prétendue résignation des femmes dans la comédie d'Aristophane, *Lysistrata*, où les Athéniennes, excédées d'une phallocratie constamment en guerre, s'emparent du Trésor d'Athéna, c'est-à-dire des coffres de la Cité, et menacent les hommes d'une grève du sexe. À nos yeux modernes, Aristophane n'est certes pas un auteur « politiquement correct » ; ses sarcasmes à l'égard des philosophes ainsi que ses exaltations suspectes des « vertus antiques », specimen délétère du réactionnaire primaire, demandent qu'on le prenne avec des pincettes, mais sa comédie nous offre le premier et le plus savoureux exemple de ce qu'on pourrait appeler le syndicalisme naturel.

Je ne pense pas que Xanthippe, épouse d'un homosexuel celui-là fieffé, ait été indifférente à cette exaspération des femmes d'Athènes. *Lysistrata* a été représentée en 411, c'est-à-dire douze ans avant la condamnation à mort de Socrate. Ni lui, ni elle n'ont pu l'ignorer. Aristophane avait suffisamment brocardé Socrate dans *Les Nuées* pour justifier pareille hypothèse.

La seconde trame, elle, est constituée par les convulsions d'une démocratie balbutiante, constamment en crise, où la

liberté de parole est quasiment prohibée et où les personnages publics sont soumis à des pressions intenses au terme
desquelles ils sont le plus souvent chassés de la ville ou
condamnés à mort.

Car la vie à Athènes à l'époque classique était dangereuse. Au premier retournement politique, on risquait de
tomber entre les mains des armées d'espions qui pullulaient,
les sycophantes, et des hétairies, équivalant à nos bandes de
blousons dorés et de canailles.

Aujourd'hui encore, je m'interroge sur les mystères qui
imprègnent les vies de tant de personnages illustres. Car il en
reste ! Pour quelle raison exacte Périclès fut-il honteusement
démis de son siège de stratège, lui qui avait été réélu quinze
ans de suite ? C'est l'un des événements majeurs de l'histoire
de la démocratie athénienne, mais les témoins glissent dessus,
comme gênés. Affaire bizarre : même son contemporain et
adversaire Thucydide n'en souffle mot, et Platon, qui évoque
furtivement l'accusation de « vol », n'a pu l'apprendre que
par Socrate, puisqu'il n'avait que treize ans à l'époque. Mais
outre que rien dans son caractère ne semble l'y avoir disposé,
Périclès était très riche et n'avait pas besoin de voler l'argent
de l'État.

On l'a vu dans les pages qui précèdent : on lui reprochait
en fait une guerre qu'il n'avait pas voulue et ses adversaires,
les oligarques, lui tenaient rigueur d'avoir consolidé la démocratie. Contrairement au discours de convenance, en effet,
celle-ci était bien loin d'être admise à Athènes.

De même, nous savons que Socrate fut le conseiller de
Périclès jusqu'à sa mort, mais nous avons peu de traces de son
activité politique. Tout ce que nous savons est qu'il fut élu à
l'Assemblée du Peuple en 406-405, et qu'il s'opposa généreu-
sement et vainement et seul, à la fin, à la condamnation à
mort des généraux qui s'étaient mal comportés à la bataille
navale des Arginuses. Et encore que l'année suivante, 404, au
cours de la terreur que fit régner la brève Tyrannie des
Trente, il refusa d'aller arrêter un des adversaires de ces malfrats de haute naissance, ce qui lui eût coûté la vie si la tyrannie n'avait été renversée l'année suivante. C'était un homme

courageux, qui n'hésitait pas à s'opposer au pouvoir quand il le jugeait nécessaire.

Mais en raison du respect d'embaumeur dont on entoure la Grèce antique, on omet généralement de rappeler que bien des personnages que la culture habille de marbre furent, en réalité, de franches canailles : le Critias et le Charmidès des Dialogues de Platon, personnages historiques, participèrent, nous rappelle Xénophon, aux pires excès de la tyrannie des Trente : meurtres haineux et brigandages inclus. Il est mal vu de le rappeler. De même, le projet de prise du pouvoir qu'Adeimantos, le frère de Platon, stratège rescapé de l'épouvantable désastre d'Aegos Potamoi, expose à Socrate dans *La République* pourrait être signé de n'importe quel dictateur moderne.

Ce qui mène à une autre question : pour quelle raison Socrate fut-il condamné à mort ? Personne ne se ridiculise plus à prétendre que son homosexualité corrompait la jeunesse ; la vérité semble être plutôt qu'il avait été lié à tous les ennemis de la démocratie, d'Alcibiade à Critias. On se dit alors que ce philosophe donnait décidément un bien mauvais enseignement (jusque et y compris à Platon, qui se mit en tête, après la mort de son maître, d'offrir ses services à un tyran détestable, Denys de Syracuse, sorte de Ceausescu local). N'allons pas dire que Socrate était « fasciste », terme ô combien galvaudé, mais son discours sur la nécessité de concilier la démocratie et l'oligarchie, oxymoron s'il en fut jamais (imaginez un Léon Blum mâtiné de Pinochet), est troublant. Le moins qu'on puisse dire est que ce penseur, révéré par nos institutions académiques à l'instar d'un saint laïc, n'était certes pas un démocrate inconditionnel. Et l'on peut se demander s'il convient toujours de le présenter à la jeunesse et aux adultes paresseux comme un idéal humain accompli.

Mon hypothèse est qu'instruit par l'exemple de Périclès, le bannissement de philosophes aussi éminents qu'Anaxagoras et Protagoras, d'hommes aussi intelligents que Thucydide et Xénophon et d'artistes tels que Phidias, il redoutait un régime où l'opinion publique peut défaire un homme politique aussi sûrement que les armées ennemies, celui où, par exemple, un président des États-Unis d'Amérique, a failli perdre son poste à cause d'une ou deux créatures. Peut-être Socrate espérait-il la démocratie dans un avenir reculé. Mais en était-il un défenseur ?

La question reste actuelle, en cette fin de siècle où l'on juge toujours Maurras et Heidegger de façon plus passionnelle que réellement philosophique, en évitant de déceler les failles de théories par le déduit desquelles l'un devint si odieusement antisémite alors qu'il détestait les Allemands, et l'autre accorda une approbation tacite au régime le plus odieux de ce siècle.

Autre mystère : la défection d'Alcibiade, pupille de Périclès, qui passe chez l'ennemi, Sparte, et dont la trahison entraîne la défaite d'Aegos Potamoi, laquelle scelle la chute de l'empire athénien. Lui aussi est un disciple de Socrate, qui déclarait pourtant n'aimer au monde que la philosophie et Alcibiade.

Alcibiade n'est guère, en termes contemporains, un personnage sympathique : c'est un aristocrate arrogant, qui gifle les gens pour un rien, se dépense et dépense sa fortune en extravagances, écuries, chiens de grand prix auxquels il fait couper la queue pour se distinguer, cuisiniers coûteux. Lui et son hétairie sont d'ailleurs impliqués et naturellement soupçonnés dans un blasphème grotesque qui, outre leur frivolité, témoigne de leur aversion pour la religion athénienne : ils vont une nuit émasculer les statues d'Hermès, ces gardiens par excellence de la religion. Coureur de garçons et de femmes, mais guère plus aimant pour cela, il est par ailleurs ambitieux jusqu'à la folie. Bref, c'est une tête à claques, mâtiné de gandin et d'aventurier.

Il n'est pourtant ni sot, ni sans courage ; maints épisodes le prouvent. Mais il commet la faute majeure de trahir la démocratie et l'héritage spirituel de Périclès et, une fois passé dans le camp ennemi, il va jusqu'à conseiller les Lacédémoniens sur la façon de vaincre les Athéniens ! Pourquoi cette trahison infâme et qui, en dépit d'efforts louables de quelques historiens, le définit comme le traître de plus spectaculaire de l'histoire antique ?

Mon hypothèse est que lui aussi avait été blessé par l'humiliation que les Athéniens avaient infligée à Périclès. Comme tous les oligarques, riches propriétaires fonciers, il admirait le régime autoritaire et aristocratique de Sparte et vouait une exécration sans bornes au gouvernement du *démos*. Lui et son maître Socrate communièrent dans l'aversion pour une démocratie qu'ils jugeaient ingrate. Un peu comme si Malraux avait fondé le Front national après l'échec de De Gaulle.

Mais pourquoi Socrate s'éprit-il à ce point de ce personnage tapageur ? Pour sa beauté ? Athènes regorgeait de beaux garçons, comme Sophocle, qui en était amateur, le savait bien. Ou parce qu'Alcibiade accomplissait ce dont lui-même n'eût pu rêver, faute de beauté, de puissance et d'audace : la trajectoire d'une comète de soufre ? Voulut-il être son bon génie ? Ou plutôt, vivre sa vie par procuration ? Qu'éprouvat-il, lui, l'Athénien par excellence, quand son amant fabuleux trahit Athènes pour passer à l'ennemi, les Spartiates d'abord, puis les Perses ? Et quand il revint, sept ans plus tard, sous les acclamations de la foule ?

Il est d'autres caractères que je me suis efforcé d'éclairer. Le lecteur aura jugé.

Enfin, je dois trop à la Grèce antique pour n'être pas lassé par cette idéalisation à la façon de Winckelmann, dont elle a été victime. Je ne crois pas que l'Athènes de Périclès, en particulier, ait été un paradis en robes blanches. La guerre y a sévi sans relâche. Les haines y fermentaient jusqu'à l'explosion, celle des oligarques pour la démocratie et celle des démocrates pour l'oligarchie, et l'envie y pullulait à tel point que les Grecs en avaient conçu une peur sacrée du mauvais œil, la *phtonos*. Athènes n'a pas montré non plus, il faut le savoir, beaucoup de gratitude pour ces gens dont on l'honore aujourd'hui : elle a banni les philosophes, Anaxagoras et Protagoras, dont le renom égalait alors celui de Socrate (et qui eussent aussi mérité leurs mémorialistes), et elle a condamné ce dernier à mort. Elle a banni Thucydide et Xénophon et condamné Périclès à mort avant de le rappeler au poste de stratège. Elle a banni Phidias qui avait tant contribué à la splendeur de l'Acropole...

Je m'en suis parfois dépris, pour me reprendre avec contrition : ni Sparte, ni Corinthe ni Mégare ne nous ont offert tant de richesses. Les Athéniens sont à jamais nos pères : ils nous ont appris la liberté et la beauté. Nous avons beau faire, leurs dieux sont toujours présents, et Zeus partage curieusement bien des attributs avec notre Dieu de mono-théistes. Ma conviction est donc qu'ils appartiennent à tous ceux qui veulent se donner la peine de les examiner autre-ment que comme des objets de musée.

On devine sans peine mes sources : *La Guerre du Pélopon-nèse* de Thucydide, les *Helléniques* et *Le Banquet* de Xénophon, Platon, bien sûr, et les *Vies des hommes illustres* de Plutarque. Que certains auteurs contemporains me permettent de recon-naître également des dettes spécifiques : Jacqueline de Romilly, ambassadrice extraordinaire de la Grèce, dont l'*Alci-biade* en particulier a suscité mon admiration pour l'indul-gence maternelle qu'elle témoigne à ce détestable héros ; *The Trial of Socrates*, d'I.F. Stone, qui démonte impeccablement les dessous du procès de Socrate ; *Guerre et violence dans la Grèce antique*, d'André Bernard, remarquable démystification de l'angélisme supposé de la Grèce, et un ouvrage en principe universitaire, mais d'une lucidité exemplaire : *Le Monde grec antique*, de Marie-Claire Amouretti et Françoise Ruzé.

Table des Matières

II. La trahison du fils

Épilogue pour répondre à certaines curiosités du lecteur

Photocomposition Nord Compo
Villeneuve d'Ascq

Impression réalisée sur CAMERON par

BRODARD & TAUPIN
GROUPE CPI

La Flèche
en janvier 2001

Imprimé en France
Dépôt légal : janvier 2001
N° d'édition : 10010 – N° d'impression : 5968